LES SECRETS DE MA VIE À HOLLYWOOD

On est vraiment bien que chez soi

LES SECRETS DE MA VIE À HOLLYWOOD

On est vraiment bien que chez soi

Livre 6

Un roman de

Jen Calonita

Traduit de l'anglais par
Lynda Leith

Éditeur : François Doucet
Traduction : Lynda Leith
Révision linguistique : Isabelle Veillette
Correction d'épreuves : Suzanne Turcotte, Carine Paradis
Conception de la couverture : Tho Quan
Photo de la couverture : © Thinkstock
Mise en pages : Sébastien Michaud
ISBN Papier 978-2-89667-509-8
ISBN PDF numérique 978-2-89683-302-3
ISBN Epub 978-2-89683-303-0
Première impression : 2012
Dépôt légal : 2012
Bibliothèque et Archives nationales du Québec
Bibliothèque Nationale du Canada

Éditions AdA Inc.
1385, boul. Lionel-Boulet
Varennes, Québec, Canada, J3X 1P7
Téléphone : 450-929-0296
Télécopieur : 450-929-0220
www.ada-inc.com
info@ada-inc.com

Diffusion

Canada :	Éditions AdA Inc.
France :	D.G. Diffusion
	Z.I. des Bogues
	31750 Escalquens — France
	Téléphone : 05.61.00.09.99
Suisse :	Transat — 23.42.77.40
Belgique :	D.G. Diffusion — 05.61.00.09.99

Imprimé au Canada

SODEC

Participation de la SODEC.
Nous reconnaissons l'aide financière du gouvernement du Canada par l'entremise du Programme d'aide au développement de l'industrie de l'édition (PADIÉ) pour nos activités d'édition.
Gouvernement du Québec — Programme de crédit d'impôt pour l'édition de livres — Gestion SODEC.

Catalogage avant publication de Bibliothèque et Archives nationales du Québec et Bibliothèque et Archives Canada

Calonita, Jen

Les secrets de ma vie à Hollywood. On est vraiment bien que chez soi
Traduction de : There's no place like home.
«Livre 6».
Pour les jeunes de 12 ans et plus.
ISBN 978-2-89667-509-8

I. Leith, Lynda. II. Titre. III. Titre : On est vraiment bien que chez soi.

PZ23.C2124See 2012 j813'.6 C2011-942362-6

Les romans *Les secrets de ma vie à Hollywood* par Jen Calonita :

LES SECRETS DE MA VIE À HOLLYWOOD
LE FILM
AFFAIRE DE FAMILLE
PRINCESSE DES PAPARAZZIS
SOUS LES FEUX DE BROADWAY
ON EST VRAIMENT BIEN QUE CHEZ SOI

À Cindy Eagan, Kate Sullivan et Laura Dail
(ou, comme je me les représente, l'Homme de fer,
l'Épouvantail et le Lion [pas si] peureux).
Je n'aurais pas pu suivre la route de briques
jaunes sans vous trois.

UN : Gomen Nasai *signifie « Je suis désolée » en japonais*

— Prise quatorze, scène six. Action !

Je sens tout à coup le vent sur mon visage, et mes cheveux bouclés d'une teinte caramel commencent à fouetter l'air comme si j'étais prise dans une tornade. Je me tiens au garde-fou de ce qui est supposé être un immense paquebot, avec le soleil se couchant sur la mer derrière moi. Appelez cela la magie du cinéma — je suis en fait debout sur une réplique en fibre de verre de la proue avec un grand écran vert dans mon dos, qui, plus tard, sera rempli de ce glorieux coucher de soleil. Il y a un gros groupe de séduisants « passagers » élégamment vêtus grouillant autour de moi, et un extraordinaire violoniste et le personnel de service du bateau, qui distribue des boissons et des hors-d'œuvre.

La scène se veut l'image du bonheur, et je sais que c'est ainsi que je me sens. Comment pourrait-il en être autrement ? On me paie beaucoup d'argent pour une publicité de trente secondes. Je suis de retour à la maison à Los Angeles après mon été sur Broadway à New York et je dois être belle pour mon travail. Je porte une robe longue verte Max Azria de la même teinte que mes yeux et de renversantes sandales Jimmy Choo noires à perles tribales, et mon maquillage est frais et brille. Si ça, ce n'est pas le bonheur suprême, je me demande ce que c'est. L'équipe du son recrée la sirène du bateau, et je souris et passe un bras autour de

Sky Mackenzie, ma partenaire actrice depuis longtemps et un genre de nouvelle bonne amie. C'est une grande percée pour nous. Auparavant, nous voulions toujours nous étrangler.

— Très beaux, les filles, roucoule notre réalisateur, Preston Hartlet, transmettant ses commentaires avec le porte-voix. C'est la prise ! Je le sens. Montrez-moi l'amour.

Sky m'enlace à son tour avec raideur — les étreintes ne font pas habituellement partie de son répertoire — et alors, cela se produit. Toute la scène tombe en ruine. Encore.

Quand nous nous étreignons au signal, les figurants cessent leur anonyme réseautage et commencent à applaudir à tout rompre comme si nous deux avions trouvé une façon de créer la paix au Moyen-Orient. Évidemment, je commence à glousser, ce qui déclenche les gloussements de Sky. C'est arrivé à chaque prise. Preston finit par crier « coupé » et nous devons recommencer à zéro. Je me sens terriblement mal, mais dès que les figurants commencent à applaudir, nous perdons notre maîtrise ! Pourquoi notre embrassade provoquerait-elle tous leurs applaudissements ? Nous avons posé la question à Preston, mais il s'est contenté de hocher les épaules et de dire que c'est ce que veut Takamodo Cruise Lines, l'entreprise japonaise pour qui nous tournons cette publicité. J'imagine que puisque Takamodo paie, c'est leur choix, mais le geste me fait pouffer de rire. Je n'y peux rien !

À cette prise, les yeux bruns de Sky se fixent intensément sur les miens, m'obligeant à cesser de glousser, et ça fonctionne vraiment. Nous reprenons immédiatement nos esprits. Je donne silencieusement l'ordre à ma fibre humoristique de ne pas provoquer de seizième scène. L'équipe de son fait vibrer une musique instrumentale mélodramatique à plein volume alors que la caméra s'éloigne du bateau. Après dix secondes, Sky et moi disons notre réplique :

— Takamodo Cruise Lines. Une croisière, et vous serez en paix.

— EXCELLENT ! hurle Preston de manière exubérante, puis il tire sur son bouc. Préparons-nous pour le dernier plan rapproché !

— Oui ! crie Sky avant de retirer sa main de l'endroit où elle reposait autour de ma taille. Dieu, j'adore les publicités !

— Moi aussi, acquiescé-je en glissant mon pied droit hors de mon soulier pour le laisser respirer un peu. (Splendides chaussures, mais elles me pincent les orteils.) C'est comme tourner un mini film en une demi-journée.

— Vrai, mais ce n'est pas pour cela que j'aime jouer dans des publicités, dit Sky, puis elle danse dans ses talons aiguilles dorés Gucci incrustés de cristaux. Une publicité, c'est comme recevoir un an de salaire en quatre heures ! Et les robes sont renversantes.

Elle regarde l'horloge numérique suspendue au-dessus des portes de sortie de la salle d'enregistrement. Il n'est que 13 h.

— Nous devrions être sorties d'ici dans une heure et ensuite, nous devons trouver un endroit génial où aller. Nous ne pouvons pas laisser se perdre ces tenues et ce maquillage.

Elle tourbillonne dans sa John Galliano, la jupe saumon ornée de perles s'étalant en éventail comme un parapluie.

Je réprime un rire.

— Où exactement pourrions-nous porter ces robes pour déjeuner sans avoir l'air ridicule ? Elles sont plutôt de calibre à porter sur un tapis rouge.

— Je veux aller dans un endroit amusant !

Sky fait la moue.

— Je viens juste de gagner de l'argent facile et d'obtenir une robe gratuite, et nous n'avons nulle part où aller ?

— Pourrais-tu parler moins fort ?

Je la fais taire.

— Je ne veux pas que les employés de Takamodo t'entendent. Ils penseront que nous sommes impolies.

Je jette un œil aux cadres japonais qui surveillent le tournage. Je leur lance un petit salut, et Sky m'attrape la main, son lourd bracelet en or froid appuyant sur mon poignet.

— K., tu es tellement lèche-bottes. Tout ce qui intéresse Takamodo, ce sont nos superbes minois…

Elle marque une pause.

— Mon superbe minois et ton minois passable.

Je lui donne une petite tape sur le bras et j'aperçois un léger sourire commencer à étirer ses lèvres.

— D'accord. Tout ce qui intéresse Takamodo, ce sont nos superbes minois et surveiller de près leurs bateaux. C'est tout ce qu'ils souhaitent. Je peux dire tout ce que je veux.

Elle détourne le regard, mais je la vois qui me zieute par en dessous. Elle sait quand elle a tort.

— Tu pourrais au moins essayer de te montrer amicale, la réprimandé-je en plaisantant. Tu as raté le petit déjeuner qu'ils avaient prévu ici pour nous et tu ne leur as pas encore dit bonjour. À présent, ils se dirigent vers nous. Si tu veux ce voyage de presse gratuit à Tokyo pendant notre prochaine pause estivale, alors sois gentille ! Présente simplement tes excuses pour le petit déjeuner et bavarde un peu de tout et de rien. Pense à ta Galliano ! Tu as maintenant quelque chose à porter pour le dîner en tenue de soirée organisé ce week-end pour l'organisme dédié à sauver les otaries de San Marino.

Sky fait tourner ses cheveux noirs autour de son doigt.

— J'imagine. D'accord. Je vais m'excuser pour la pagaille du petit déjeuner.

Elle me lance un regard évaluateur.

— Tu penses toujours aux autres, K. Dieu, j'aimerais pouvoir faire semblant d'être comme cela.

Je lui tire la langue pendant qu'elle joue avec son bracelet en or, le glissant de haut en bas de son bras musclé et bronzé.

— Je ne sais pas si tu as remarqué, mais certaines personnes croient qu'il me manque la puce de sensibilité.

Ma lèvre commence à trembler.

— Toi ? Jamais !

J'éclate de rire, et Sky me donne un autre petit coup de coude, mais elle rit aussi. C'est bon d'entretenir ce genre de relation avec Sky après toutes ces années d'attaques déloyales et de jalousie dans *Affaire de famille* (ou comme nous l'appelions, *AF*), la série télévisée populaire pendant des années dans laquelle nous avons toutes les deux paru depuis nos années préscolaires jusqu'à il y a un an.

— Regarde-moi t'imiter, K., murmure Sky, et elle commence à secouer ses cheveux comme si elle tournait une publicité pour Pantene.

C'est injuste, je suis incapable de réaliser un shimmy avec ma chevelure ! Sky sourit aux cadres qui approchent depuis l'autre côté du plateau et elle incline la tête devant eux, tout en s'adressant à moi du coin de la bouche.

— Namaste, c'est ça ?

— Sky, gémis-je. C'est hindi !

— Et alors ?

Sky claque la langue.

— Quelle différence.

— Ce sont des Japonais, lui rappelé-je. Il ne s'agit pas de yoga fusion au gym !

Je réfléchis vite.

— Sois gentille afin que nous puissions tourner notre dernier plan, puis t'amener chez SunSmart Smoothie Beach House pour des gâteries gratuites. L'agent publicitaire a dit que la maison est ouverte seulement jusqu'à 19 h.

Sky tape mon bras bronzé à l'aérographe avec excitation.

— J'ai oublié à propos de SunSmart House ! Je ne peux pas manquer ces leggings Theorie, mais nous devons manger d'abord.

Je meurs d'envie d'un steak de chez Boa. J'ai fréquenté la cantine toute la semaine, et le sucre me tue.

Elle tapote son estomac plat.

— Bien, je vais dire bonjour rapidement, et ensuite, nous pourrons tourner notre dernière scène et partir.

Sky fait papillonner ses yeux brun foncé et ouvre ses lèvres parfaitement gonflées (elles ne sont pas naturelles), qui ont été dessinées avec un brillant à lèvres lie-de-vin. Puis, elle fige.

— Comment dit-on « Je suis désolée » encore ?

Je soupire. Nos agents nous ont enseigné plusieurs phrases japonaises à utiliser avec les cadres qui sont venus en avion aujourd'hui pour le tournage Takamodo Cruise Lines. Des trucs comme Oaidekite kôei desu. (« C'est un plaisir de vous rencontrer ! ») Et Kôhi demo ikaga desuka ? (« Aimeriez-vous une tasse de café ? ») Et Anata no fuku nante suteki ! (Je ne suis pas certaine d'avoir besoin de savoir « Quelle splendide robe vous portez ! » en japonais, mais ça sonne plutôt génial. Anata no fuku nante suteki ! Je pourrais bien commencer à dire cela tout le temps.)

Mon agent, Seth Meyers (aucun lien avec l'acteur dans *Saturday Night Live*), dit que tourner une publicité japonaise est comme manger une pleine baignoire de glaçage à cupcake Sprinkles — une véritable gâterie. Et il a raison. La gâterie que je vous offre à mon tour est ce premier de nombreux nouveaux SECRETS D'HOLLYWOOD que je suis prête à partager.

SECRET D'HOLLYWOOD NUMÉRO UN : Jouer dans des publicités japonaises est un jeu d'enfant. Même si votre étoile est trop brillante pour qu'on vous voie en train d'observer de près du gel pour les cheveux ou des voitures à la télévision américaine (et certaines vedettes à l'ego démesuré croient être au-dessus de cela), vous seriez idiot de ne pas jouer dans une publicité pour le Japon. La paie est immense — et je ne parle pas uniquement d'argent, même si, bien, ouais, c'est la meilleure partie (pensez à plus d'un génial million). Les vedettes américaines sont très prisées au

Japon, et les entreprises de là-bas paient les yeux de la tête afin que la royauté hollywoodienne tourne une publicité de trente secondes. Tout le monde depuis Tom Cruise jusqu'à Anne Hathaway en passant par Britney Spears a tourné des publicités japonaises, et c'est facile de comprendre pourquoi. Le tournage est habituellement court (une demi-journée), et on ne doit pas quitter Los Angeles pour le réaliser. On n'a même pas besoin d'apprendre le japonais ! La plupart de leurs publicités mettant en vedette des célébrités utilisent la véritable voix des vedettes et de la musique américaine. Un texte japonais ou une voix hors champ japonaise explique le propos du message s'il n'est pas assez simple à comprendre en soi. Notre spot publicitaire Takamodo, vantant leur plus récent paquebot de luxe, parle de lui-même. Évidemment, on ne voudra pas faire quelque chose de trop fou, sinon la publicité deviendra la risée de YouTube en Amérique, comme celle d'Arnold Schwarzenegger.

— Gomen nasai, dis-je lentement à Sky.

— GO-MEN NA-SAI, essaie de prononcer Sky, et je ne peux pas m'empêcher de glousser.

Ma prononciation n'était pas terrible non plus, mais la sienne est horrible.

— Oublie ça, rétorqué-je rapidement alors que les cadres approchent. Lance simplement ta réplique. Ils t'ont suppliée de la dire toute la journée.

Sky gémit.

— K. ! Nooon ! Je ne la fais plus. Cette phrase est morte quand *Affaire de famille* a quitté les ondes. C'est trop gênant. Sais-tu combien de personnes m'arrêtent dans la rue pour me demander de la dire et de la REDIRE ?

— Je sais, mais ça va faire un effet monstre, insisté-je, sachant que l'heure tourne.

Les cadres sont tellement proches qu'ils peuvent nous entendre. Par contre, j'ignore s'ils comprennent l'anglais.

— Prononce-le seulement une fois en japonais. S'il te plaît ? Je sais que tu as appris comment pour cette tournée médiatique japonaise il y a quelques années.

Elle hausse les épaules, et je sais que je la perds. Il est temps de changer de stratégie.

— Tu es une actrice incroyable, Sky. Je suis certaine que si tu interprètes la réplique en japonais, ils oublieront le fait que tu as raté les œufs bénédictine et ils commenceront à se dire : « Dans quoi pouvons-nous faire jouer Sky Mackenzie la prochaine fois ? »

Les yeux de Sky s'arrondissent à la pensée des dollars.

— Je n'ai jamais pensé à cela, K.

Elle prend une profonde respiration, puis elle laisse tout son visage se détendre et former un beau sourire joyeux juste au moment où les cadres arrivent à côté de nous. Je dois rendre hommage à Sky. Quand il faut déployer le charme, elle en est capable.

— Onnanoko niwa Onnanoko no jijo ga aruno, dit-elle, ce qui signifie : « Une fille doit faire ce qu'une fille doit faire. »

C'était l'expression propre au personnage de Sky, l'intrigante Sara dans *AF*. Mon personnage de bonne fille, Samantha, n'en avait pas vraiment une à elle. Elle disait seulement : « C'est tellement mignon ! » Beaucoup. Elle était plutôt mielleuse.

Les cadres japonais stoppent net et paraissent un peu perplexes — la version de Sky ne sonne probablement pas exactement comme le devrait la traduction —, mais ils doivent en comprendre l'essence, car ils applaudissent. Sky est tellement contente qu'elle exécute une courte révérence, puis elle commence à s'incliner. Je la tire avant qu'elle ne fasse une chose qu'elle regrettera. Comme de parler à nouveau de son chèque de paie.

Je suis certaine que plusieurs personnes se demandent pourquoi quiconque au Japon se soucierait de Sky et moi. Bien, il se trouve que notre bien-aimée ancienne émission de télévision — l'endroit où Sky et moi nous sommes rencontrées, disputées et sommes devenues des amies-ennemies pour finalement nous transformer en amies après l'émission l'été dernier à New York — est distribué sous licence là-bas et les cotes d'écoute sont GÉANTES. Apparemment, Sky et moi jouissons de plus de popularité là-bas que Richard Gere. (Je sais, je sais — qui ? Les Japonais l'adorent. Il était géant ici il y a un certain temps lorsqu'il a tourné toutes ces comédies romantiques comme *Une jolie femme*, qui est un classique que vous devez tellement voir si ce n'est pas déjà fait.)

— Sky ? Kaitlin ?

Notre réalisateur, Preston, est tout près et nous attend. Ses lunettes de soleil argentées Ray-Ban style aviateur sont nichées dans ses cheveux bruns lourds de gel et les muscles de son bras bronzé roulent sous sa peau quand il fait courir une main dans ses mèches raides. On peut voir sans aucun doute que Preston était séduisant dans son temps. Il a la cinquantaine, et bien qu'il tournait autrefois des films d'action avec de grosses explosions et des kidnappings, il s'en tient à présent à des spots publicitaires japonais. Il est apparemment très recherché.

— Pensez-vous que nous puissions réaliser ce plan rapproché en moins de cinq prises ? Je tire une fierté de toujours boucler sous le budget dans mes tournages de publicité. Tout ne tourne pas autour des façons de dépenser de l'argent, vous savez.

Ses yeux bruns nous regardent intensément.

Oh mon Dieu. Il a entendu la plaisanterie de Sky à propos de l'argent, n'est-ce pas ?

Je jette un coup d'œil furtif au plateau derrière. Les gars de l'éclairage, le perchiste, les assistants de production et les gens responsables de la coiffure et du maquillage filent partout, retouchant, ajustant l'éclairage et replaçant la scène encore une fois. Le personnel de la cantine remplit de nouveau la table de bagels, de charcuterie, de salades, de céréales et d'un assortiment de fruits et de bonbons (à mon sens, on ne peut pas imaginer une table de cantine sans vers en gelée). Plus loin, j'aperçois ma propre équipe — mon assistante, Nadine, et mon père, qui est venu observer l'action et, euh, établir des relations. (Il est un producteur entre deux trucs en ce moment. En fait, il n'a pas travaillé depuis un an. Actuellement, son travail à temps plein consiste à jouer au golf et à parler voiture ou, récemment, bateau.)

Il m'arrive de ne pas penser au nombre de personnes nécessaires pour qu'une seule petite actrice paraisse bien. Tout à coup, je me sens coupable à propos de mes gloussements sur le plateau. La dernière chose que je souhaite est que Preston croie que je suis une actrice adolescente trop gâtée qui ignore totalement comment fonctionne l'industrie. J'adore jouer et parfois, c'est facile d'oublier à quel point je suis reconnaissante de chaque occasion que j'ai de pratiquer mon métier, et j'en ai beaucoup.

J'offre mon meilleur sourire à Preston et l'expression faciale la plus amicale que je peux réussir, espérant avoir l'air tout enthousiaste, remplie d'espoir et gentille, comme mon ancien personnage dans *AF*.

— Preston, nous nous sentons très mal à propos de tout à l'heure.

Je donne un petit coup de coude à Sky, qui est de nouveau occupée à scruter sa Galliano pour voir si j'ai déplacé l'une des milliers de perles sur sa jupe au modèle unique.

— Je suis désolée que nous ayons mis autant de temps à réaliser cette prise. Celle-ci sera très rapide. Je te le promets, et elle sera aussi précisément ce que nous cherchons à obtenir.

Preston sourit et regarde Sky pour recevoir davantage d'éclaircissement. Il est difficile de dire s'il va bien ou s'il est agacé sous cet éclairage. Le plateau est si vivement éclairé que l'espace réservé aux coulisses est réellement très sombre, exactement comme la tenue de Preston (t-shirt bleu marine usé et jean en denim foncé, l'accoutrement de choix d'un réalisateur). Je donne un petit coup de coude à Sky, espérant qu'elle pensera à quelque chose qui séduira Preston.

Sky lance son opération de charme.

— Nous sommes vraiment désolées ! Cela ne se reproduira plus. Merci aussi de t'être montré si compréhensif à propos du petit déjeuner. Je vais dire à mon agent à quel point cette expérience avec toi a été formidable.

Sky me jette un coup d'œil rapide.

— Il a dit que si nous t'aimions, nous pourrions sûrement suggérer ton nom pour nos prochaines publicités et ensuite peut-être même comme réalisateur invité pour la petite émission sur laquelle K. et moi travaillons. Tu en as peut-être entendu parler ? *Petites prises* ?

L'expression de Preston n'affiche aucune ambiguïté. Tout son pâle visage semble briller et ses yeux sont ronds comme des soucoupes.

— Bien sûr que j'ai entendu parler de *Petites prises* ! C'est la raison pour laquelle j'ai accepté cette publicité, vous savez. Mes enfants ont adoré le pilote et ont dit que je devais travailler avec vous deux. Tout le monde en parle.

Il gratouille son bouc.

— Réalisateur invité, hein ? Vous savez, nous avons tous besoin de temps pour nous réchauffer.

Preston regarde Sky, qui fait semblant d'être très innocente.

— Ne vous inquiétez pas à propos de ces gloussements ! Je veux que vous ayez du plaisir !

Il rit et donne une tape sur l'épaule nue de Sky. Elle lui lance un regard mauvais, puis baisse encore une fois les yeux sur la maudite robe pour vérifier les perles. J'arque les sourcils dans sa direction pendant que Preston continue de jacasser.

— Wow, *Petite prises* ? Je, euh, ouais, dites au studio de m'appeler. N'importe quand. Jour. Nuit. Mon téléphone est toujours réglé sur la vibration.

Il se détourne, tablette à pince en main.

— Prenez votre temps, les filles ; quand vous serez prêtes pour la dernière prise, je le serai aussi !

— Nous sommes prêtes ! dis-je de ma meilleure voix de meneuse de claque.

— Mon Dieu, quel casse-pieds, grommelle Sky lorsqu'il est trop loin pour l'entendre.

Je la frappe.

— Euh, la robe ?

Elle pointe un long ongle manucuré sur les perles.

— K., je comprends le truc de la gentille fille, mais envers tout le monde ? Ce n'est pas l'argent de Preston qui est dépensé pour des heures supplémentaires et sérieusement, nous n'avons pas repris tant de prises que cela.

Je lui lance un regard.

— D'accord, nous en avons peut-être tourné un peu plus que nous aurions dû, mais qui s'en soucie ? Nous nous amusions, non ?

Elle esquisse un genre de sourire.

— C'est vrai que nous travaillons bien ensemble.

— Ahhhh… Sky.

J'étreins son corps raide.

— J'adore travailler avec toi moi aussi.

— Je n'ai pas dit « adore », clarifie Sky.

Je fronce les sourcils.

— Crois-tu réellement que nous devrions déjà offrir des places d'invités dans *Petites prises* ? Oui, le pilote a été un grand succès, mais…

— K., je n'arrête pas de te dire de cesser de t'inquiéter. Notre émission est là pour de bon. Tout le monde le pense !

Sky joue avec la grosse bague ornée de joyaux à son doigt.

— Tu dois te servir de tes forces.

— Tu veux dire comme toi ? la taquiné-je. Devrais-je offrir un autographe au policier quand il me demande de me ranger pour avoir roulé 75 km/h dans une zone de 30 ?

Nadine et moi sommes venues en covoiturage avec Sky ce matin parce que Rodney, mon chauffeur et garde du corps, travaille comme cascadeur pour une publicité à lui aujourd'hui. Tout le monde à Hollywood semble mener deux carrières à la fois : être acteur et autre chose quand ils ne jouent pas afin de payer leur loyer.

— Tu devrais peut-être, mais tu dois d'abord obtenir ton permis de conduire.

Le long visage de Sky est diabolique.

— Gentil.

Je rougis.

— Je vais passer mon examen routier dans six semaines.

— Tu dis cela depuis deux mois ! me rappelle Sky. K., tu vas tellement le réussir. Tu pratiques depuis des lustres. Et même si tu te goures et frappes un panneau routier, tu l'auras, ton permis. Le bureau des permis ne fera pas échouer une actrice en nomination aux Emmy !

— Je ne veux pas de faveur, insisté-je, baissant les yeux sur le plancher rayé. Je veux le décrocher de la même façon que tout le monde.

— Ouais, ouais, la fille vraie par rapport à l'actrice. Je connais l'histoire.

Sky me décoche un clin d'œil.

— Garde tes flatteries pour ta prochaine entrevue avec *Seventeen*.

Je vais lui régler son cas.

— Oh, tu veux parler de mon article en première page pour *Petites prises* ?

Les yeux de Sky s'arrondissent et son visage devient rouge.

— Je ne peux pas croire que tu accorderais une entrevue en première page sur notre émission sans moi !

— Je t'ai eue. Tu es coincée avec moi.

— K. !

Sky hurle.

— C'était méchant ! En tout cas, je ne dirais pas « coincée ».

Sky sourit largement.

— Maintenant, finissons-en avec ceci afin que nous puissions aller manger un steak ! Et des pommes de terre rissolées ! J'en paierai le prix plus tard avec mon entraîneur.

Elle zieute mes fesses d'un air sceptique.

— Hum... tu devrais peut-être te joindre à moi aussi. Tu profiterais d'une bonne séance d'exercices.

Je ne dis rien. Choisis tes batailles, conseille toujours Nadine. Je ne dis pas non plus à Sky que cela ne me dérange pas de tourner plus de prises. C'est amusant de faire semblant d'être sur un paquebot. Particulièrement quand on est avec une amie.

Sky crie par-dessus son épaule.

— Nous sommes prêtes, Preston !

— Excellent, allons-y, réplique Preston avant de se diriger vers sa caméra.

Sky et moi nous positionnons sur nos marques à la proue du bateau, et les figurants se regroupent autour de nous. Le violoniste recommence à jouer et un couple porte un toast (les verres s'entrechoquent). Quand la machine à vent souffle dans mon visage, je sais que le moment est venu. Gros sourire, pose parfaite, comportement joyeux. Ce n'est pas difficile à réussir.

Preston lève son porte-voix.

— Et action !

Dimanche 1er novembre
NOTE À MOI-MÊME :

Lun/mar, h de convoc : 5 h
Doit me procurer caféine d'abord ! Et Froot Loops !
A. vient sur plateau : lun env. 16 h
Tournage d'*Ellen* mar.

Tournage pr *The View* merc. H de convoc : 9 h
Allé sur plateau *PP* apr. tournage
Ent. tel / Ryan Seacrest : merc.
PREMIÈRE DE *PETITES PRISES* — jeu. @ 20 h 30.
H de convoc *PP* pr vend. : 6 h
Dîner/maman/papa/Seth/Laney : dim. Apr. tournage *EW*

Devoir… ? ? ? Vérifié avec Nadine !

PETITES PRISES

PP103 « Allez-y pour l'incontournable essai à l'université »

SCÈNE :

La chambre de résidence étudiante de HOPE et TAYLOR. Elle est bondée de gens – des musiciens de fanfare avec des tubas et des tambours, des meneuses de claque, la bande des mordus d'informatique, des jeunes gothiques, chaque groupe type attendu est présent. Les gens sont serrés comme des sardines dans la minuscule et très féminine chambre de dortoir, et la musique joue à plein volume. HOPE ouvre la porte de la chambre et hurle.

HOPE :

Qu'est-ce qui se passe ici ? (Elle se couvre les oreilles pour éviter d'être assourdie par le tuba tonitruant.)

TAYLOR :

Hé ! N'est-ce pas fantastique ? Nous faisons une « Fête des quinze de première année ».

HOPE :

Parles-tu de ce truc pour prendre du poids ? (regardant autour d'elle) Si tu essaies d'établir un record du monde Guiness pour le plus de poids dans une seule pièce…

TAYLOR :

Non ! Non ! C'est un jeu consistant à faire entrer quinze personnes dans notre minuscule chambre de quatre mètres par quatre mètres. Quoique je crois qu'il doit y avoir trente à quarante personnes à cette fête. Drôle, hein ?

HOPE :

(Paniquée. Elle tend la main dans sa poche pour prendre une très petite couverture rose terne et effilochée.) Fête ? Je n'organise pas de fêtes. Je te l'ai dit.

TAYLOR :

Maintenant oui ! Je me suis dit que nous en méritions une après une rude première semaine en classe. De plus, j'ai complété mes lectures pour la semaine, alors j'ai pensé que nous pourrions nous déchaîner un peu.

HOPE :

Tu as terminé 200 pages en un après-midi ?

TAYLOR :

Je suis une lectrice rapide.

HOPE :

(Perdant totalement les pédales) Bien, je n'ai pas encore commencé les miennes et j'ai besoin de calme. (Le tuba hurle dans ses oreilles encore une fois.)

TAYLOR :

Allons, Hope ! La seule fois où tu t'es un peu approchée d'un grand rassemblement est probablement à l'initiation des nouveaux étudiants, et cela ne compte pas. Nous devons t'aider à t'assimiler. Tu ne survivras pas à quatre années ici si tu n'essaies pas de te faire une place.

(La porte de la chambre de dortoir s'ouvre encore une fois et GUNTHER bondit sur le lit de HOPE, puis sur le plancher, danse avec quelques meneuses de claque et enfin se glisse entre deux percussionnistes avant de s'arrêter devant HOPE et TAYLOR.)

GUNTHER :

Wow, Taylor, tu avais raison ! On peut augmenter le nombre de personnes dans notre chambre jusqu'à soixante. On peut totalement faire entrer quinze personnes de plus ici. (Lève le microphone autour de son cou.) Qui est prêt pour le karaoké du Quinze des premières années ?

ZOE :

Moi ! (se faufilant dans la foule) Le karaoké aide à brûler des calories et je n'ai réussi qu'à faire deux heures d'entraînement au gym cet après-midi. L'entraîneur au spin a dit qu'elle ne me laisserait pas assister à un troisième cours. Quelque chose à propos de devenir un risque légal.

TAYLOR :

(grommelant) De plus d'une façon. (à GUNTHER) Alors, devrions-nous inviter plus de gens ici ?

HOPE :

NON ! C'est une chambre de quatre mètres sur quatre mètres ! Je ne pense même pas que mon sac à dos puisse entrer ici. (Elle regarde TAYLOR d'un air suppliant et frotte la couverture sur son visage.)

GUNTHER :

C'est quoi, ce torchon que tu transportes ?

HOPE :

(Elle le roule en boule et l'insère dans le haut de son jean.) Ce n'est rien. Rien d'assez important pour en discuter. Juste quelque chose avec quoi j'ai dormi presque toute ma vie depuis ma naissance, mais ce n'est pas une grosse affaire. Je n'ai aucun problème avec les séparations.

ZOE :

Elle a l'air aussi vieille que tu le dis. N'as-tu jamais entendu parler de Shout? Ma mère m'a envoyée ici avec deux bouteilles.

GUNTHER :

Je préfère Resolve, en fait.

HOPE :

Pouvons-nous revenir à la question du jour? Vous devez faire sortir ces gens d'ici. Je sais que tu veux lâcher la vapeur, Taylor, mais si Edison a vent de cette réunion, tu recevras un billet jaune d'avertissement, c'est certain.

TAYLOR :

(haletante) Un billet jaune? (commençant à paniquer) Je pensais qu'ils étaient verts.

ZOE :

Ne sont-ils pas orange? J'ai reçu un de ceux-là la semaine dernière.

GUNTHER :

Je crois que c'était l'invitation au dîner d'initiation des premières années hier soir.

ZOE :

Oh.

HOPE :

Peu importe ! Vert ! Bleu ! À petits pois ! (à TAYLOR) Tu recevras un avertissement. Toi. Mademoiselle la Première de classe. Cela gâchera assurément tes chances d'être sur la liste de ton doyen.

TAYLOR :

(attrapant le microphone suspendu au cou de GUNTHER) TOUT LE MONDE SORT ! MAINTENANT ! ALLÔ ? (paniquant et regardant HOPE) Ils ne bougent pas !

HOPE :

Je vais le faire. SORTEZ ! VOUS DEVEZ PARTIR MAINTENANT ! LA FÊTE EST FINIE ! Gunther, ils ne s'en vont pas !

GUNTHER :

Euh, peut-être si tu allumais le microphone ?

HOPE :

Compris. SORTEZ ! MAINTENANT !

(La porte de la chambre s'ouvre encore et c'est EDISON. Il voit la foule et lâche tous ses livres. La foule l'aperçoit et quitte la pièce en trombe. EDISON s'écarte d'une manière comique pour éviter de se faire renverser. Il est suspendu à la barre de musculation de TAYLOR, et les autres viennent se placer sous lui.)

EDISON :

Qu'est-ce que c'était que ça ?

TAYLOR :

Quoi ? (regardant les autres) Je n'ai rien vu ; et vous, les amis ?

ZOE :

Nan. Juste quelques douzaines de personnes. (HOPE lui donne un petit coup de coude.) Je veux dire, des rats de laboratoires. C'étaient des rats de laboratoire. Nous travaillions sur notre projet de science.

HOPE :

C'était un groupe d'étude.

TAYLOR :

Un groupe d'étude d'étudiants de première année puisque nous, les premières années, avons travaillé comme des mulets pendant notre première semaine ici et nous ne… (HOPE la pousse de nouveau.) Nous adorons cela ici.

EDISON :

Vous quatre : mon bureau, immédiatement.

GUNTHER :

Oui ! J'ai toujours voulu voir le salon des assistants de résidence !

DEUX : *Voulez-vous des* (Petites) prises *avec cela?*

À travers la fente de la porte du studio d'enregistrement, j'entends la voix de Peter Frimmons, le grand manitou du réseau, parler à la foule de journalistes visitant le plateau de *Petites prises*, et mon estomac se retourne d'excitation. Peter est très expansif — extrêmement volubile — à propos de notre émission. Une nouvelle émission qui a été diffusée pour la première fois hier soir! Je ne pense pas avoir déjà entendu un cadre déclarer officiellement : « Je vais céder ma prime si cette émission ne termine pas dans les dix plus populaires. » Et Pete vient de le faire!

— Peux-tu croire que Fritz a fait venir tous ces écrivains en avion à Los Angeles pour nous rencontrer? me demande Sky alors que nous sommes collées l'une sur l'autre devant les portes du studio d'enregistrement.

Nous écoutons aux portes et souhaitons ne pas être repérées.

— Il doit réellement penser que *Petites prises* représente la clé de cette petite île au sud de la France qu'il espère pouvoir s'acheter avec tout l'argent qu'il fera avec nous.

Le réseau va vraiment au-delà de toutes limites pour *Petites prises*. Ils ont invité les principaux journalistes du spectacle de partout au pays pour nous regarder filmer une scène et nous interviewer en personne. Toutefois, avant même cette rencontre, les premières revues médiatiques pour le pilote ont été très bonnes. Ce n'est pas que je veuille trop m'avancer. Nous avons fait nos débuts seulement hier soir et nous n'avons pas encore reçu les chiffres finaux. Seth dit que je ne devrais pas m'inquiéter. Il sent le succès.

— Pourquoi affiches-tu un si grand sourire? demande Sky d'un ton suspicieux.

Elle a tout à fait l'allure d'une étudiante de première année d'université dans un haut vert décolleté vraiment mignon mais simple et un jean en denim foncé. Ses cheveux noirs sont tirés en arrière et retenus par un bandeau à carreaux de style Blair Waldorf. Je n'aurais jamais pensé la voir porter cela un jour.

— Et la peau de ton cou commence à marbrer, ajoute-t-elle. Qu'est-ce qui cloche avec toi?

— Rien. Je suis juste heureuse.

Je hausse les épaules.

— Je suis de retour à L.A., tout se passe bien avec Austin, et après tous ces mois d'inquiétude à propos de ce que ferait à ma carrière une certaine mauvaise publicité, me voici, attendant d'être présentée à la presse comme la vedette de l'émission dont on parle le plus cette saison.

Sky roule les yeux.

— Tu es tellement mélodramatique et sentimentale.

Elle pince ses lèvres pleines.

— Mais il me semble que tu as raison. Nous faisons partie d'un succès, bébé! Je ne pense pas qu'on dépense autant de billets verts à moins d'adorer l'émission et je crois que Fritz nous aime vraiment, ce qui est un immense encouragement. Personne ne veut une autre pagaille comme *The Jay Leno Show* entre ses mains bronzées.

Nous grimaçons à ce souvenir.

— Et maintenant, j'aimerais vous amener les acteurs de *Petites prises*! lance Pete, et j'entends des applaudissements. Tout d'abord, Ian Adams en tant que Gunther!

Ian, mon dingue partenaire, sort au pas de course, sa tignasse brune bouclée bondissant sous son impulsion. Ian est tout aussi fou que son personnage et tout aussi charismatique. Il est légèrement gauche aussi, étant si grand et mince, comme un joueur de basket-ball professionnel, avec d'immenses pieds. C'est sa première comédie de situation, mais il a joué dans un pilote qui n'a pas fonctionné la saison dernière, et avant cela il a tenu quelques petits rôles dans quelques films de Judd Apatow.

— Brendan Walk dans le rôle d'Edison !

Brendan est le suivant à me dépasser en coup de vent, mais il marche vers la scène au lieu de courir, prenant son temps et savourant les applaudissements. Brendan ne ressemble pas du tout à l'assistant de résidence coincé qu'il interprète dans *Petites prises.* Incroyablement séduisant avec des cheveux brun clair coupés courts, des yeux bruns, un visage anguleux aux traits forts, un corps solide et une voix profonde qui fait fondre les figurantes, il est également légèrement impudent, venant tout juste de terminer le tournage d'un film potentiellement à grand succès avec George Clooney et le supposé meilleur ami de Brendan, Robert Pattinson.

— Kayla Parker dans le rôle de Zoe ! crie Pete, comme s'il présentait les frères Jonas.

Quand Kayla passe devant moi d'un pas nonchalant, j'entends des sifflements.

— Frimeuse, grommelle Sky.

Kayla est splendide et Sky est un tantinet jalouse, même si elle ne l'admet pas. Kayla représente le modèle classique de la Barbie animée. Grande, blonde et mince, avec des mensurations qui susciteraient même l'envie des mannequins de maillots de bain dans le *Sports Illustrated.* Kayla est sans conteste LA fille bien roulée de l'émission. Elle est également une ex-mannequin devenue actrice, et il s'agit de sa première émission et, de fait, son visage est assurément le point de mire. Pas tellement son jeu d'actrice. Sky, bien sûr, aime rabâcher là-dessus.

— Sky, cesse de bouder, lui dis-je d'un ton léger, puis je joue avec la tunique taille basse en soie pêche de Twenty8Twelve qui dissimule mon microphone.

Je porte des leggings noirs ainsi que de longues bottes noires Gucci à boucle. La styliste vestimentaire de notre émission nous donne des tenues mignonnes comme tout. Ce sont des trucs que j'enfile dans la vie de tous les jours aussi, alors parfois, j'oublie à qui ils appartiennent !

— Pete a dit que tu serais présentée la dernière, ce qui signifie que tu es la personne la plus importante de notre distribution.

Ce commentaire amène un sourire sur les lèvres de Sky. Elle lisse sa chevelure sombre, s'assurant de ne pas prendre de mèches dans les boucles d'oreille pendantes de pierres précieuses qu'elle porte et elle fixe ses pieds. Elle est chaussée de ballerines Tory Burch. Je ne suis pas certaine que l'étudiante moyenne de première année d'université aurait les moyens de les acheter, mais Sky est heureuse de les avoir.

— Je sais que tu as convaincu Pete de le faire.

Sky me lance un regard de colère, et je joue les innocentes.

C'est vrai. Il voulait que nous entrions ensemble, mais j'ai pensé que l'ego de Sky avait besoin d'être flatté. Elle a perdu la page couverture de *Vanity Fair* cette semaine au profit de Scarlett Johansson et elle est un peu déprimée.

— J'ignore de quoi tu parles, insisté-je, et je m'assure que ma queue de cheval est bien serrée.

La semaine dernière, elle s'est défaite pendant le tournage, et nous avons dû nous interrompre.

— Je vous demande de m'aider à accueillir Kaitlin Burke dans le rôle de Hope !

La voix de Pete résonne dans mes oreilles.

Je décoche un clin d'œil à Sky, puis je sors en courant des coulisses, obligeant les journalistes à se retourner. Je me tiens à côté de Brendan et Kayla devant le plateau de la chambre de résidence pendant que les médias applaudissent. Nous bénéficions de quatre plateaux au total — la chambre de Hope et Taylor, Brew, un café du campus où les jeunes se regroupent, la chambre de l'assistant de résidence et la cafétéria. (Nous avons d'autres plateaux également, mais ils sont montés et démontés au besoin.) Au-dessus de ma tête, des appareillages électriques sont dissimulés et l'équipe de caméramans est installée en face de moi. Nous tournons aussi des scènes à l'extérieur dans la cour arrière afin que notre émission paraisse plus « réelle ».

À l'origine, *Petites prises* devait être une comédie produite avec de multiples caméras et tournée devant public, puis tout à coup les émissions filmées par une seule caméra sont devenues en vogue (pensez à *Modern Family*), et nos producteurs nous ont rapidement rééquipés. L'une ou l'autre méthode aurait fait mon bonheur, puisque je suis habituée au truc devant public grâce à la pièce de théâtre *Les grands esprits se rencontrent*, que j'ai jouée sur Broadway l'été dernier. Auparavant, je m'inquiétais quand des producteurs et des studios rééquipaient un projet, mais à présent je réalise qu'ils doutent d'eux-mêmes exactement comme moi. La plus grosse erreur que les réseaux ont jamais commise (à mon sens) est encore présente dans tous les esprits.

Je parle de l'affaire Leno-Conan.

Si vous pensiez que ça donnait une impression de chaos dans votre salon, vous auriez dû voir ce qui se passait ici en ville. Il y avait une équipe Coco (alias Conan) et une équipe Jay, et il semblait que tout le monde avait son opinion et ses secrets.

SECRET D'HOLLYWOOD NUMÉRO DEUX : Malgré toutes les plaisanteries de Sky à propos d'encaisser un solide chèque de paie, en fin de compte, un bon travail ne tourne pas autour de l'argent. Le fiasco Leno-Conan a rappelé cela à la mémoire d'Hollywood. On avait deux gars qui adoraient leur métier et malgré les compensations financières qu'ils auraient probablement reçues pour s'en aller sans faire d'histoires, ni l'un ni l'autre ne l'a fait. Il y avait Conan, qui, à l'évidence, aimait beaucoup son nouveau numéro et était triste de le voir prendre fin et ensuite, il y avait Jay, qui possède tellement de millions qu'il aurait pu partir à la retraite il y a des années et éviter toute cette négativité. Et pourtant, il ne souhaitait pas disparaître non plus. C'est ce que je veux : adorer mon travail au point où il n'est plus question d'argent, mais d'amour du travail. Je pense que *Petites prises* pourrait être ce boulot.

— Et enfin, Sky Mackenzie dans le rôle de Taylor! lance Pete, puis tout le monde applaudit Sky — les journalistes et le reste de la distribution.

Je ne connais pas encore très bien Brendan, Ian et Kayla, mais ils me semblent géniaux. Pour l'instant, nous sommes plutôt guindés et polis les uns avec les autres. Tout le monde n'arrête pas de dire des trucs comme « excellente prise! » J'ai travaillé avec les mêmes personnes en majorité pendant presque une décennie dans *AF* et elles étaient comme ma famille, mais ces gens-ci pourraient aussi le devenir si nous sommes en ondes assez longtemps.

Mon Dieu, j'espère que ce sera le cas.

— Avant que nous commencions à tourner, dit Pete au grand groupe, le directeur général de *Petites prises* a une annonce à faire qui est tellement importante que nous voulions la partager avec les acteurs et vous en même temps.

Sky et moi nous regardons, et je sens mon estomac se retourner encore une fois. Ils n'inviteraient pas le directeur général devant les critiques à moins que la nouvelle soit GÉANTE.

La foule se tait — on peut pratiquement entendre les magnétophones se mettre en marche — et notre auteure productrice, Amy Peterson, entre dans un beau tailleur-pantalon kaki et des talons Anna Sui assortis.

— Bonjour, tout le monde, lance Amy, qui ressemble à une minuscule gymnaste.

Elle mesure à peine 1 m 65 — plus petite que moi ! — et elle a une coupe de cheveux bruns à la mode qui est longue sur le devant et rasée à l'arrière.

— Je suis contente que vous ayez pu vous joindre à nous pour l'enregistrement du troisième épisode de *Petites prises*. Comme vous le savez, notre émission a débuté hier soir.

J'inspire, et Sky et moi nous touchons les mains. Nous avons été sur le plateau toute la journée et tout le monde qui travaille dans *PP* s'interroge sur/parle de/murmure à propos de/se demande la même chose : nos cotes d'écoute ont-elles été assez bonnes pour continuer une autre semaine ? Être le chouchou des critiques est formidable, mais cela ne nous assurera pas une place sur les ondes à perpétuité. On doit quand même obtenir de bonnes cotes d'écoute. Nous étions inquiets, car nous nous mesurons à *Megan*, la comédie de situation à succès de Megan Moynahan. Les premiers résultats qu'a reçus Seth ce matin avaient l'air bien, mais rien n'était officiel avant cet après-midi. Partout où je regarde — des caméramans aux accessoiristes, des assistants de production aux acteurs —, tout le monde retient son souffle. J'observe le visage d'Amy, et elle se fend d'un sourire.

— *Petites prises* a été l'émission la plus regardée de la soirée ! crie presque Amy, incapable de cacher l'enthousiasme dans sa voix habituellement réservée. Non seulement ça, mais dans la catégorie clé des 18-34, elle a battu *Megan* dans la plage 20 h 30 !

Brendan brandit son poing dans les airs, et Kayla se jette sur Brendan.

— Nous avons survécu une autre semaine !

Je pousse un cri perçant et j'étreins Sky.

— Encore quelques semaines comme celle-ci, et nous obtiendrons assurément une diffusion pour une pleine saison !

— Survécus ? Nous battons *Megan*.

Sky paraît étourdie.

— Je savais que nous le ferions ! C'est leur quatrième saison et cette émission perd de la vitesse !

J'arrête de sautiller.

— Nous n'avons battu *Megan* qu'une seule fois.

Je me mords la lèvre. Les cotes d'écoute me donnent la nausée. Je n'ai pas l'habitude de m'en inquiéter. *AF* est restée en ondes pendant une éternité, et elle était si populaire que même si nous affichions la cinquième ou la trente-cinquième place une semaine dans les cotes d'écoute, je savais que nous ne courions pas le danger d'être annulé.

— Et si personne ne nous syntonise la semaine prochaine ?

— Tu peux t'exciter, K., me dit Sky, l'air remontée elle-même. Des chiffres aussi fantastiques, c'est une bonne chose.

— Tu as raison, dis-je, puis je recommence à sauter sur place.

C'est trop bon pour arrêter.

— Je veux seulement que nous réussissions bien. J'aime ça ici et j'ai cru que je n'aimerais jamais quelque chose autant qu'*AF*. Ce n'est pas ma maison ni rien de ce genre, mais c'est très amusant, et cela ne ressemble pas à du travail et…

— Tu déblatères, déclare Sky en pointant un long ongle rouge sur ma bouche. Cette émission déménage, et nous aussi. Je suis certaine que nous deviendrons plus populaires et meilleures.

Elle regarde autour d'elle.

— Ils ne feraient pas tout ceci autrement. Amy va nous organiser un milliard d'autres entrevues et des apparitions dans des émissions de télévision la semaine prochaine pour qu'on garde le vent dans les voiles. D'ici mercredi, tu seras trop fatiguée pour continuer à paniquer là-dessus.

Très vrai. Nadine m'a informée que ce mois-ci, nous participons à des émissions d'information et de radio, à des entrevues imprimées, et Sky et moi sommes allées à *The View* mercredi dernier parce qu'ils tournent à L.A. Normalement, je serais épuisée juste à penser à tous ces sourires et à devoir dire « J'adore *Petites prises* ! » encore et encore, mais je ferai tout ce qu'il faut, même aller sur QVC pour vendre des t-shirts si cela assure le succès de l'émission.

Je trouve ça encore époustouflant de nous voir déjà sur les ondes alors que nous ne sommes qu'en novembre. Quand je suis rentrée de New York en août et que j'ai officiellement signé le contrat, il était prévu au calendrier que nous étions une émission de remplacement de mi-saison. Nous avons rapidement tourné le pilote et les cadres l'ont tellement aimé qu'ils l'ont diffusé immédiatement, tout de suite après — croyez-le ou non — un épisode de *Dancing with the Stars*. (Même si ça me tue, cette déconcertante émission est populaire ! Tout de même, je n'y participerai jamais.) Les réseaux ont découvert que présenter en diffusion spéciale « un bref aperçu » TRÈS tôt d'une émission à venir peut créer une grosse excitation, ce qui est exactement ce qui s'est passé quand ils ont mis en ondes notre pilote pour la première fois. Nos cotes d'écoute ont défoncé le plafond, nous avons obtenu une date devancée en novembre pour notre première et tout à coup, tout le monde veut avoir sa part de *PP*, comme moi et Sky avons commencé à la surnommer (c'est notre ode personnelle à *AF*).

— Nous allons préparer la scène que vous allez voir aujourd'hui et ensuite nous accorderons les entrevues, dit Amy aux journalistes. Nous prendrons d'abord une pause d'une demi-heure pour nous installer. Nous vous reverrons dans quelques minutes !

Je profite de ce temps pour retourner en courant à ma loge et composer les numéros de Laney et Seth. Mon téléphone sonne déjà quand j'y arrive.

— Tu as entendu la nouvelle, n'est-ce pas ?

C'est Seth, mon agent, il pleure presque.

— Je t'ai dit que c'était une émission gagnante ! Ne t'ai-je pas dit que c'était la bonne ? Ta mère était contente, bien sûr, mais tu la connais. Elle n'a pas pu se résoudre à me le dire et à me remercier d'avoir insisté pour cette émission. Elle était trop occupée à me demander si tu allais obtenir une augmentation de salaire.

Seth rit.

— Survivons aux prochaines semaines avant, d'accord ?

— Absolument.

Je prends une gorgée de l'eau pétillante que j'ai laissée plus tôt sur ma commode. Je m'empare aussi de quelques bonbons surs à saveur de melon d'eau. C'est tellement bon d'avoir de nouveau un service de traiteur dans ma vie !

— KEVIN ! La ligne deux sonne ! entends-je Seth crier à son assistant. Désolée, mon étoile dorée. Je vais te voir dimanche soir au dîner. Je sais que tu dois poser pour cette couverture d'*Entertainment Weekly*, alors ne t'inquiète pas à propos de l'heure. Je suis certain que je peux persuader la cuisine au Polo Lounge de rester ouverte plus tard s'il le faut.

Laney est sur la seconde ligne, mais quelqu'un frappe à ma porte. Je laisse donc son appel passer dans ma boîte vocale (elle déteste cela quand je parle à deux personnes à la fois même si elle le fait tout le temps). Ma visiteuse doit être Nadine. Elle avait quelques courses à faire pour moi à l'extérieur du studio. Avant que je tourne la poignée, la porte s'ouvre à la volée.

— Nous venons juste d'être sélectionnés pour une pleine saison ! hurle mon frère cadet, Matty

Il est costumé et couvert de faux sang.

— Ils ont commandé à l'instant les treize épisodes restants !

Je bondis sur mes pieds et je l'étreins légèrement pour éviter que mon propre costume soit taché de teinture rouge numéro treize.

— C'est génial ! Es-tu réellement étonné ? Votre groupe a tué la compétition.

— Ouais, bien, tu sais.

Matty hausse un peu les épaules et apercevant mes bonbons surs au melon d'eau, il en prend un tas.

— On ne sait jamais. Il peut arriver n'importe quoi.

Vous voyez ? Tous les acteurs sont superstitieux. Pas seulement moi.

— Je voulais te regarder cet après-midi, mais je suis en quelque sorte au milieu d'une grosse bataille, déclare Matty en pointant son accoutrement.

Il a l'air si effrayant que si j'ignorais que c'était lui, je crierais sûrement. Ses cheveux blond miel sont collés par le sang, une matière visqueuse rouge coule sur son visage et sa lèvre supérieure est enflée. Son chandail est déchiré et son jean est déchiqueté aux genoux, comme s'il avait été attaqué par un loup-garou (ce qui pourrait bien être le cas). Toutefois, ses yeux verts pétillent.

— Ça me paraît plutôt sanglant. J'espère que tu gagnes. N'es-tu pas épuisé ? Tu as été sur le plateau toute la journée.

— Pas vraiment.

Matty se perche sur un haut tabouret devant ma glace.

— J'ai eu math et science ce matin, j'ai mangé à la cafétéria avec toi ce midi et ensuite, j'ai eu histoire et anglais. J'ai commencé à tourner il y a seulement une heure. Si je n'ai pas terminé avant 19 h et que tu es encore ici, je passerai.

— Tu pourras me regarder une autre fois. Je veux que tu rentres à la maison et que tu dormes.

Je me fous de ce que dit Matty, il semble fatigué.

— Arrête de t'inquiéter pour moi.

Matty lit dans mes pensées.

— Je vais bien. Je m'amuse énormément ! Je sais que tu as travaillé trop dur à mon âge, mais je promets d'apprendre de tes erreurs et de ne pas trop en faire. C'est ce que tu souhaites entendre ?

Il m'offre un large sourire qui un jour fera s'évanouir les filles.

— Je sais que je me montre trop protectrice, mais je ne veux pas que tu t'épuises.

— Ce n'est pas le cas, insiste Matty.

Il regarde le sofa avec nostalgie, mais je sais qu'il ne veut pas le tacher avec du faux sang.

— Parlons d'autre chose. J'ai entendu dire que vous avez aplati *Megan*. Cool.

— C'est un bon début.

Je joue avec la grosse montre en or Michael Kors à mon poignet.

— Nous verrons ce qui se passera.

— Plus tôt, maman était au téléphone avec Laney, m'apprend Matty, chipant d'autres bonbons surs.

Maman divise son temps entre le plateau de Matty et le mien. Heureusement, nous sommes dans le même studio, mais sa façon de trottiner d'un plateau à l'autre nous fait dire en plaisantant qu'elle devra renoncer à ses talons aiguilles et adopter des souliers de course. (« Jamais de mon vivant ! » a déclaré maman.)

— Elles ont promis ta présence dans tout ce qu'il y a sur la côte ouest où elles pouvaient te glisser la semaine prochaine.

— Je n'arrive pas à croire que je suis aussi recherchée tout à coup. C'est plutôt agréable.

Je m'installe de nouveau sur mon sofa. Ce truc pourrait vraiment profiter de quelques coussins. J'ai repoussé le moment d'ajouter ma touche personnelle à ma loge (superstitions !), mais entendre la bonne nouvelle me donne davantage l'impression d'être chez moi. Zut, je vais acheter quelques coussins et une carpette aussi. Si l'émission est annulée, je trouverai de la place pour eux dans ma chambre à coucher.

Il y a un autre coup frappé à ma porte, et ma partenaire Kayla glisse la tête à l'intérieur, ses cheveux blonds tombant autour de son visage.

— Hé, Kaitlin. Je cours chez le cuistot avant que nous commencions. Veux-tu te joindre à moi ?

Une nouvelle émission ressemble beaucoup au début d'une nouvelle année scolaire. Bien, si j'avais fréquenté une école normale. Même si je souhaite passer du temps avec Matty, je me dis que je devrais accompagner Kayla et apprendre à mieux la connaître.

— Bien sûr.

Je jette un coup d'œil à Matty.

— Kayla, voici mon frère. Je ne sais pas si vous vous êtes rencontrés.

— Salut, répond Matty d'une voix beaucoup plus profonde que la sienne.

Il serre la main de Kayla, et si je n'étais pas plus avisée, je croirais qu'elle rougit. N'a-t-elle pas seize ans ? Elle est un peu plus vieille que Matty.

— J'ai vu ton travail ces dernières semaines. Tu es vraiment bonne.

Je vomis presque l'ultime bonbon sur que j'ai pris quand Matty ne regardait pas. Kayla n'est pas bonne. Elle est belle et très gentille, mais ce n'est pas Meryl Streep.

Kayla joue pensivement avec ses cheveux.

— Merci. Cela signifie beaucoup pour moi, venant d'une vedette comme toi.

— Vedette ? Nan.

Matty semble troublé.

— Bien, peut-être. Mais je suis nouveau aussi, tu sais. J'ai été à ta place, alors je comprends ce que tu veux dire. Écoute, si jamais tu as besoin de conseils…

Oh mon doux…

— J'adorerais recevoir des conseils ! déclare Kayla avec joie, et elle me décoche un sourire épanoui. Ton frère est formidable, Kaitlin.

— Formidable commence à peine à le décrire, dis-je ironiquement, et je lui lance un regard.

Il fait semblant d'observer le terne plafond blanc de ma loge.

— Oh, je suis désolée, dit Kayla à quelqu'un que nous ne pouvons pas voir, et j'entends une voix étouffée. Ouais, elle est là.

La porte s'ouvre un peu plus, et il y a le meilleur livreur que je ne pourrais jamais avoir : mon amoureux, Austin Meyers, est debout dans l'embrasure, un petit bouquet de marguerites à la main.

— Que fais-tu ici ? dis-je, le souffle coupé, puis je bondis sur mes pieds et je saute dans ses bras.

— J'ai terminé plus tôt, alors j'ai pensé que tu aimerais un peu de compagnie.

Il sourit et baisse vers moi ses incroyables yeux bleus.

Je ne peux pas faire autrement que sourire largement. Austin possède un de ces inoubliables faciès, et ce n'est pas uniquement parce que ses yeux plongent dans les vôtres sans partage ou qu'il a de merveilleux cheveux. (Vraiment beaux. Sa frange est longue et ses mèches frôlent le bas de ses oreilles.) Son visage est presque sculpté à la main et bronzé, et quand nos yeux parcourent le reste de son corps, on ne peut pas s'empêcher de se sentir toute molle. Il donne une toute nouvelle signification au terme « en forme », grâce à sa pratique de crosse quotidienne même hors saison, et j'adore ses bras musclés. Il s'habille exceptionnellement bien aussi. Aujourd'hui, il porte un t-shirt marine à manches longues Abercrombie et un jean en denim foncé avec chaussures basses brunes Diesel que j'ai obtenues pour lui dans une suite à cadeaux.

— Je sais que nous dînons ensemble tard ce soir, mais je me suis dit que nous commencerions notre soirée tôt, déclare-t-il en me tendant les fleurs.

— Ça me semble génial, acquiescé-je en l'embrassant.

Nous avons eu un été mouvementé séparés — j'étais à New York et il participait à un camp de crosse au Texas —, mais depuis notre retour à Los Angeles, c'est le paradis. Enfin, le paradis avec un horaire beaucoup plus occupé. Ma nouvelle émission a exigé des journées de travail de dix-sept heures, ce qui ne me laisse pas beaucoup de temps pour des rendez-vous en soirée, mais Austin s'est montré incroyablement compréhensif. Il fait toujours des trucs romantiques comme d'arriver par surprise sur le plateau.

Austin s'assoit sur le sofa et sourit à Matt.

— Belle tenue.

— Merci, mec, répond Matty en se levant et en gonflant le torse, qu'on peut apercevoir à travers son chandail déchiré et trempé de sang.

Je ne suis pas certaine si l'effet est pour Austin, que Matty tente constamment d'impressionner, ou pour Kayla.

— Je m'assure que ça reste réel.

Je regarde Kayla et je réalise que nous l'avons fait attendre. Nous devons probablement retourner sur le plateau dans cinq minutes.

— Kayla, je suis tellement désolée ! Tu te souviens de mon petit ami, Austin, n'est-ce pas ?

Les deux se saluent rapidement.

— Je ne voulais pas te retarder pour le cuistot, m'excusé-je. Vas-y sans moi. Pouvons-nous y aller ensemble une autre fois ?

— Absolument, répond Kayla.

Elle regarde Matty.

— Veux-tu venir avec moi, peut-être, avant de retourner à *Scooby* ?

— D'accord, rétorque Matty avec un peu trop d'enthousiasme.

Il s'éclaircit la gorge.

— Ce n'est pas comme s'ils pouvaient commencer sans moi, non ? J'imagine que je peux m'accorder encore dix minutes.

Matty me regarde.

— Kates, je te souhaite un excellent tournage. A., je te verrai plus tard. Je me rendrai au gym en quittant le plateau.

Il gonfle le torse encore une fois et jette un coup d'œil discret à Kayla.

— Je prends vraiment du muscle pour ce rôle.

— Je vois cela, déclare Austin, et je pense que les coins de sa bouche tressaillent.

Je résiste à l'envie de glousser jusqu'à ce que Matty et Kayla soient arrivés au fond du couloir.

— Tu devras peut-être m'aider à faire redescendre Matty un peu sur terre, dis-je à Austin en fermant la porte derrière eux, puis je me blottis contre mon amoureux sur le sofa inconfortable. Peux-tu imaginer à quel point son ego sera gonflé quand le tournage de son émission sera terminé en mars ? Nous ne pourrons pas le faire passer par les grilles d'entrée du studio.

Austin rigole.

— Ce n'est pas si pire pour l'instant. Il tentait d'impressionner une fille.

— Vrai, mais s'il commence à donner des conseils de jeu ou d'entraînement à moi ou à Kayla, je vais préparer une intervention.

D'un autre côté, c'est bon de voir Matty aussi sûr de lui. Il semble vraiment heureux.

Austin sourit en jouant avec mes mains.

— Marché conclu.

Il examine la pièce nue. Je n'avais pas réalisé à quel point l'éclairage était mauvais ici.

— Nous devons faire quelque chose à propos de ton espace.

Ma nouvelle loge ne paie pas de mine — encore. Elle est normale : beaucoup de glaces, un sofa, de l'art minable sur la cloison, une chaise longue, des murs beiges sans personnalité. J'ai quand même épinglé une affiche de promotion qu'ils ont produite pour *Petites prises*. C'est supposé ressembler à une publicité pour de la restauration rapide. Les acteurs portent un uniforme de contrefaçon de McDonald et le slogan se lit ainsi : « Engraissez vos jeudis. Choisissez les (*Petites*) *prises* ! » C'est plutôt mignon. Toutefois, c'est ma seule touche personnelle jusqu'à présent. Sky a immédiatement commencé à décorer sa loge. Elle a peint ses murs en rose bonbon et acheté un tapis en fausse peau de zèbre, mais si nous ne sommes ici que pour quelques semaines, je ne veux pas trop m'attacher. Pourtant… je regarde du côté des minuscules échantillons de peinture que j'ai collés sur le mur du fond, où personne ne peut vraiment les voir. Si les choses se passent bien, je vais tellement peinturer cette pièce d'un jaune beurre chaud.

— Nous devrions peut-être la peinturer et te procurer quelques affiches ? suggère Austin. D'après ce que je viens d'entendre dans le couloir, on dirait que tu seras ici un bout de temps.

— Peux-tu le croire ? demandé-je d'une voix perçante. Nous avons battu *Megan* ! *Megan* !

Sky a raison. C'est formidable !

— Ma mère a dit que *Petites prises* est sur la couverture du *TV Guide* de cette semaine et que l'article affirmait que vous étiez l'émission à regarder, s'émerveille Austin, lançant ses bras autour de moi. Vous avez le mot succès écrit sur vous, Burke.

Je me mords la lèvre.

— Je n'arrive pas à croire que cela se produit. Cela dépasse toutes mes espérances.

Je joue dans les cheveux d'Austin.

— Je me sens vraiment chanceuse.

— Tu l'es, mais tu l'as mérité, me rappelle-t-il. Je suis tellement fier de toi, Burke. Tout le monde à l'école parle de ton émission aujourd'hui. La directrice P. en a même fait mention ce matin pendant les annonces.

La directrice d'école d'Austin et moi partageons une longue histoire. Elle était une admiratrice inconditionnelle d'*AF*.

— J'aime vraiment ça ici, Austin, admets-je. Les acteurs ont l'air formidables, Amy a une vision géniale pour la première saison de l'émission, et mon retour à la télévision me semble approprié. J'ai travaillé beaucoup d'heures, je sais, sens-je le besoin d'ajouter ; mais une fois que l'émission sera bien établie, nous pourrons passer du temps ensemble ailleurs que dans ma loge. Au moins, tu avais tes demandes d'admission à l'université pour t'occuper.

Austin et ma meilleure amie, Liz, sont totalement en mode université, une pensée que j'essaie de chasser, car les deux paraissent déterminés à partir dans des endroits aussi loin que possible de l'océan Pacifique. Je dois me montrer encourageante, même si je souhaiterais les voir rester près de la maison. Et de moi.

— Comment cela se passe-t-il, d'ailleurs ? demandé-je.

— Bien, répond aisément Austin. Ma professeure de littérature anglaise a lu ma dissertation pour Boston College et elle l'a vraiment aimée. As-tu regardé certaines des demandes qu'a sorties Nadine pour toi ?

— Non, admets-je, honteuse. Mais je le ferai.

— C'est toi qui décides, Burke, réplique Austin, et il appuie sa tête contre le mur de parpaing. Tu n'es pas obligée d'aller à l'université si tu ne le désires pas. Tu as quelque chose de pas mal bon dans ton assiette en ce moment.

— Je sais, mais…

C'est le domaine dans ma vie pour lequel je n'ai pas encore de réponse. Aller à l'université ou oublier ça ? Je suis tellement déchirée. Parfois, j'aimerais pouvoir me séparer en deux. Je serais Kaitlin, l'actrice, et Kaitlin, la fille ordinaire. Je n'aurais pas alors à faire un choix.

— Ne t'inquiète pas de cela ce soir.

Austin lit dans mon esprit alors qu'un assistant de production frappe à ma porte et m'annonce que je dois me rendre sur le plateau dans dix minutes.

— Pour l'instant, décidons de l'endroit où nous irons dîner qui n'est pas desservi par ton cuistot.

J'adore qu'Austin utilise les termes d'Hollywood maintenant, comme cuistot pour le service de traiteur. J'attrape mon iPhone et je déroule le calendrier. Nadine a découvert cette merveilleuse application qui synchronise les calendriers, alors le mien est toujours à jour. Je commence à parcourir les sept jours à venir.

— Samedi, nous avons ce truc pour Turkey Tasters, lui rappelé-je.

— Que faisons-nous, déjà ? Nous cuisinons des dindes ?

Austin semble perplexe.

— Nous préparons des paniers-cadeaux de dinde pour Turkey Tasters, expliqué-je.

— Pourquoi les dindes ont-elles besoin de paniers-cadeaux ?

Je lui lance un regard significatif.

— Elles n'en ont pas besoin. Ce sont des paniers-cadeaux offerts par Turkey Tasters, avec des produits de dinde à l'intérieur, j'imagine. Maman dit que je dois faire davantage de travail bénévole, alors elle nous a tous inscrits, y compris Sky et Liz. Avec de la chance, nous pourrons sortir ensuite.

Je regarde l'horaire des quelques jours suivants.

— J'ai informé maman que toi et moi étions plus que dus pour un véritable rendez-vous en soirée, alors elle devrait en laisser quelques-unes libres la semaine prochaine et elle a affirmé qu'elle le ferait. Je sais que je suis libre mardi soir et mercredi et… HÉ.

— Quoi ?

Austin semble surpris par mon ton.

— Tous les soirs de la semaine prochaine sont pris par des entrevues et des réunions ! dis-je avec indignation. Nadine a même ajouté une note à côté de chaque événement qui dit « organisé par ta mère ». J'imagine qu'elle savait que je fulminerais. Je ne peux pas croire que maman m'ait fait cela. D'accord, je peux le croire, mais je ne peux pas. Grr…

— Respire, déclare Austin d'un ton apaisant, puis il me caresse le bras.

Je prends une profonde respiration et je place la main d'Austin dans la mienne, dessinant un cœur dans sa paume calleuse (trop de temps à serrer un bâton de crosse).

— Je veux juste plus de temps avec toi.

Je soupire.

— Tu as du temps avec moi, dit doucement Austin. Sauf qu'on dirait que nous sommes des prisonniers confinés à la maison ou dans *Big Brother*.

Je glousse.

— Mais ça va, Burke. Comme je l'ai déjà dit, je veux seulement ton bonheur et je sais que cette émission fait le truc pour toi. Sais-tu ce qui me rend heureux?

— Quoi? chuchoté-je, même si je pense connaître la réponse.

— Être avec toi.

Il m'embrasse de nouveau.

J'ai vraiment le meilleur amoureux du monde.

— CINQ MINUTES AVANT LE TOURNAGE, entends-je dire par l'assistant de production d'une voix forte et claire.

— Je peux peut-être les supplier de les prolonger à dix, murmuré-je entre deux baisers.

— Nous ferons avec cinq, rétorque Austin, extrêmement compréhensif, comme toujours.

Et nous retournons à nos baisers.

Vendredi 6 novembre
NOTE À MOI-MÊME :

Sam. : évén. Turkey Tasters/sortie avec A.
Dim. : séance de foto *EW*, et dîner avec Seth/Landy/parents

Parlé à maman pr horaire sem. proch. Besoin r-v @ A.!

Exam de conduite : dans CINQ sem.!

TROIS : *Qui est le dindon de cette fête ?*

Brendan, mon partenaire dans *Petites prises*, file devant moi sur sa toute nouvelle (et gratuite) planche à roulettes avant de changer de direction en perdant le contrôle et termine presque sa course dans la tour géante de canneberges en conserve montée dans le salon de photographie pour l'événement de Turkey Tasters destiné à nourrir les personnes sans domicile fixe. Deux employés de Turkey Tasters, qui portent des tabliers verts ornés d'une photo du personnage de dessin animé Tom Turkey Taster, courent se mettre à l'abri pendant qu'un photographe prend des clichés du désastre imminent.

Heureusement, Brendan s'arrête à quelques centimètres de l'imposant assortiment de l'accompagnement en boîte préféré pour l'Action de grâce, mais l'homme passionné de photographie continue de s'activer.

— Qui a placé ces boîtes à cet endroit ? demande Brendan, davantage pour son ego blessé que pour l'étalage presque démoli. J'aurais pu recevoir l'un de ces bébés sur la tête et finir avec tout un œil au beurre noir. Je tourne, demain !

Trois employés Tasters se hâtent de vérifier qu'il n'y a pas une égratignure sur le petit menton luisant de bébé Brendan (hi hi) pendant que deux des commanditaires de Turkey Tasters offrent à Brendan plus de cadeaux pour apaiser la seule chose qui a été écorchée : son ego. L'un d'eux lui tend le plus récent iPad alors que l'autre lui donne la nouvelle édition de Rock Band, sur lesquels il salive presque. Le photographe de l'événement prend une photo de lui avec ses trésors.

— Ton partenaire est un véritable casse-pieds, déclare ma meilleure amie Liz dans sa barbe. C'est un événement pour une œuvre charitable et non une suite de cadeaux ! Et pourtant, nous voici, emballant de la nourriture pour les nécessiteux pendant qu'une personne tente de nous photographier revêtant le tout dernier manteau à la mode. Pourquoi nous donnent-ils des iPads et des manteaux ? Quel rapport avec le fait de rendre grâce ? demande Liz, qui commence à s'échauffer.

Je remarque que l'un des employés de Tasters nous fixe du regard et j'agite légèrement ma main dans sa direction.

— Ils devraient dépenser tout leur temps et leur argent pour des gens qui en ont véritablement besoin, pas chouchouter des gars comme lui.

Nous sommes à la station d'emballage et nous remplissons des cartons de produits pour l'Action de grâce pour nourrir les Angelenos dans le besoin, et j'ai peur que Liz finisse par lancer une boîte de canneberges broyées Turkey Tasters à la tête de quelqu'un. Je regarde Austin et le petit ami de Liz, Josh, espérant qu'ils pourront la calmer, mais ils semblent aussi inquiets que moi.

— Tu as totalement raison, Lizzie, acquiescé-je doucement.

Elle a raison sur toute la ligne, mais si quelqu'un surprend ses propos, c'est moi qui subirai la pression pour cela dans la presse.

— Je ne vous aurais jamais traîné ici si j'avais su qu'il s'agissait du paradis des gratuités se déguisant en cause honorable.

L'événement Turkey Tasters pour nourrir les sans-abri, qui se tient à l'intérieur d'une maison de plage louée à Malibu, est une bonne idée en théorie. Turkey Tasters, qui est mieux connu pour sa sauce, a demandé à des vedettes de venir ici et de préparer les ingrédients pour plus de 400 repas pour des familles dans le besoin. Toute la nourriture a été offerte par les supermarchés locaux et les célébrités (on m'a photographiée entrant avec mes sacs Whole Foods), et elle sera livrée par différentes vedettes la veille de l'Action de grâce. Donner de son temps à une bonne cause est une excellente idée, mais l'événement de ce soir s'est transformé on ne sait comment en suite de cadeaux et séance de photos publicitaires aussi. L'une des personnes de Tasters a laissé échapper devant moi que les confirmations de présence étaient minces et qu'ils ont craint la catastrophe, alors ils ont sollicité d'autres commanditaires pour attirer les célébrités. Ils ont baptisé la maison Gîte de plage Turkey Tasters et ils ont installé une immense suite de cadeaux équipée d'une gamme de produits que les vedettes peuvent apporter en échange du temps qu'ils donnent à l'œuvre charitable. Comme si d'avoir l'occasion d'aider les autres, ce n'était pas assez gratifiant.

SECRET D'HOLLYWOOD NUMÉRO TROIS : Je suis certaine que vous vous demandez la même chose que moi la première fois où j'ai entendu parler de ces maisons de plage fréquentées par les célébrités : qu'est-ce que ça cache et pourquoi est-ce que je lis toujours des articles sur elles dans les journaux à potins ? J'ai une réponse pour vous. Chaque été, les grandes marques et les entreprises attirent les personnes du genre Lauren Cobb et Ava Hayden dans une fabuleuse maison de plage à Malibu avec la promesse de deux types de leurres irrésistibles pour une célébrité : des trucs gratuits et la garantie d'être croquées par des paparazzis. Les trucs gratuits, c'est quelque chose que les célébrités convoitent partout, particulièrement dans les suites de cadeaux, sur lesquelles vous connaissez déjà tout, je le sais. Toutefois, c'est l'assurance d'une couverture publicitaire par les paparazzis qui fait affluer les vedettes de petite envergure et les ambitieux des émissions de téléréalité vers la maison de plage, dans l'espoir de prolonger leur quinze minutes de gloire. Habituellement, les vedettes les plus célèbres s'en tiennent loin. (Vraiment, l'une de nous a-t-elle besoin d'une autre photo dans *Hollywood Nation* ? Je ne pense pas. A-t-on besoin d'un quatrième iPad ? Idem.)

— Je pensais que ce serait un événement sérieux, continue Liz, secouant une boîte de conserve si fortement que je crains une explosion de canneberges dans les airs.

Sa géniale robe débardeur Pucci rose et mauve est à peine visible sous le sévère tablier vert. Ses cheveux bouclés brun foncé sont tirés loin de son visage et retenus par un bandeau mauve, et on peut voir ses super boucles d'oreille en perles mauves se balancer violemment.

— Ta mère a dit que Clooney serait ici, et il ne participe à rien qui n'est pas digne de valeur.

— Je sais.

Je lui retire silencieusement la boîte de conserve des mains. Je fais attention à ne pas déchirer la manche de ma blouse en soie Anna Sui sur le bord du panier que je remplis. Au moins, mon nouveau jean J Brand et mes ballerines crème Prada sont un peu plus pratiques pour un événement comme celui-ci.

— Ceci ne ressemble à rien de cela, poursuit Liz, agitant vivement autour d'elle ses mains à présent vides.

Je peux voir derrière elle l'un des mecs de *Jersey Shore* posant avec sa paire de lunettes de soleil neuve.

— Nous aidons quand même les autres, lui rappelle Austin avant de déposer une boîte des nouvelles canneberges broyées Turkey Tasters dans le panier qu'il prépare. J'ai toujours voulu redonner à autrui à l'Action de grâce. Je pense que c'est plutôt formidable qu'une entreprise essaie au moins de faire quelque chose de correct. Évidemment, elle n'a pas tout à fait réussi, ajoute-t-il quand il voit la chair de poule se former sur la peau de Liz, mais nous faisons tout de même du bien. Tu ne vas pas laisser tomber l'occasion d'aider 400 personnes qui ne peuvent pas s'en passer, n'est-ce pas ? D'ailleurs, ceci pourrait servir de très bon début à une conversation pendant une entrevue avec une université.

Il me décoche un clin d'œil, et j'éprouve l'envie irrésistible de l'embrasser.

Même dans ce tablier Turkey Tasters, Austin a fière allure. Son polo marine et son jean en denim foncé ressortent sous cet étrange tablier vert, et ses cheveux blonds semblent trop abondants pour être perdus sur un garçon.

— Austin Meyers, tu essaies de m'attendrir, n'est-ce pas ? Ça marche.

Puis, Liz sourit pour la première fois depuis notre arrivée, quand on lui a offert une couverture Snuggie Turkey Tasters, et elle éclate de rire.

— J'aime ta pensée positive, Meyers, déclare Josh en pointant son front. Cela t'ennuie si je te vole ton angle universitaire ?

Il s'éclaircit la gorge.

— Oui, chers interrogateurs universitaires, je pense sincèrement que je peux changer le monde. Seulement l'autre soir, je surcompensais pour un groupe de pseudo célébrités préparant des paniers pour nourrir les sans-abri et je me suis dit à moi-même : « Ça ne me suffit pas. » C'est trop peu. Quatre cents sans-abri ? De la petite bière. Comment pouvons-nous aider les nécessiteux à une échelle plus mondiale ? C'est ce que j'espère découvrir à travers mes études ici, à l'Université Brown.

Liz rigole. Elle adore Josh, et pas uniquement parce qu'il ressemble à un jeune Brad Pitt. Il la fait rire. Beaucoup.

— Vous êtes effroyables, les gars, dit Liz en agitant un index dans leur direction. Toutefois, vous avez possiblement mis le doigt sur quelque chose. Je devrai peut-être inclure cela dans ma dissertation pour UCLA.

— UCLA ? demandé-je en tentant de ne pas paraître trop excitée. Depuis quand as-tu ajouté cette université dans la balance ? Songes-tu vraiment à des écoles de la côte ouest maintenant ? La région de Los Angeles ou le nord de la Californie ? Juste la Californie ou aussi loin au nord que Seattle ?

— Du calme, me dit Liz, levant un sac de spaghettis comme un bouclier. Je ne dis pas que je reste dans le sud de la Californie. Je ne fais qu'explorer mes options. NYU est toujours sur la table, mais j'ai encore mes doutes sur la vie sur la côte est. Au contraire de Josh, je ne suis pas certaine que j'aurai l'air mignonne dans des bottes d'hiver. Burberry en fabrique-t-elle ?

— Si oui, je ne suis pas sûre qu'elles soient aussi jolies que les bottes de pluie Burberry, que tu pourrais porter souvent si tu restais ici, dis-je avec espoir ; Liz secoue la tête.

Un immense carton de nourriture atterrit bruyamment au milieu de notre table et des boîtes de conserve roulent dans toutes les directions. Nous nous précipitons tous les quatre pour les attraper avant qu'elles ne glissent sur le sol.

— Désolé pour ça, les amis, dit Trevor Wainright d'un ton d'excuse. Ce gars de Tasters a dit que vous manquiez de soupe Turkey Tasters.

Trevor est le petit ami et ancien petit ami de Sky, en alternance, et ce, depuis l'époque où nous jouions tous dans *Affaire de famille*. Au début, je croyais que Sky profitait de la saine gentillesse de Trevor, élevé dans l'Iowa. C'est un fermier devenu acteur, et il a le look du rôle — cheveux blond pâle, yeux bleus, grand et entièrement musclé. Toutefois, j'ai tôt fait de réaliser que Sky avait vraiment un béguin pour lui, même si elle a une drôle de façon de le montrer.

— Trevs, va chercher d'autres pains de grains entiers, ordonne Sky en faisant claquer ses doigts. Et rapporte le reste de nos affaires ici aussi. Si je dois entendre Baron Darter parler de *Dancing with the Stars* encore une minute de plus, je pourrais lui lancer un mélange de sauce Turkey Tasters à la tête !

Sky donne un petit coup de hanche à Austin.

— Pousse-toi et fais de la place, A. J'ai besoin de pouvoir bouger les bras.

— Bien vu, Skylar, intervient Austin en me décochant un clin d'œil.

Il ne peut pas supporter que Sky l'appelle A., alors il a commencé à lui donner du Skylar. Ces deux-là ont développé une relation d'amitié par boutades, comme elle et moi avions autrefois.

Sky s'essuie le front, et je suis sur le point de lui dire qu'elle sue (Sky prétend qu'elle ne transpire pas), mais je me ravise quand je vois son air agacé. Sa chevelure noire est coiffée en une queue de cheval basse et elle porte des boucles d'oreille simples d'émeraude qui sont assorties à son haut vert Stella McCartney et la jupe crème qui va avec. Je pense qu'elle porte aussi des chaussures Prada, qui ne sont pas vraiment appropriées pour du travail bénévole, mais c'est Sky.

— Cet événement est minable, murmure-t-elle assez fort pour que nous l'entendions tous.

Elle me regarde en disant cela, par contre.

— Nous ne devrions pas être ici, K. Des sketches pour le *Tonight Show*, oui. Cuisiner avec Rachael Ray, d'accord. Mais, emballer du Tofurky avec Mario Lopez est hors de question. Je pourrais tuer ta mère pour avoir parlé de ceci avec la mienne!

— Je suis d'accord avec Sky.

Liz organise soigneusement notre nouvelle nourriture. Les boîtes de conserve de farce ressemblent à la tour de Pise.

— Vous deux, vous n'avez pas votre place parmi ces vedettes d'émissions de télé-réalité et de série C. Si ta mère croyait que tu devais faire davantage de travail bénévole, alors il y a un milliard de cuisines populaires qui auraient adoré t'avoir. Cet événement de petite envergure n'est pas digne de vous, les filles.

— Ça, c'est sûr!

Sky lance un regard mauvais à l'une des anciennes vedettes de *The Hills* tout en faisant semblant d'embrasser une dinde surgelée pour la caméra d'un paparazzi.

— Je suis désolée, les amis.

Je soupire.

— Maman est tellement obsédée par son objectif de faire de Petites prises un immense succès qu'elle accepte tout en ce moment. Elle était probablement tellement distraite quand elle a répondu à cet appel qu'elle a pensé que les gens de Tasters ont dit Clooney au lieu de canneberges, dis-je en tentant de plaisanter, mais personne ne rit. Elle est dépassée, admets-je. Je crois qu'elle ressent une petite touche de l'angoisse professionnelle que j'ai éprouvée l'été dernier, et jongler avec moi et Matty semble lui faire beaucoup de pression. Elle est tellement furieuse de ne pas avoir le temps de mettre sur pied les Darling Daisies ici. Je savais que cet événement était à côté de la plaque, mais je ne voulais pas qu'elle se mette en boule.

Je n'ajoute pas que j'ai bien essayé de me sortir de mon engagement de ce soir. J'ai nonchalamment mentionné la liste des réponses reçues à maman — pensez aux vedettes de *Jersey Shore*, les Lohan et Tori Spelling —, mais elle m'a à peine entendue. Elle se préparait pour une téléconférence avec les producteurs de Matty, et le service de publicité du réseau était en attente en même temps à propos de quelque chose me concernant.

— Kate-Kate, je ne peux pas discuter maintenant, m'a-t-elle dit, l'air fatigué. Pouvons-nous en parler autour de deux Ice Blendeds? Juste toi et moi et Coffee Bean?

J'ai accepté, excitée de passer du temps seule avec elle, mais cela n'a pas eu lieu. Quand je suis venue la chercher, Anita m'a dit qu'elle était partie une demi-heure plus tôt pour accompagner Matty à une séance de photos.

— Kates, si c'était un événement isolé, je comprendrais, mais ta mère ne t'écoute jamais, déclare Liz avec précaution en prenant une boîte de pâtes des mains de Sky, qui hoche la tête en signe d'acquiescement. C'est comme si ton opinion ne comptait pas du tout, qu'il s'agisse d'un rôle dans un film, d'une robe à porter aux SAG Awards ou de sortir avec nous au lieu de te présenter à un événement minable.

— Elle ne le fait pas exprès, dis-je, me sentant tout à coup peu sûre de moi. Et maman ne le fait pas tout le temps, non ? m'enquiers-je auprès d'Austin.

Il paraît mal à l'aise.

— Elle a bien réservé toutes tes soirées libres, même si tu lui avais demandé de ne pas le faire afin que nous puissions être ensemble.

— Elle n'a pas fait ça !

Liz laisse tomber une orange au sol.

— Kates, nous disons depuis des semaines que tu as besoin d'une pause de la machine publicitaire pendant quelques soirées. Tu dois la remettre à sa place.

— Liz, c'est ma mère-qui-gère, lui rappelé-je.

Mère-qui-gère, c'est le terme pour les mamans qui sont les gérantes de leurs enfants.

— Les règles normales ne s'appliquent pas. Les mères-qui-gèrent sont comme l'empereur Palpatine.

Je jette un coup d'œil à Austin pour qu'il approuve ma référence à *La guerre des étoiles*.

— Trop de pouvoir monte parfois à leurs têtes, et on n'a pas le contrôle sur leur façon d'agir. Mes mains sont liées.

— Non, c'est faux, déclare Sky avant de lancer des pommes dans un carton qu'elle remplit avec insouciance. Fais comme moi. J'ai renvoyé ma mère cette semaine. Son temps de gérante est terminé.

Je laisse tomber une boîte de purée de patates douces instantanée et fixe Sky.

— Tu as fait quoi ? bégayé-je. Mais, comment ? Qu'a-t-elle dit ? A-t-elle piqué une crise ? N'a-t-elle pas, enfin, dit non ?

Sky rit.

— K., elle ne peut pas dire non ! C'est ma décision. J'ai dix-neuf ans.

Elle dit cette dernière phrase à voix basse. L'âge de Sky est un sujet délicat. Cette méchante partenaire que nous avions dans *AF* a révélé la vérité sur l'âge de Sky à un journal à potins quand celle-ci prétendait être une adolescente de quelques années plus jeune.

— Je suis assez vieille pour prendre mes propres décisions à propos de la gérance de ma carrière et j'ai décidé qu'il vaut mieux que ma mère soit uniquement ma mère.

— Elle l'a mieux pris que je m'y attendais, ajoute Trev en nous rejoignant.

Il transporte deux cartons sur les épaules et il les abaisse sans effort sur la table. Des miches de pain et des pommes en roulent.

— Elle est sortie se réserver des vacances à Tahiti. Elle n'a même pas acheté de billet de retour.

— Elle y restera peut-être pendant Noël et alors, il n'y aura que papa et moi mangeant du bœuf Wagyu chez Cut la veille de Noël, déclare Sky en jubilant.

Wow. Je veux vraiment dire : wow. Sky a renvoyé sa mère ! Je n'ai jamais… Je veux dire, cela ne m'est jamais venu à l'idée de… J'aurai dix-huit ans le mois prochain.

Est-ce que cela signifie… peut-on réellement faire ça ? Non, non, c'est fou. Personne ne pourrait faire un meilleur travail que ma mère.

Enfin, on pourrait sûrement.

ATTENDEZ. D'OÙ ÇA VIENT, ÇA ?

Ma mère serait dévastée. Elle adore me gérer.

Du moins, c'était le cas avant. Maintenant, on dirait que tout est une bataille, une nuisance, et elle m'écoute moins que jamais.

Nous n'avons jamais le temps de parler et quand nous y arrivons, il est question de boulot.

— Kates, est-ce que ça va ?

Liz m'observe et les coins de sa bouche tressaillent. Elle doit penser à la même chose que moi.

— Est-ce que les nouvelles à propos de la mère de Sky t'ont jetée à terre ?

Je regarde ma main encore posée sur la boîte de patates douces renversée.

— Je vais bien, insisté-je, ajoutant quelques tournesols dans mon panier.

Voilà. C'est joli. Préparer des paniers est vraiment un travail qui n'exige aucune réflexion, ce qui signifie que l'esprit peut se concentrer sur des sujets comme… wow, Sky a licencié sa mère !

— Cela porte à réfléchir, n'est-ce pas, Kates ? poursuit Liz, l'air plutôt satisfait. Tu pourrais lancer les mots résiliation de contrat de travail devant ta mère.

— Ma mère ne ressemble pas du tout à celle de Sky.

Je regarde Sky. Cela paraissait sévère.

— Tu as raison, acquiesce Sky. Ta mère est pire. Au moins, la mienne n'annule pas mes rendez-vous avec Trev et ne me fait pas sentir comme une employée.

Aïe. C'était un peu dur aussi, mais… maman ne devrait pas annuler mes rendez-vous avec Austin ni ne pas me laisser de temps libre. Je le sais. Je l'ai toujours su. Cela fait partie de mon argumentation depuis aussi longtemps que je me souvienne — je dois avoir mon mot à dire. Nous en avons déjà discuté, et elle a juré de changer. Maman n'arrête pas de dire qu'elle veut que nous soyons plus proches l'une de l'autre, mais cette dernière gaffe n'aide pas.

J'ajoute une boîte de farce en conserve Turkey Tasters et voilà ! Mon vingtième panier de la soirée est complété. Je fixe la large table. À l'exception de quelques boîtes de conserve diverses, et des trucs de Sky et Trevor, je crois que notre travail ici est terminé.

— Pourquoi ne partons-nous pas d'ici pour aller manger quelque chose, suggéré-je, espérant changer de sujet. Je pense que nous avons bien contribué.

— À nous quatre, nous avons préparé cinquante paniers, déclare Josh en s'essuyant les mains sur son tablier. Cela devrait être suffisant pour justifier notre départ.

— Il est 18 h 30, déclare Liz en regardant sa montre Gucci. Nous n'arriverons jamais à temps au Il Sole pour notre réservation de 19 h. Où devrions-nous aller ?

— A Slice of Heaven ? suggéré-je.

— Cholestérol, ce sera.

Liz lève son tablier au-dessus de sa tête, et une représentante de Turkey Tasters apparaît instantanément pour s'en emparer.

— Où allez-vous, les amis ? demande-t-elle nerveusement. Nous n'avons pas encore joué au bingo Turkey Tasters. L'argent amassé ira à une œuvre de bienfaisance, vous savez. Et vous devez vraiment prendre le temps de vous rendre dans notre suite de cadeaux de remerciement. Brendan s'y trouve en ce moment en train de choisir la version inédite de Guitar Hero.

— Oh, j'en veux une !

Sky lève violemment la main et Liz lui donne une tape.

— La suite de cadeaux de Tasters ?

La voix de Liz s'élève d'une octave.

— Pendant un événement de charité ? Vous pouvez prendre votre Guitar Hero et votre bingo et…

J'attrape le bras de Liz et je souris sereinement à la représentante.

— Ce qu'elle essaie de dire, c'est que nous n'avons pas besoin de cadeaux. Nous sommes heureux d'aider.

Je regarde les autres, qui acquiescent d'un signe de tête. Liz boude encore.

— Toutefois, nous devons vraiment partir. Sky et moi sommes attendues ailleurs ce soir.

La représentante Tasters semble déçue.

— Pourriez-vous poser pour une dernière photo ? Nous n'en avons pas encore de vous avec Tom Turkey Taster.

Elle fait signe au gars dans le gros costume de dinde. Je jette un coup d'œil à Sky. Elle donne l'impression d'avoir plus envie de manger Tom que de poser avec lui.

— Une seule, lui réponds-je.

Les gens de Tasters se dépêchent de nous l'amener, et je regarde les autres.

— Je vais envoyer un texto à Rodney pour qu'il approche la voiture. Ensuite, nous devrions téléphoner à Antonio.

Liz commence à composer le numéro du propriétaire de notre restaurant de pizzas préféré.

Josh donne un petit coup de coude à Liz

— Assure-toi qu'il mette quelques tresses de pâte à l'ail.

— Et des bâtonnets de mozzarella, ajoute Austin.

— De la salade à la pizza, crie Sky, et Trevor gémit. Oublie le fromage, je vais gonfler.

Je n'ai pas tellement faim, alors, je ne bonifie pas la commande. La seule chose qui occupe mon esprit, c'est que Sky a licencié sa mère. Je sens une vibration et je sors mon iPhone de la poche de mon pantalon. Je regarde le message avec horreur.

CELL DE MAMAN : Changement de plans. Dois déplacé ton dîner avec Seth à ce soir. Rodney vient te prendre DQP et t'amène o Polo Lounge. J'espère que tu è habillée pr dîner.

— Qu'est-ce qui cloche ? demande Austin en me touchant l'épaule.

— Rien, insisté-je en tapant rapidement.

CELL DE KAITLIN : Maman, G dè plans avec mè amis. Tu te souviens ? Tu voulè que je vienne à ce truc Tasters ce soir et je l'ai fè. Maintenant, nous sortons.

CELL DE MAMAN : Dsl. G pris 2 r-v demain par erreur. Tlm è déjà en route. Ceci è + important ! À + o Polo Lounge.

— Je déteste quand elle agit ainsi, me plains-je en criant dans le bec de Tom Turkey Taster sans m'en rendre compte. Désolée. Photos. Oui.

Nous posons pour une poignée de clichés et ensuite, j'annonce la mauvaise nouvelle.

— Elle ne peut pas continuer à me faire ça, dis-je, exaspérée. Et si je n'avais pas pu quitter l'événement tout de suite ? Alors, qu'aurais-je fait ? Je dois lui parler de son emprise étouffante à la Dark Vador !

— Vas-y, Kates ! m'encourage Liz. Fais-le pour vrai, cette fois. Tu peux toujours nous rejoindre plus tard. Antonio gardera l'endroit ouvert pour que nous puissions y rester après la fermeture habituelle. Tu le sais.

— Je suis désolée, ressens-je encore le besoin de leur dire. Je ferai aussi vite que possible, mais souvenez-vous qu'il s'agit d'un dîner de réunion et que cela pourrait prendre quelques heures.

Austin me tend mon manteau.

— Nous t'attendrons.

Je l'embrasse et me précipite dehors pour rencontrer Rodney, renversant presque un des gars de *The Bachelor* qui traîne un lourd carton rempli de sa récolte jusqu'à sa voiture.

Je ressens une énorme envie de rire. On voit ça seulement à Hollywood. Même si c'est étrange, je ne voudrais vivre nulle part ailleurs.

Samedi 7 novembre

NOTE À MOI-MÊME :

Essaie de faire durer la réunion - de 2 h !!!

Appelé Slice qd je suis en route.

TV TOME

En primeur
Miser sur les Burke

8 novembre

Après un printemps cahoteux, Kaitlin, son frère, Matty, et tout le :lan Burke se remettent sur les rails (enfin) et prennent Hollywood l'assaut.

'ar Adrianna Locket

:n mars dernier, les Burke semlaient tirer profit d'un billet d'aller ans retour en partance d'Hollywood. \près une carrière prometteuse dans a bien-aimée émission *Affaire de amille*, Kaitlin Burke s'est écrasée et croulé sous la pression grandisante de trouver un nouvel emploi, uccombant au même sort que beauoup d'autres vedettes adolescentes nontantes avant elle. Elle a choisi l'échanger sa carte de la Guilde des cteurs de l'écran contre un statut de liente privilégiée chez Shelter. :claboussée par une amitié de courte urée avec les fêtardes notoires Ava Iayden et Lauren Cobb et un séjour u Cedars-Sinai pour des crises de panique, l'étoile de Kaitlin courait le danger de plonger sur terre. Le frère de Kaitlin, Matty, qui avait eu le privilège d'obtenir de petits rôles dans *Affaire de famille* avant qu'elle ne sorte des ondes, se retrouvait aussi sans chèque de paie – et personne ne cognait à sa porte pour lui en offrir un nouveau. Idem pour les parents, dont la seule source de revenus provient de la gestion de l'empire Burke et de la production de ses projets. « C'était difficile, nous confie Matty. Je savais que Kaitlin était la seule raison pour laquelle j'avais obtenu le rôle dans *Affaire de famille*, et ensuite, la petite dépression de ma sœur m'empêchait de recevoir des réponses à mes appels, ne serait-ce que pour *Celebrity Apprentice*, à laquelle, sans vouloir offenser, je ne voudrais pas participer de toute façon. »

L'été s'est installé et les Burke (heureusement) ont pratiquement disparu du paysage hollywoodien et des torchons à potins (à l'exception d'une minable dispute avec les inconditionnelles de la célébrité Hayden et Cobb, qu'il ne vaut même pas la peine de ramener sur le tapis). C'est là que les Burke ont commencé à prendre des décisions de carrière vraiment intelligentes. Kaitlin a refait surface à New York en tant qu'animatrice invitée pour la dernière de la saison de *Saturday Night Live* avec Sky Mackenzie, sur laquelle les médias se sont extasiés, et pour endosser un rôle dans la pièce de Broadway *Les grands esprits se rencontrent*, production décidément pas clinquante. Les critiques qu'elle a reçues n'étaient pas trop mal ; son tranquille petit été et son numéro dans *SNL* ont mis Hollywood dans tous ses états. On voulait ravoir notre vedette. « Autant j'adore Los Angeles, autant je crois que nous devions nous séparer un temps, admet Kaitlin. Ces trois mois à New York ont été merveilleux pour moi. J'ai pu profiter d'un peu d'anonymat, apprendre à jouer au théâtre devant public et à travailler sur la scène. C'était un saut de puce, j'arrive et je pars, pour trouver mon but dans la vie, et je l'ai fait. » La créatrice de *Petits poissons, gros étang* l'a remarqué. « J'ai toujours cru que Kaitlin était une jeune actrice de talent, déclare Amy Peterson. J'ai pensé qu'elle avait un peu perdu sa voie, mais je savais qu'elle retrouverait son chemin. Son numéro d'animatrice invitée dans *Saturday Night Live* m'a fait crever de rire. J'ignorais totalement qu'elle pouvait jouer la comédie ! Quand je l'ai compris, ce n'est pas seulement que je voulais Kaitlin et Sky Mackenzie pour mon pilote, mais je devais les avoir. »

Amy n'avait pas à s'inquiéter. Kaitlin et Sky voulaient participer, et les pièces du puzzle se sont rapidement mises en place, y compris un changement de nom pour le pilote à *Petites prises*. (Vous en avez peut-être entendu parler ?) Un stratagème mercatique risqué – diffuser une émission de mi-saison en début d'automne après un épisode de

Dancing with the Stars – qui a payé et a été suivi par des vidéos YouTube et des publicités accrocheuses qui présentaient les acteurs dans des tenues d'une chaîne de restauration rapide avec le slogan « Voulez-vous des (*Petites*) *prises* avec cela ? » La vaste attaque de relation publique a fonctionné et *Petites prises* a débuté dans les dix premières émissions à sa première semaine de sortie. Les critiques adorent l'émission (y compris notre propre Sam Sherman chez *Tome*), disant qu'elle est « comme *Friends* pour les plus jeunes, raconté d'une façon novatrice et drôle avec beaucoup de style et de charme ».

Matty a également eu un bel été, décrochant le rôle du petit ami de Velma plutôt idiot mais totalement prêt à botter des derrières dans la nouvelle version remplie d'action de *Scooby-Doo.* Déjà un véritable succès sur CW, Matty recueille le fruit de sa patience. « Je suis tellement content de ne pas avoir sauté sur la première chose que j'ai trouvée, dit-il avec bonheur dans sa loge décorée, sur le plateau. *Scooby* est une excellente émission et un merveilleux lieu de travail. Je ne pourrais pas être plus heureux. » Ni la mère de Matt, Megan Burke, qui gère plus que sa part de tâches entre ses deux enfants pour la tenir occupée. « C'est beaucoup de travail, nous a-t-elle dit quand elle a téléphoné depuis le plateau de Matty à 22 h, mais qui connaît mes enfants mieux que moi ? »

« ...ce n'est pas seulement que je voulais Kaitlin et Sky Mackenzie pour mon pilote, mais je devais les avoir. »

Avec deux enfants dans deux émissions à succès, le travail de Megan va devenir plus difficile et plus lucratif. Matty dit qu'il considère déjà quelques rôles de films pour la pause estivale et la rumeur s'affole, prétendant que Kaitlin est en lice pour le très attendu projet ultra secret de James Cameron qui sera tourné au printemps. « Wow, James Cameron, hein ? dit Kaitlin, l'air surprise quand nous en parlons. J'accepterais de cirer les souliers de cet homme ! Vous pouvez lui dire que j'ai dit cela. »

Nous ne pensons pas que ce sera nécessaire, Kaitlin. Tout ce que tu as à faire est d'attendre son appel, et nous sommes certains qu'il viendra avec un million d'autres offres méritées.

Bienvenue à la maison, les Burke. Vous nous avez manqué.

QUATRE : *Une autre situation délicate*

Nous nous rendons en voiture au dîner après avoir regardé Liz, Josh, Sky, Trevor et Austin rouler de leur côté vers A Slice of Heaven, et je n'ai même pas besoin de lever les yeux pendant que j'applique mon brillant à lèvres pour savoir pourquoi Rodney a mis cette chanson. Il s'agit de *My Heart Will Go On* de Céline Dion, la chanson principale du *Titanic* de James Cameron. Je les lève quand même et je ne peux pas m'empêcher de lui lancer un petit sourire satisfait.

— Rod ! C'est malchanceux de jouer cela en ce moment !

— Oh, chut, me réprimande-t-il.

Il sirote un lait frappé à la vanille de chez Carl's Jr, et son autre main est sur le volant de la Lincoln pendant qu'il roule tranquillement sur Sunset Boulevard vers le Beverly Hills Hotel, où je rejoins ma famille, Seth et Laney pour dîner au Polo Lounge.

— Cette rumeur est fondée ! dit-il. Tu vas travailler avec le roi du monde !

— Tu es sur le point de devenir une experte Na'vi, ajoute étourdiment Nadine, faisant référence à l'espèce extraterrestre dans le film *Avatar* de Cameron.

Rodney est passé prendre Nadine avant moi afin que nous puissions discuter de quelques trucs concernant le boulot avant mon dîner. Elle est assise à côté de moi, faisant dérouler des notes sur son BlackBerry. Son cartable, alias la Bible, est posé sur le siège entre nous ; il contient mes feuilles d'horaire, mes mensurations et tout autre renseignement dont on pourrait avoir besoin sur moi à brûle-pourpoint. Nadine ne peut pas s'empêcher de poursuivre.

— Tout le monde meurt d'envie de savoir quelle sera sa série de films post-*Avatar* !

Depuis que Laney s'est procuré un exemplaire avant sa sortie du nouvel article de couverture de *TV Tome* qui mentionne les rumeurs Cameron, tout mon entourage ne peut se retenir de penser à la possibilité que je joue dans son prochain film. J'essaie de ne pas donner libre cours à ces pensées trop souvent, par contre, car j'ai peur de pousser ma chance. James Cameron est en feu. Il est connu pour créer des personnages féminins bien tracés et il pourrait obtenir une couverture médiatique simplement en lisant le bottin téléphonique. Pourrais-je avoir assez de chance pour être appelée à auditionner pour un de ses projets ?

Nadine décide d'en remettre.

— Cela pourrait mener à une nomination aux Oscars !

Je me couvre les oreilles.

— Arrête ! Arrête ! N'excite pas mon imagination ! Cette rumeur n'est peut-être rien de plus qu'une rumeur !

SECRET D'HOLLYWOOD NUMÉRO QUATRE : Parfois, les rumeurs ne sont que des rumeurs. Je sais que je dis habituellement qu'il n'y a pas de fumée sans feu, et c'est très souvent vrai. Parfois, les journaux à potins saisissent le fin mot d'une histoire des mois avant qu'elle ne soit connue. Même des célébrités avec des ententes de confidentialité en béton découvrent que leur bonne d'enfants ou leur femme de ménage ou leur ex-petit ami peut trouver des failles qui leur permettent de révéler les détails de leur vie privée. Cependant, il arrive qu'une rumeur ne vienne que d'un agent, d'un publicitaire, d'un spécialiste des relations publiques ou d'un cadre de studio trop enthousiaste qui parle de ce qu'il aimerait plutôt que de ce qui se passe réellement dans la ville du cinéma. James Cameron n'a peut-être jamais prononcé mon nom. C'est juste que Seth souhaite qu'il le fasse, et en lançant la rumeur, il espère que le téléphone sonnera.

Nadine me jette un regard. Un que je connais bien en raison des années de travail avec elle. Il signifie « ne fais pas semblant d'être modeste quand tu connais la vérité ». Sa chevelure rousse vient juste d'être coupée aux épaules ; sa coupe est étagée et à la mode. Elle porte aussi quelque chose dans le vent : une robe chandail noire et des bottes noires à hauteur des genoux. Nadine dit qu'elle a un rendez-vous excitant ce soir, mais elle reste avare de détails pour ne pas attirer la poisse.

— On va t'offrir ce truc avec Cameron, et tu le sais ! déclare Nadine, puis son visage se radoucit. J'espère que tu l'accepteras. Peu importe où aura lieu le tournage. Tu as attendu toute ta vie pour une offre comme celle-là, Kates. Tu la mérites.

— Merci.

Je presse sa main.

— Toutefois, Seth ne m'a pas appelée pour me dire qu'il y a une offre.

— Je sais que c'est vrai, affirme Nadine, l'air de quelqu'un dans le secret, et elle se tourne de côté sur son siège pour me parler, faisant craquer le cuir. Et ce n'est pas la seule offre que tu recevras ce soir, et c'est de cela que je voulais te parler.

— Comment le sais-tu ? m'enquiers-je.

Je croise et décroise de nouveau les jambes, espérant ne pas froisser mon pantalon noir Tahari. Nadine m'a apporté une nouvelle tenue à porter au Polo Lounge. Ce que j'arborais à l'événement Turkey Tasters ne convenait pas pour un dîner d'affaires. J'ai assorti mon nouveau pantalon avec une blouse en satin prune Aryn K et des talons Prada en peau de serpent grise à bouts ouverts. J'ai passé trop de temps à me changer à l'arrière de cette voiture.

— Est-ce que Laney t'a informée ? Vous semblez tellement proches depuis quelque temps.

— Tu nous donnes pas mal de sujets de conversation, me rappelle Nadine. J'ai enfin appris qu'il n'est pas si difficile de parler à Laney si on sait comment s'y prendre. Parfois, elle est d'excellent conseil.

— Sur quoi? demandé-je.

Mes boucles d'oreille chandelier en diamants attrapent la lumière, et je peux voir leur reflet dansant sur le visage de Nadine et l'aveuglant presque.

Nadine plisse les paupières.

— Rien qui vaut la peine de discuter en ce moment quand nous avons des choses plus importantes en cours.

Elle me regarde intensément.

— Tu vas recevoir des offres qui sont tout aussi géantes et également attirantes que celle de Cameron ce soir, mais n'essaies pas d'en accepter plus qu'une. N'en fais pas trop pendant cette pause estivale, Kates. Un film est suffisant. Ta pause paraît peut-être longue, mais elle l'est moins que tu ne le croies, et je ne veux pas que tu sois épuisée avant ta deuxième saison. Elle sera encore plus difficile que la première. Tu as entendu parler de la baisse d'engouement passé la première année, n'est-ce pas?

Je hoche la tête.

— Nous ne pouvons pas laisser cela se produire avec *Petites prises*. Tu dois être au meilleur de ta forme, et je pense qu'un film et un peu de repos sont le chemin à suivre. De plus, si tu choisis de suivre des cours universitaires cet automne…

Elle sort du cartable un dossier doré que je n'avais pas remarqué et le pousse vers moi sur le siège. Je baisse les yeux et vois des armoiries embossées et le titre UNIVERSITY OF SOUTHERN CALIFORNIA.

— La demande d'admission n'est pas due avant le 11 janvier, alors tu as le temps de la remplir, déclare Nadine avant que je puisse dire quelque chose. Avec tes résultats du SAT et ton expérience de vie, tu es certaine d'être admise si tu écris une bonne dissertation. Je sais que tu peux réussir à répondre à la question de cette année : « Avez-vous changé votre vie ou votre vie vous a-t-elle changé ? »

— Profond, intervient Rodney depuis le siège du conducteur. Je vais devoir y réfléchir.

Je caresse le lettrage embossé sur le dossier.

— Nous en avons discuté, Nadine, dis-je doucement. Avec la nouvelle émission, mon horaire est dément. Je n'aurai jamais le temps de suivre un cours, encore moins deux. Impossible que je puisse y arriver. L'université devra attendre un an.

— Et l'an prochain, il y aura un autre prétexte, argumente Nadine. J'ai toujours dit que j'irais à la Harvard Business School après quelques années, mais mon histoire est comme la tienne. J'ai tous les prétextes du monde. Je ne suis pas plus près de déménager à Boston qu'il y a quatre ans, quand j'ai emménagé ici. Je ne veux même plus déménager dans l'est maintenant. Je ne peux pas supporter les hivers.

Elle regarde par la fenêtre une seconde et elle tapote une mèche de cheveux pour la remettre en place.

— L'école d'administration n'est tout simplement pas dans mes cartes.

— Ne dis pas cela, dis-je, tracassée et me sentant coupable. Pourquoi ne peux-tu pas y aller ici ? Est-ce que ça doit absolument être à Boston ?

Nadine secoue la tête.

— Je ne veux plus aller à l'école d'administration. J'ai d'autres rêves que j'aimerais réaliser, mais le point est que si tu ne le fais pas maintenant, il se peut que tu ne le fasses jamais, Kaitlin. Même si ce n'est qu'un cours à la fois, tu devrais essayer d'obtenir ton diplôme universitaire. Sinon, tu pourrais toujours le regretter.

Elle tapote le dossier.

— Commence par la demande d'admission. Si tu décides de ne pas y aller l'automne prochain, alors parfait, mais tu ne peux pas y aller sans d'abord être acceptée.

Elle sourit largement.

— En passant, tu adorerais cela à USC. Rod et moi y sommes allés l'autre jour pour prendre ta demande d'admission, et je pouvais t'imaginer en train de lire dans une des vérandas extérieures.

— Il se trouvait qu'on y tenait le SnowFest, dit Rodney en me regardant dans le rétroviseur. Ils ont même été jusqu'à importer de la neige ! À L.A. ! Il y avait des étudiants partout, examinant des équipements de ski et de surf des neiges. Je ne l'aurais jamais cru si je ne l'avais pas vu moi-même. Ce n'est pas cool, ça ?

— Oui, c'est cool.

Je range avec précaution le dossier dans mon nouveau sac à main. Nous sommes en novembre et il semble approprié que je change mon sac de New York en peau de serpent pour un sac d'hiver pour la moins qu'hivernale Los Angeles. Celui-ci est d'un chaud jaune beurre en cuir avec des points de couture noirs. Je l'aime bien, mais je ne peux pas dire que je l'adore. Je cherche encore un sac qui représente ma personnalité au premier coup d'œil.

— Je vais réfléchir à la demande d'admission.

— C'est tout ce que je demande, répond Nadine alors que la voiture s'arrête.

Je regarde dehors et vois que nous sommes devant le stand du service de voiturier du Beverly Hills Hotel. Je rassemble mes affaires et jette un coup d'œil à Nadine. Elle me fixe comme si elle attendait une réponse.

— Bonne réunion ; et souviens-toi de ce dont nous avons discuté. Tu vas tellement t'amuser avec *PP*. Ne gâche pas cela en t'en mettant trop sur le dos. Tu as encore besoin de temps pour toi.

— Je sais. J'ai appris cette leçon à la dure.

J'attrape la poignée.

— Je te souhaite un super rendez-vous; je veux tous les détails croustillants.

— Marché conclu, répond Nadine.

Elle se tourne vers Rodney.

— Lance le signal musical!

Céline recommence à chanter bruyamment à travers les haut-parleurs et je ris.

— Je t'appelle après, promets-je quand le valet ouvre la portière de la voiture.

J'accepte sa main et je sors dans la nuit chaude, puis je marche sur le tapis rouge du Beverly Hills Hotel sous la marquise rayée vert et blanc menant à l'entrée où des portiers en costume noir avec des parements rayés tiennent les portes ouvertes.

Je viens juste de pénétrer dans le hall d'hôtel jaune avec son immense chandelier suspendu au-dessus d'un chaleureux petit salon meublé de chaises basses en velours plissé et orné d'une carpette à motif de palmier des années cinquante quand je tombe sur papa. Il porte un chandail polo blanc et un pantalon chino kaki, ce qui signifie qu'il a joué au golf aujourd'hui ou qu'il a accepté un emploi dans une chaîne de restaurants.

— Salut, Kate-Kate!

Il m'étreint d'une manière bourrue.

— J'ai vu une version non finale de ta publicité pour Takamodo Cruise Lines aujourd'hui. Ton moteur roulait à plein régime, je l'ai bien vu.

Mon père utilise des analogies voiturières pour tout. Avant de se joindre à l'entreprise familiale (Hollywood), il était vendeur de voitures.

— Maman sera enchantée. Elle parle déjà de ta prochaine publicité japonaise.

— Merci, papa. As-tu, euh, réussi à discuter avec Preston?

Papa est à la recherche d'un nouveau projet de production depuis un moment et il espérait que *PP* serait celui-là, mais le studio avait suffisamment de gens engagés. Ce n'est pas comme si papa traînait une longue feuille de route derrière lui. Il a travaillé sur quelques-uns de mes projets pour lesquels Seth avait négocié sa présence dans mes contrats, mais la propre entreprise de production de papa n'a jamais, euh, bien, vraiment démarrée.

Papa tousse.

— Bien, tu sais, Preston est un homme occupé. Très occupé.

Il regarde autour de lui et s'approche d'une table de bout antique pour s'y appuyer nonchalamment.

— Je l'ai vu seulement une seconde quand je me suis arrêté à son studio. Il a dit qu'il me téléphonerait demain ou la semaine prochaine.

Sa voix s'estompe.

— Il n'est pas certain d'avoir des besoins en production en ce moment.

— Oh.

Je baisse les yeux et fixe mes chaussures.

— Je suis certaine qu'il appellera. Ou bien quelqu'un d'autre à qui tu as présenté des idées.

Papa fait courir ses mains dans son épaisse chevelure foncée.

— C'est dommage que *Petites prises* n'ait pas besoin de moi, mais les affaires sont les affaires. Je ne peux pas travailler sur tous tes projets.

Je hoche la tête d'un air entendu.

— Et d'ailleurs, je suis pas mal occupé à surveiller tes activités et à rester avec Matty sur son plateau, dit papa en guise de rappel pour lui-même. Ensuite, il faut tenir compte de la maison — ta mère veut changer la décoration, la piscine doit d'être mise au goût du jour et je cherche une voiture pour toi.

Il sourit et ses dents m'aveuglent.

— Ta première voiture est celle dont tu garderas toujours le souvenir, Kate-Kate.

— Nous n'avons pas à décider tout de suite, dis-je nerveusement.

Le simple fait de penser à obtenir mon permis après tout ce temps me fait paniquer.

— Vrai, acquiesce papa. C'est une bonne chose, j'imagine, car je n'aime pas ce que je vois dans ces concessionnaires de Beverly Hills. Ces vendeurs ne savent tout simplement pas comment vendre une voiture! C'est épouvantable. Je veux dire, dans mon temps, notre premier souci était le client, et la vente arrivait en deuxième position. Ces gars ont entendu le nom Burke et ils ont essayé de me vendre chaque voiture dans la place au cours des quinze premières minutes. Avant même que j'aie fait un essai routier!

— Effroyable, acquiescé-je, cherchant les autres du regard.

J'imagine qu'on ne nous a pas encore assigné une table dans le restaurant.

— Que fais-tu ici, de toute façon? Y a-t-il une table qui nous attend?

Papa secoue la tête.

— Ils sont tous à l'intérieur, déjà. Je suis sorti pour jeter un œil sur ta mère. Elle a dû prendre un appel.

Il agite la main à ma droite et j'aperçois une grande femme avec des cheveux blond miel qui ressemblent beaucoup aux miens, assise sur une chaise de velours. Elle porte un tailleur-pantalon noir Elie Tahari et un gros collier de perles turquoise s'emmêle dans son débardeur en soie crème très décolleté. Elle tape nerveusement le sol d'un talon crème Gucci. Maman ne semble même pas me voir.

— Était-ce aujourd'hui? l'entends-je dire à quelqu'un au téléphone pendant qu'elle consulte l'un de deux très épais cahiers de notes.

Des papiers sortent par tous les bords.

— Je suis désolée. Je l'avais indiqué pour demain 15 h.

Elle rit.

— Je ne sais pas où j'ai la tête. Je l'ai probablement laissée entre les studios A et B.

— Nous devrions vraiment commencer ce dîner.

Papa me pousse doucement.

— Seth doit être quelque part ailleurs à 21 h 30.

Cela signifie que le dîner ne sera pas extra long et que je pourrai rejoindre les autres chez A Slice of Heaven.

— Pourquoi ne vas-tu pas informer tout le monde que je suis ici ? Je vais aller chercher maman.

— Ça me paraît bien, me dit papa, et il se dirige vers le restaurant.

Il me décoche un clin d'œil.

— Essaie de l'empêcher de parler au téléphone trop longtemps.

— Mardi ? entends-je maman dire ; puis elle feuillette ses papiers. Bien, je peux tenter de déplacer quelques trucs, je pense… hum ; j'ai une réunion à 11 h, un lunch à 12 h 30, l'essayage de Matty à 14 h… wow, cette journée est remplie ! Kaitlin est à 16 h, mais peut-être que si je… non, non, non ! Cela ne cause pas de problème. Je veux le faire. Les Daisies, c'est très important pour moi.

Maman garde le silence en écoutant son interlocutrice. Elle semble stressée. C'est son air permanent récemment. J'attends quelques minutes de plus en espérant qu'elle conclura son appel.

— Je peux l'insérer dans mon horaire, insiste maman. Nancy, tu es ridicule ! J'ai raté une réunion. D'accord, deux. Cela ne signifie pas… si seulement tu… ne t'inquiètes pas du comment. Je le ferai, c'est tout.

Longue pause.

— Je peux y arriver, ma douce. Si seulement tu… mais… seulement… penses-y. S'il te plaît ? Ne prends pas cette décision tout de suite.

Maman recommence désespérément à tourner des feuilles.

— Mardi à 11 h 45, heure du Pacifique ! Oui. Je pourrai présenter ma proposition complète à ce moment-là. Oui. Je n'ai besoin que de quinze minutes, je le jure.

Le visage de maman se fend d'un petit sourire.

— BIEN ! Merci, chérie. On se parle plus tard.

Maman raccroche et je la vois se frotter les tempes par petits mouvements circulaires. Je fais la même chose quand je suis énervée. Je devrais peut-être réserver un massage pour maman. Quand trouverait-elle le temps d'y aller ?

— Maman ? dis-je.

J'ai l'impression d'interrompre un moment très privé.

— Est-ce que tout va bien ?

— Oh, bonjour, mon chou, répond maman, puis elle se reprend rapidement.

Son maquillage est parfait, mais ses yeux verts sont brouillés.

— Tout va bien. C'était Nancy Walsh au téléphone. Elle est très près de lancer le chapitre ici, tu sais, et le moins qu'on puisse dire est qu'il y a beaucoup d'agitation.

Quand nous étions à New York l'été dernier, maman a travaillé avec Nancy Walsh sur un tas de projets de charité, mais son préféré était ce groupe appelé le Darling Daisies Committee. Il embellissait le paysage new-yorkais en plantant — vous l'avez deviné — des marguerites partout dans la ville. Nancy adorait maman, et il était acquis qu'elle dirigerait leur division à Los Angeles. Cependant, c'était avant que la gérance de Matty devienne un emploi à temps plein — son statut de mineur de moins de seize ans signifie qu'il faut tenir compte de beaucoup de lois. Maintenant, elle est tellement occupée avec lui que je ne la vois pas et que je n'entends pas parler d'elle aussi fréquemment qu'avant et, secrètement, j'ai trouvé cela plutôt bien. De plus, Matty est devenu tellement populaire auprès des adolescents qu'il reçoit des offres pour des articles de couverture dans *Teen Vogue* et *J-14* et tous les magazines pour jeunes qui existent. Maman a du mal à suivre toutes les demandes pour lui.

Non qu'elle laisserait voir qu'elle est débordée. Elle s'énerve continuellement, mais elle nous dit toujours qu'elle est maîtresse de la situation. Le seul temps où elle semble détendue est quand elle s'active pour les Daisies.

— Que se passe-t-il avec le poste de présidente ?

Je me perche à proximité sur un ottoman en tissu touffu avec des pattes dorées et j'observe maman rassembler ses affaires. Tout d'abord, elle laisse tomber son BlackBerry et la batterie se détache, puis elle échappe un stylo, puis son cahier de notes. Cela ne devrait pas être grave, mais en fait, maman crie quelque chose que je ne devrais pas répéter.

— Maman ? m'enquiers-je avec inquiétude.

— Elle donne le poste à quelqu'un d'autre, déclare-t-elle avec impassibilité, puis elle ramasse tous ses trucs et les laisse tomber dans son sac Louis Vuitton. Elle ne l'a pas dit dans ces mots, mais je sais que c'est ce qu'elle fait. Elle n'a pas l'impression que j'ai du temps à consacrer aux Daisies.

— Oh, maman, je suis désolée.

Je tends la main et je lui caresse le poignet. Elle n'était pas aussi démolie quand je n'ai pas obtenu le rôle dans le film de Steven Spielberg.

— Elle m'accorde quinze minutes mardi pour faire mes preuves, mais je sais qu'elle ne changera pas d'avis.

La voix de maman est étrange.

— Le fait est qu'elle a raison. Je n'ai pas le temps.

— Prends le temps, insisté-je, essayant d'obliger maman à me regarder. Peut-être que si tu cesses de t'occuper de certaines choses comme — je prends une profonde respiration et pense à Sky — celles qui me concernent, tu auras le temps dont tu as besoin pour les Daisies.

Maman me fixe comme si j'avais suggéré qu'elle me donne en adoption.

— Que veux-tu dire par : cesser de m'occuper de toi ? Je ne peux pas !

Sa voix s'élève un peu.

— Tu as besoin de moi.

— Je sais, dis-je en faisant marche arrière, voyant dans mon champ de vision périphérique le gars en costume d'affaires qui nous fixe. Je voulais simplement dire que tu sembles avoir trop de travail et que tu es stressée en permanence et que cela m'inquiète. Ma carrière va parfaitement bien maintenant — tu pourrais moins t'en occuper et Nadine pourrait prendre la relève. Je n'ai plus jamais l'occasion de te voir à présent. Tu me manques.

Maman agite une main avec dédain.

— Oh, Kaitlin, tu fais un drame pour rien. Je te vois tout le temps !

— Non, maman, dis-je tranquillement. Je veux dire, vraiment te voir. Pas au travail, pas à propos du travail ; en tant que mère. Quand avons-nous fait quelque chose ensemble qui ne concernait pas un tournage ?

Le visage de maman semble s'effondrer quand je dis cela.

— Mon chou, je sais que c'est l'impression que ça donne parfois, mais je vous aime, toi et ton frère, plus que tout au monde, affirme-t-elle d'un air sincère. J'adore faire partie de vos carrières, et c'est essentiel que j'en sois, car je suis férocement protectrice pour vous deux. Personne ne surveille vos intérêts comme moi, et quand je vois que tu connais autant de succès avec *Petites prises* et que tu reçois ces offres incroyables dont nous allons discuter ce soir, je me sens tellement fière. Toi et Matty réussissant bien dans quelque chose que vous aimez, c'est la chose la plus importante pour moi. Je veux que vous soyez plus populaire qu'Angelina Jolie et George Clooney !

Je ne peux pas me retenir de rire de celle-là et maman me serre fortement contre elle, m'offrant une rare étreinte. Je respire profondément, inspirant son parfum Beckham, et j'essaie de ranger ce moment dans mes souvenirs.

— Si Nancy Walsh pense que mon travail auprès de vous deux pénalisera les Daisies, alors tant pis. Mes enfants sont plus importants qu'un idiot projet de fleurs.

Elle me caresse le menton.

— Je ne vais jamais cesser de m'occuper de toi : jamais.

Elle s'écarte de moi, et je remarque que son regard est un peu affligé.

— À moins que tu ne souhaites plus que je gère ta carrière. Est-ce que c'est ça ?

— Bien sûr que non ! lâché-je rapidement, me sentant coupable du simple fait d'avoir abordé la question.

Regardez-la : maman serait anéantie si je la renvoyais. Je ne pourrais pas lui faire cela. Au moins, ainsi, j'ai l'occasion de la voir tous les jours. Bien sûr, elle me rend folle et n'écoute pas mes opinions, mais si elle n'était plus ma gérante, peut-être cesserions-nous complètement de nous voir.

— Bien, répond maman, expirant lentement. J'étais inquiète pendant une minute. J'aimerais seulement… oublie ça. C'est ce que nous voulons, n'est-ce pas ? Être occupées et connaître le succès.

Elle pose un bras autour de moi.

— Et nous le sommes. C'est le plus important.

— Maman, tu adores les Daisies… commencé-je à dire, mais elle m'interrompt.

— Oublie les Daisies.

Elle m'attrape le bras et me guide à travers le hall vers l'entrée du Polo Lounge.

— Ce soir, nous avons des choses plus importantes à considérer, comme ton avenir.

CINQ : *Une offre qu'on ne peut pas refuser*

Pénétrer dans le Polo Lounge du Beverly Hills Hotel donne l'impression d'avoir été transporté dans le temps à une autre décennie. On s'attend à moitié à voir les légendes de la cité du cinéma comme Jimmy Stewart et Marilyn Monroe assises dans un box à boire des cocktails. Le confortable restaurant est connu pour son fameux brunch sur la splendide terrasse, mais ce soir, nous mangeons à l'intérieur, à une table avec des chaises douillettes ayant des bras en bois et étant recouvertes de tissu, avec une vue sur un arbre imposant dans le jardin. On joue de la musique jazz, et la pièce à l'éclairage tamisé et munie de bougies m'apaise instantanément après la conversation que je viens de terminer avec maman.

Je découvre Seth, Laney, Matty et mon père en train de siroter des boissons et de manger du pain. (Bien, c'est le cas pour Matty et papa. Je ne pense pas que Laney ait mangé du pain depuis 1986.) Papa lève les yeux de sa montre TAG Heuer pour regarder maman et moi quand nous nous assoyons.

— Tout va bien? demande papa à maman. Tu es restée au téléphone pendant un bon moment.

— C'était Nancy Walsh, répond-elle avec réticence pendant qu'un serveur dépose une serviette de table sur ses genoux. Elle pense que j'ai trop à faire pour gérer le lancement des Daisies sur la côte ouest. Je vais la convaincre du contraire.

Maman commence à presser des boutons sur son BlackBerry, sa nouvelle montre à diamants Rolex brillant plus vivement que mon verre d'eau, que le serveur vient de remplir à ras bord.

— Tu sais, mon chou, ton horaire est plutôt bien rempli, dit papa avec délicatesse avant de toucher la main de maman. C'est la première fois que nous dînons ensemble depuis plus d'une semaine. Tu n'as pas rappelé Victoria Beckham et elle t'a téléphoné trois fois.

Wow : maman ignore les Beckham ? Elle doit être vraiment débordée.

— Je pourrais aider davantage avec Kate-Kate, offre papa, et il me décoche un sourire. J'ai passé du temps avec elle dans ses tournages pendant que tu étais prise avec Matty et je me sens comme lorsque j'ai fait l'essai de la Maserati Gran Turismo avec la garniture en cuir Poltrona Frau ! Je suis certain que je pourrais me débrouiller pendant un temps jusqu'à ce que ton agenda se calme.

— Te débrouiller ?

Maman cesse de taper et lui lance un regard perçant. Toute trace de chaleur restant de notre conversation a disparu.

— Quand tu es gérant, tu ne te débrouilles pas. Tu te secoues. Tu t'agites. Tu fais de ton client la meilleure chose que cette ville n'a jamais vue !

— Tu parles de notre fille et de notre fils, n'est-ce pas ? demande papa, paraissant légèrement embarrassé et pourtant agacé en même temps. Nos enfants ne sont-ils que des clients à présent ?

Maman semble plutôt choquée d'elle-même.

— Nous avons parlé de brouiller la limite, Meg. C'est ce que je voulais dire. Regarde ta façon d'agir !

Matty et moi, nous nous regardons avec inquiétude. Mes parents se disputent, maintenant ? Et en public ? Ils ne se disputent jamais. Je pense. Ce n'est pas comme si j'étais là pour en être témoin, mais ils sont tellement toujours contents quand ils sortent à quatre avec Tom (Hanks) et Rita (Wilson). Je pousse doucement Laney, espérant qu'elle peut les ramener à l'ordre avant qu'ils ne fassent une scène. Jack Nicholson mange à une table à proximité et il nous fixe du regard.

— Meg ? tente Laney. T'ai-je dit que *Vanity Fair* finalise leur couverture sur la jeunesse hollywoodienne ?

Les mots *Vanity Fair* sortent brusquement maman de sa tirade.

— Ont-ils déjà appelé pour nous ?

Laney boit son thé glacé.

— Je suis certaine qu'ils le feront d'un jour à l'autre. Sinon, crois-moi, je vais leur téléphoner. Ils m'en doivent toute une.

On ne veut pas se retrouver sur la liste noire de Laney. Son air de fille dans la vingtaine — cheveux blonds lissés à la brésilienne, silhouette menue, mignons costumes ajustés (ce soir, elle porte une veste extensible noire Elizabeth and James sur un t-shirt blanc et un pantalon noir) — lui donne l'air d'un ours en peluche. Elle est davantage l'égale d'un grizzli. Laney protège ses clients — et leur famille élargie — comme s'il s'agissait de ses propres oursons. La majorité des gens à Hollywood a peur de sa colère comme de la mort. Moi-même, je suis encore un peu nerveuse en sa présence, et elle est mon agente publicitaire depuis des années.

— Tu as raison. Ils vont nous appeler. Je ne peux pas m'occuper d'un appel de plus cette semaine.

Maman fait signe au serveur.

— Je vais prendre un verre de Merlot, s'il vous plaît.

— En fait, nous prendrons une bouteille de votre meilleur Merlot, intervient Seth. Ce soir, nous célébrons. Notre étoile montante est officiellement devenue une planète !

Seth me regarde, ses dents blanchies au laser sont éblouissantes. Ses cheveux bruns coupés courts sont illuminés de mèches pâles fraîches, et il porte un splendide costume brun Tom Ford. Seth donne toujours l'impression d'être à la réunion la plus importante de sa vie, même quand nous faisons quelque chose d'aussi routinier que de revoir mes feuilles d'horaire.

Quand le vin arrive et que Matty et moi avons nos boissons gazeuses, Seth me sourit largement par-dessus sa coupe.

— C'est fait, Kaitlin. Tu as officiellement réussi.

Il commence à m'applaudir. Ici. Au milieu du restaurant. Je pourrais mourir. Particulièrement lorsque papa se joint à lui.

Matty s'éclaircit la gorge.

— Ce n'est pas que Kates ne mérite pas son moment de gloire, mais...

Seth fait claquer sa main sur la table.

— Matt, tu as raison ! Désolé, mec.

Il lève son verre de Merlot.

— Et à Matt pour avoir décroché le rôle que Ty Crawlord a été assez stupide de laisser filer entre ses doigts.

Tout le monde trinque.

Mon regard passe d'une personne à l'autre, espérant qu'on va me mettre dans le coup. Matty sourit comme un chat qui a avalé une souris.

— Je vais être Dusty Dermont dans *Espoir, courage et gloire* 2, déclare-t-il fièrement avant de donner sa commande au serveur. (Je viens juste d'entendre Laney détailler la sienne. Elle commence par une salade, suivie d'un flétan de l'Alaska.) Ty Crawlord a essayé d'amener le studio à cracher une grosse augmentation de salaire et ils se sont braqués. C'est moi qui le remplace !

Espoir, courage et gloire a amassé plus de 200 millions de dollars au box-office grâce à la réalisation de Quinn Tartaglia et d'un groupe dépareillé de vedettes méconnues prêtes à jouer des soldats américains combattant des mutants zombis dans une forêt tropicale africaine. Sorti pour la dernière fête d'Halloween, il a battu tous les records au box-office en grande partie grâce au public d'étudiants universitaires. Ty Crawlord semblait être la vedette montante et il a déjà signé pour deux autres films. J'imagine qu'*Espoir, courage et gloire 2* ne sera pas son troisième contrat.

SECRET D'HOLLYWOOD NUMÉRO CINQ : On penserait qu'un projet très en vue et un rôle bien-aimé formeraient une combinaison imbattable, mais parfois, si une vedette menace de se désengager d'une suite, on la laissera partir. Ce serait terriblement dur d'imaginer n'importe qui d'autre qu'Ewan McGregor jouant le jeune Obi-Wan Kenobi, mais il arrive que des acteurs renommés soient remplacés dans des suites de film. Si une vedette se montre difficile ou qu'elle s'est engagée trop tôt pour une suite, le studio peut chercher ailleurs un nouvel interprète pour ce personnage. Bien sûr, on aimerait mieux rester avec l'original, mais les suites peuvent survivre sans lui. Harry Potter ne va pas se planter parce que celui qui joue le joueur de Quidditch numéro quatre a été changé.

— Matty, c'est formidable ! lui dis-je, mon visage aussi épanoui que le sien. Quand commences-tu ?

— Pendant la pause estivale, répond-il avant de prendre une gorgée de son Sprite. Nous tournons au Brésil. Maman m'accompagne.

— Mais ne t'inquiète pas, ma douce, intervient maman après avoir donné sa commande (même que la mienne : la poitrine de poulet farci Jidori. Maman commence par une soupe froide aux poireaux et moi, par une salade du marché des fermiers de Santa Monica). Je vais aller et venir en avion entre vos plateaux et papa me tiendra à jour. Nous savons que tu auras aussi une pause démente.

Je hausse les épaules, essayant de ne pas avoir l'air trop excitée.

Et j'essaie certainement de ne pas penser : James Cameron. James Cameron. James Cameron !

AAAAH !

— Ce n'est pas comme si on m'avait offert quelque chose jusqu'à présent.

Je m'efforce de jeter un coup d'œil discret aux autres à la table. Le visage de Seth fait battre la chamade à mon cœur.

— C'est ce que tu penses, rétorque-t-il, puis il me lance un lourd cahier relié (enfin, il le place en quelque sorte devant moi, mais vous comprenez l'idée).

Le mot CONFIDENTIEL est tamponné partout dessus.

— C'est pour toi. Tu vas auditionner et rencontrer Jim la semaine prochaine.

Je jette un œil sur la couverture et aperçois le nom de celui avec qui je n'ai fait que rêver de travailler jusqu'à maintenant : James Cameron. Je me mords la lèvre pour me retenir de crier à pleins poumons.

— Est-ce que c'est ce que je pense que c'est ?

Je peux à peine respirer.

— Tu peux parier sur ton futur Oscar que ce l'est.

Laney paraît satisfaite.

— Je t'ai dit que ta vie était en train de changer ! Ce rôle, l'excellente presse — tu évolues dans les bons milieux et les gens l'ont remarqué.

Seth fournit davantage d'explications.

— Il s'agit d'un film d'action qui se passe dans un futur proche, mais ce n'est pas un film apocalyptique.

Seth roule les yeux.

— J'en ai tellement marre de ceux-là. C'est davantage un numéro de réflexion centré sur une équipe de recherche explorant une solution à l'effet de serre sur la planète d'Abaronza, située au milieu d'une zone de guerre intergalactique. Brad Pitt vient juste de signer pour le rôle d'astronaute en chef et Sandra Bullock est sa copilote.

Laney hoche la tête en guise d'approbation.

— Je dis à Sandy depuis des années qu'elle doit faire de la science-fiction. Ça et les sciences occultes, c'est tellement en vogue.

— J'ai l'occasion d'être une astronaute ? dis-je d'une voix perçante. Et de travailler avec Pitt et Bullock ? YOUPI !

Seth sourit en grand.

— Jim t'aime déjà, mais s'il t'aime en te rencontrant, alors le rôle est à toi. Tu serais engagée pour une trilogie, si le premier film réussit assez bien pour justifier les suites.

OhmonDieuohmonDieuohmonDieuohmonDieuohmonDieu ohmonDieuohmonDieuohmonDieu !

OH MON DIEU !

J'ai l'impression que je vais m'évanouir. Je n'ai jamais, même dans mes rêves les plus fous, pensé qu'on m'offrirait un rôle comme celui-ci. Moi ! Travailler avec James Cameron ! Avec deux des acteurs de cette génération dont on parle le plus ! Je ne peux pas y croire. Je ne peux vraiment pas y croire ! Je dois m'excuser afin de le dire à Austin et à Liz. Ils vont devenir dingues.

— Tu as réussi, mon étoile, dit Seth avec des yeux qui, je pense, brillent de larmes.

Je regarde Laney. Elle est émue elle aussi. Tout comme papa. Nous nous serrons tous les quatre les mains. Je regarde maman, cherchant son approbation.

— Il y a plus, déclare-t-elle, sortant un scénario écorné de son sac.

— Meg, il me semblait que nous avions décidé de mettre l'autre offre de côté jusqu'à ce que nous connaissions l'échéancier de Jim, intervient Seth d'un ton léger, mais il a l'air en rogne.

Si ses yeux étaient des lasers, le nouveau scénario empilé par-dessus celui de Cameron exploserait.

Maman lisse sa serviette de table.

— Je ne veux pas le mettre de côté.

Oh oh.

— Pourquoi a-t-elle deux offres et moins seulement une ? se plaint Matty.

— Je ne veux même pas l'entendre, plaisanté-je. Rien n'est mieux que travailler avec James Cameron. Je veux accepter celle-là !

Seth et Laney rient.

Le serveur apporte nos hors-d'œuvre et ma délicieuse salade me fixe en me suppliant de la manger. J'ai avalé mon dernier repas il y a plus de six heures et je suis affamée. En prenant ma première bouchée, j'entends la réplique de maman.

— Évidemment que tu feras le film de James Cameron, mais tu joueras aussi dans celui-ci.

Seth se contente de la regarder. Tout comme papa.

— Quoi ? Le scénario est formidable. Le laisser passer serait une insulte.

— Meg, quelqu'un est insulté toutes les cinq minutes à Hollywood, fait remarquer Seth. Ce projet de Cameron est gigantesque. Le temps manque pour les deux.

— Tu as dit toi-même que nous pouvons ménager du temps si elle le désire, lui rappelle maman.

— Si elle le désire, reprend Seth, et il me regarde, puisqu'il sait probablement que je suis embrouillée. Ta mère a raison ; l'autre scénario est gagnant aussi. Clint Eastwood souhaite que tu joues la fille perdue de George Clooney dans son nouveau film, qu'il a également écrit. Le rôle de la mère est interprété par Julia Roberts et la rumeur veut qu'on ait confirmé Robert Pattinson pour personnifier le petit ami.

Wow. C'est pas mal bon aussi.

— Le film sera tourné pendant la pause estivale, et c'est un horaire chargé de six semaines, m'informe maman d'un ton compétent. Les gens de Clint m'ont dit qu'ils seraient prêts à travailler avec Cameron afin que tu puisses intégrer les deux projets.

Maman marque une pause, prend une gorgée de vin et ensuite ma main.

— Kaitlin, tu n'as jamais reçu d'offres semblables avant. Comment peux-tu en choisir seulement une ? Le film d'Eastwood pourrait signifier un Oscar.

— Tout comme le film de Jim, me rappelle Seth.

Quand Nadine l'a dit, je pensais qu'elle plaisantait, mais à présent que Laney en a parlé, ainsi que maman et Seth avec tout le sérieux du monde, je peux à peine respirer.

— Le scénario est sensationnel, acquiesce Seth. Je ne l'ai pas mentionné en premier parce que je sais que tu as toujours voulu travailler avec Jim et celui-là est une offre de trilogie et…

— Ton travail consiste à présenter toutes les offres, lui rappelle maman.

— Meg, la prévient papa.

Matty et moi nous regardons.

— Est-ce que tu dis que je ne fais pas mon boulot, Meg ?

La voix de Seth est tendue.

— Non, mais…

— Nous ne devrions pas la surmener.

Seth est ferme.

— Je veux qu'elle se sente fraîche comme une rose quand elle retournera pour la deuxième saison de *Petites prises*.

Il me décoche un clin d'œil.

— Nous savons qu'il y en aura une. J'ai téléphoné aux gens d'Eastwood pour vérifier les dates de début. Si le projet d'Eastwood est repoussé, alors nous pourrions peut-être…

— C'est une bonne idée, acquiescé-je rapidement.

— Non, insiste maman. Nous ne perdons pas cela.

Elle m'attrape la main et la secoue.

— Kate-Kate, je sais que c'est beaucoup de travail, mais tu peux gérer ça. Je sais ce qu'il y a de mieux pour toi. Tu le sais. Ne me fais-tu pas confiance ?

— Je le sais, mais…

Je faiblis.

— Tu peux mener plusieurs tâches de front, déclare maman. Nous pouvons insérer les deux, et tu peux tourner de la science-fiction et te frayer un chemin vers la gloire des Oscars. Ma douce, je veux que tu aies tout.

Laney regarde son assiette. Seth semble agacé. Matty paraît un brin jaloux. Tout le monde semble croire que c'est une mauvaise idée, sauf maman. Je sais qu'il s'agit d'Eastwood et de Clooney, mais Seth donne l'impression que l'horaire équivaut à escalader le mont Kilimandjaro. Je suis intriguée, mais comment vais-je arriver à faire tout cela ? Je réfléchis aux propos de Nadine.

— Je ne veux pas être épuisée avant même de commencer à travailler, avancé-je avec précaution. La deuxième saison de l'émission, si nous en avons une, est tellement importante. Je devrais peut-être ne choisir qu'un seul film.

— Kaitlin.

Le sourire de maman s'évanouit et sa voix paraît tendue.

— Tu n'as pas besoin d'en sélectionner un. Est-ce que je ne viens pas juste de t'expliquer comment cela fonctionnerait ?

— Oui, mais jouer dans les deux me semble beaucoup.

Tout à coup, je me sens très petite.

— Ce n'est pas beaucoup !

La voix de maman est stridente.

— Tu peux tout faire ! Je peux tout faire ! Je gère ta carrière et celle de ton frère, et je vais persuader Nancy à propos des Daisies. Si je peux y arriver, toi aussi.

— Mais…

Et si je ne veux pas tout faire ? Et si je veux une vie, aussi ? C'est ce que j'ai toujours désiré — du travail et une vraie vie, et la possibilité de maintenir les deux séparés. Cependant, je n'avoue pas cette partie. J'ai trop peur de mettre maman en colère et de la voir se transformer en un Hulk version féminine.

— Ma douce, tu devrais peut-être aller te rafraîchir, suggère papa en posant une main sur l'épaule de maman.

— Oui, j'aurais bien besoin d'un petit jet d'Evian.

Maman est comme en transe.

— Je reviens tout de suite.

Nous l'observons s'éloigner.

— Je suis désolé, dit papa, adressant ses excuses à toute la table. Elle subit tellement de pression ces derniers temps. Avec la carrière de Matty qui décolle et Kate-Kate pour qui ça va si bien, c'est beaucoup.

Il se tord les mains avec désespoir.

— J'ignore que faire. Elle ne veut pas me laisser l'aider, et j'ai plus de temps libre qu'il m'en faut.

Il lâche un rire un peu amer. Je n'aime pas du tout l'humeur de mes parents.

— Je suis désolé que Meg soit dépassée, commence Seth avec précaution, mais cela ne devrait pas toucher Kaitlin. Je suis son agent et je ne crois pas que jouer dans les deux projets pendant la pause estivale est dans son meilleur intérêt. Si je peux en déplacer un…

Papa secoue la tête et me regarde avec de la tristesse dans les yeux.

— Ta maman fait toujours ce qu'il y a de mieux pour toi, Katie-kins. Si elle pense que tu peux gérer les deux, alors je suis certain que tu le peux. Cependant, la décision t'appartient.

— Ouais, bien sûr. Maman l'obligera à faire les deux, même si elle répond non, marmonne Matty avant de prendre une autre bouchée de son hamburger de bœuf Kobe à trente-neuf dollars.

Matty a raison. Quand maman se met quelque chose en tête, impossible de lui faire changer d'avis. Elle va insister et insister jusqu'à ce que j'acquiesce aux deux films. Pourquoi ne pas m'éviter le casse-tête et dire oui tout de suite ? Peut-être que si je me prépare mentalement au cours des prochains mois, quand la pause arrivera, je ne remarquerai même pas la charge de travail supplémentaire.

Je commence déjà à me mentir à moi-même. Je vais assurément être surmenée.

Je songe à maman encore une fois. Je ne l'ai jamais vue aussi près du désastre. Il s'agit de ma mère. Je ne peux pas la décevoir, peu importe à quel point cet horaire pourrait me tuer. J'ai fait pire, non ? Je survivrai.

J'espère.

— Je vais faire les deux, dis-je avec réticence, et Seth paraît peiné. Organise des réunions avec les deux réalisateurs.

Samedi 7 novembre

NOTE À MOI-MÊME :

Réservé 1 journée spa à maman.

Lire scénarios d'ici lun.

Trouvé temps pr lire scénarios d'ici lun.

2manD à Nadine de lire Eastwood pendant que je lis Cameron.

Avec de la chance, ns aurons le temps de lè échangé.

Test de conduite : dans - de 5 sem. !!!

SIX : *Une tranche de vraie vie*

Quarante-cinq minutes après la mini crise de nerfs de maman, je suis confortablement assise dans un box de coin chez A Slice of Heaven, mon restaurant préféré de pizzas. Bien, le préféré de tous. Austin, Josh, Trevor et même Sky sont pas mal accrochés à l'endroit eux aussi. Il ne paie pas de mine — des nappes à carreaux, de vieilles chaises, un plancher en linoléum qui a vu des jours meilleurs et les incontournables affiches fanées de l'Italie sur les murs —, mais les pizzas sont tout aussi bonnes, sinon plus que celles que j'ai mangées l'été dernier à New York. C'est peut-être parce qu'Antonio a géré un restaurant là-bas avant de déménager à Los Angeles. Comme il est tellement tard, nous avons pratiquement la place pour nous seuls. Antonio nous a permis de changer de station de radio par satellite pour ma préférée en ce moment, Arcade Fire.

— Je ne peux pas croire que tu vas travailler avec James Cameron ! crie Liz après que j'ai terminé de leur parler des deux projets auxquels je réfléchis. James Cameron ! Kates ! C'est GIGANTESQUE !

Dès que je me suis assise, il me fallait révéler les événements du dîner. J'étais tellement excitée et embrouillée dans mes idées que j'allais exploser. Depuis, tout le monde discute pour déterminer lequel des films je devrais accepter. Ils ignorent que je, euh, me suis engagée pour les deux si ma rencontre de routine avec les réalisateurs la semaine prochaine se passe bien.

— L'autre offre avec Clooney, Eastwood, Roberts et ce vampire me donne aussi l'impression d'être du bonbon, déclare Austin avec un grand sourire en se lançant à l'assaut d'une nouvelle tranche de pizza.

Liz a commandé notre spécialité à elle et moi : une pizza avec plus de fromage, des poivrons et des brocolis.

— Elle ne fait pas les deux, intervient Sky, paraissant un brin agacée. Elle ne peut pas ! Notre congé n'est pas assez long. Ta mère est folle d'y songer. Mais — elle sourit sournoisement — tu pourrais en choisir une et me donner l'autre offre.

— Ah, la vérité sort, lui dis-je avant de me verser un verre de Sprite d'un énorme pichet en plastique posé au milieu de la table.

— C'est juste pour parler.

Sky joue avec sa salade à la pizza, débordante de noix de Grenoble, de canneberges, d'endives et de fromage bleu.

— J'étais probablement en tête de leur liste, mais ils ont entendu dire que j'avais déjà un projet pour la pause estivale.

Trevor hoche la tête de façon très positive.

— Travailler avec Jason Reitman n'est pas à dédaigner.

— Absolument pas, répliqué-je avec sincérité. *Haut dans les airs* est toujours dans ma liste des dix meilleurs.

— J'ai refusé le plus récent Steven Weitzman.

Sky s'essuie la bouche délicatement avec sa serviette.

— Je ne veux tellement pas faire partie d'un projet dont la date de sortie est retardée de vingt-trois mois.

— Hé, c'était pour un film, lui fais-je remarquer. Tu ignores si cela se reproduira.

Sky hausse les épaules.

— Pourquoi courir le risque ?

SECRET D'HOLLYWOOD NUMÉRO SIX : Les dates de sortie des films sont constamment repoussées. Ce ne devrait pas être une grosse affaire, mais ce l'est quand même. Quand elles entendent parler d'un retard, certaines personnes dans l'industrie croient immédiatement que c'est parce que le film est un navet ou qu'il n'a pas été terminé à temps et a besoin qu'on tourne de nouvelles scènes coûteuses. Ces raisons peuvent être en cause, mais il existe aussi des justifications valables de déplacer la date de sortie d'un film. Parfois, la sortie de deux grands films est prévue le même week-end et l'un est déplacé pour éviter d'être écrasé par l'autre au box-office. Quand *Harry Potter et le prince de sang-mêlé* est passé d'une date de sortie en novembre pour une en été, il n'y avait pas d'autres sorties de grand film prévues pour le congé de l'Action de grâce, alors *Twilight — La fascination* a devancé sa date de sortie originalement prévue en décembre — moment où il y avait beaucoup d'autres films qui seraient présentés pour la première fois et lui feraient concurrence — et a pu s'emparer de toute la gloire au box-office pendant ce congé. Les films moins importants vivent également des problèmes. Ils attendent peut-être un contrat de distribution issu d'un festival de films où quelqu'un offre l'argent pour assurer leur entrée dans les cinémas. Peu importe la situation, les retards rendent les acteurs nerveux. Ils ne veulent pas voir un film qu'ils ont tourné il y a trois ans surgir sur les écrans de cinéma après un autre film dans lequel ils ont joué plus récemment. Ça fait tout simplement mauvais effet.

— Alors? m'incite Sky, touchant l'une de ses boucles d'oreille en émeraude.

Son haut vert Stella McCartney paraît un peu habillé pour un resto de pizzas, mais alors, nous avons tous l'air trop habillés, étant venus ici directement après l'événement Turkey Tasters et moi ayant changé de tenue pour mon dîner au Polo Lounge un peu plus tôt.

— Quel film vas-tu choisir, si tu les obtiens?

Sky met l'accent sur le *si*.

Tout le monde me regarde avec impatience, et au lieu de répondre tout de suite, je bois une grosse gorgée de mon Sprite et je marmonne ensuite rapidement ma réponse dans ma serviette de table.

— Les deux.

— As-tu dit les deux ?

Liz laisse tomber sa tranche de pizza dans son assiette.

— Kates, es-tu folle ? Cela va totalement à l'encontre de ton truc de séparation du travail et de ta vie privée.

— Séparer le travail et la vie est impossible pour les acteurs, intervient Sky. Je n'arrête pas de vous le dire. On ne peut pas se partager en deux personnes. On est qui on est et on s'arrange pour que ça fonctionne.

Sky agite dans ma direction des noix de Grenoble piquées sur sa fourchette.

— Toutefois, je suis d'accord avec Liz : es-tu folle ? Tu ne peux pas faire les deux. Le temps manque, et ces deux réalisateurs sont des perfectionnistes et du genre qui s'immergent totalement dans leur travail. Tu ne peux pas passer de l'un à l'autre. À moins que tu ne veuilles offrir deux performances médiocres et ruiner la deuxième saison de *Petites prises* quand nous retournerons au travail à la fin de juillet.

Je regarde Austin pour obtenir son soutien, mais il semble aussi abasourdi que les autres. Son visage devient presque aussi sombre que le polo marine qu'il porte.

— Burke, il s'agit de deux offres du tonnerre, mais on dirait du surmenage.

— Ce ne l'est pas, insisté-je, me lançant dans un boniment de ventes. Seth et maman négocieront un arrangement avec les studios, et je ferai un jour ici et une soirée là, et je diviserai les jours et les week-ends en deux et…

Ma voix s'estompe et mes épaules s'affaissent.

— Qu'est-ce qui me prend ? Ce n'est pas possible ! Je m'en fous si maman a une attaque. Je dois décliner l'un des films, n'est-ce pas ?

— C'est ce que j'ai dit il y a cinq minutes, rétorque Sky d'un ton léger. Maintenant, tu as gaspillé cinq minutes de ma soirée de congé. Merci.

Je lui lance un regard.

— Tu sais, jusqu'à ce désastre d'offres de film, j'ai adoré la nouvelle liberté dont je profite grâce au fait que maman est prise avec la carrière en plein essor de Matty, admets-je. Mais maintenant que maman se remet sur mon cas, je recommence à me sentir écrasée ! Elle essaie de s'assurer de se partager également entre nous, mais au lieu de me donner du temps de qualité avec elle, comme elle l'a promis, elle ne fait que surcharger mon horaire et empiler les rencontres avec la presse.

— Je suis désolé, Burke. Les choses se passaient tellement bien.

Austin pose un bras autour de moi et me caresse l'épaule droite.

— Elle ne va pas arrêter d'insister tant que je ne signerai pas sur la ligne pointillée du contrat pour les deux films, affirmé-je tristement. Impossible d'aller contre elle. Je vais perdre, tout simplement.

— Je te l'ai dit, intervient Sky. Fais comme moi. Licencie-la.

— Je devrais la renvoyer, lâché-je étourdiment.

Mes yeux s'arrondissent et je fais claquer une main sur ma bouche.

— Je ne viens pas juste de dire ça.

— Wow, disent Trevor et Josh en même temps, allant même jusqu'à cesser d'engouffrer des tresses à l'ail assez longtemps pour se joindre à la conversation.

— Oui, tu l'as dit, me fait remarquer Liz d'un ton accusateur avant de replacer son bandeau mauve sur sa tête.

Sa robe Pucci imprimée rose et mauve est aussi flamboyante que son tempérament en ce moment.

— Enfin!

— Je ne sais pas, c'est juste que…

Je me sens tellement troublée.

— Je ne veux pas ne pas avoir de relation avec elle, mais j'en ai marre qu'elle m'intimide afin que je fasse des choses qui me sont déconseillées par mon agent.

— Donc, tu veux la licencier, déclare Sky, ses yeux s'illuminant. Bien, parce que je pense avoir trouvé la gérante parfaite pour nous deux.

Je m'imagine donnant son congé à maman et ensuite je vois son visage atterré. Le même qu'elle affichait au Polo Lounge quand j'ai mentionné à la légère qu'elle devrait ralentir un peu.

— Oubliez ce que j'ai dit. Je ne peux pas.

— Un petit pas à la fois, déclare Austin doucement. Personne n'affirme que tu doives licencier ta mère…

— Moi, oui! s'exclament Liz et Sky en même temps.

Austin leur lance un regard.

— Nous voulons seulement ton bonheur, reprend Austin avec délicatesse. Si ta mère est l'une des choses qui te rendent malheureuse, alors tu dois peut-être modifier ta relation avec elle. Mais pas ce soir.

Il regarde les autres.

— Pourquoi ne parlons-nous pas d'autres choses?

— J'ai décidé d'ajouter Berkeley et Penn State à ma liste de demandes d'admission, offre Liz avec excitation, donnant l'impression de s'être retenue toute la soirée de le révéler.

— Combien d'écoles avons-nous maintenant, Liz? Quinze?

Josh essaie de garder son sérieux.

— Il n'y a pas de limite au nombre d'écoles où l'on peut présenter une demande, lui dit Liz en s'emparant d'une pointe de la pizza chaude qui vient d'arriver — notre préférée.

Elle en glisse rapidement une sur mon assiette aussi. Après ce qui s'est passé avec maman au Polo Lounge, j'ai à peine touché à mon dîner. À présent, je suis affamée, mais j'espère ne pas tacher de graisse mon haut en satin prune. C'est un Aryn K !

— Je sais ; tu te réserves des choix, termine Josh pour elle, et il lui décoche un clin d'œil. Tu n'arrêtes pas de me le dire.

— Est-ce la raison pour laquelle j'ai reçu une demande d'admission de Berkeley aujourd'hui ? demandé-je en frottant mes doigts sur ma serviette pour éliminer la graisse de mes mains. C'est le cinquième lot de documents d'admission qui me parvient cette semaine. Maman a paniqué quand elle a découvert ceux pour UCLA et l'Université de Boston.

Je grince des dents à ce souvenir. (En fait, maman a crié : « BOSTON ? ON NE TOURNE PAS DE FILMS À BOSTON ! ESSAIES-TU DE ME TUER ? » On y tourne des films, mais je ne veux pas me disputer avec elle.)

— As-tu demandé à l'école de me l'envoyer ? m'enquiers-je auprès de Liz.

Liz secoue la tête.

— Je n'ai pas le temps de te procurer des demandes. J'ai à peine le temps de compléter les miennes.

Je regarde Austin d'un air interrogateur.

— Même chose ici, répond-il. J'en suis moi-même à dix écoles.

Sky roule les yeux.

— Je ne comprends pas l'idée de l'université. Si tu sais ce que tu veux faire, alors fais-le.

— Si tu peux trouver un avocat qui n'a pas de diplôme en droit et que tu veux encore l'embaucher, tu m'en donneras des nouvelles, argumente Trevor.

Sky lui lance un regard furieux et tourne plutôt ses yeux vers moi.

— K., tu n'es pas en train de t'embrouiller dans ce non-sens aussi, non? Je n'ai pas besoin que notre émission décolle pour te voir disparaître, prise entre l'école et les trois milliards de projets que ta mère t'oblige à accepter.

— Je ne vais nulle part, lui dis-je, soufflant sur le fromage chaud. J'ignore pourquoi je n'arrête pas de recevoir ces demandes d'admission. La seule que j'ai obtenue moi-même est celle de l'Université Southern California. Nadine veut que je tente ma chance.

— Vas-tu le faire? demande Austin.

— S'il te plaît, non, me supplie Sky en tirant sur ma manche avec ses doigts graisseux.

Elle devrait pourtant être plus avisée! Trevor la pousse doucement.

— Quoi? K. est une bonne actrice. Bien, pas de mon calibre, mais...

Elle me regarde avec ses yeux foncés, perçants comme des lasers.

— Tu n'as pas besoin de l'université. Tu as déjà une carrière. Tu sais ce que tu veux.

— Sky, ferme-la, la prévient Liz. Si Kates veut aller à l'université, elle devrait y aller.

— Mais elle a déjà une carrière!

Sky semble au désespoir.

— Tu sais que tu veux être actrice, n'est-ce pas?

Je brasse mon Sprite avec ma paille, fixant les bulles.

— Oui, réponds-je lentement, mais je pense tout de même qu'il est intelligent d'étudier autre chose. Faire un choix de carrière à l'âge de quatre ans est plutôt inusité.

— J'ai toujours su que je réalisais mon destin, rétorque Sky, le menton haut. Je ne peux pas m'imaginer assise dans un petit cubicule exigu, écoutant des gens parler pendant des heures et des heures de leurs problèmes à côté de la cafetière.

Elle frissonne.

— Sans offense.

— Il n'y a pas de quoi, réplique Josh. Je meurs d'envie de posséder un cubicule un jour. Faux.

— K., pourquoi as-tu l'air indécise à ce propos? demande Sky, soupçonneuse. Tu voulais cette émission de télévision!

Je soupire.

— Je sais. J'adore la télévision! C'est juste…

Peut-être n'est-ce que le choc d'apprendre que Sky a licencié sa mère. Ou bien que je suis très fatiguée après ces trois événements en six heures. Ou encore que je suis épuisée après avoir affronté les plus récentes sautes d'humeur de ma mère. Quand je suis entrée dans A Slice of Heaven ce soir, cela m'a rappelé le passé.

— Lizzie, nous étions assises dans ce box lorsque j'ai songé à cette idée de Clark Hall, tu te souviens?

— C'était ici, n'est-ce pas?

Liz sourit et joue avec l'une de ses boucles d'oreille en cerceau.

— Mon Dieu, cela paraît si loin.

— Même si Sky a dévoilé mon secret — je lui lance un regard et elle hausse les épaules —, j'ai adoré fréquenter Clark. Je pense que j'ai enfin appris quelque chose sur l'équilibre. C'est peut-être pourquoi j'en ai encore envie. J'aime être une actrice, mais j'aime aussi avoir une vie. J'ai réussi à avoir les deux jusqu'à maintenant.

Je me frotte les tempes, sans me soucier de ruiner mon fond de teint.

— Le simple fait de penser à travailler sept jours sur sept pendant ma pause estivale me fatigue.

— Je sais qu'il y a une chose que personne ne t'oblige à faire, interrompt Josh avec un clin d'œil. Passer ton examen de conduite — cela vient uniquement de toi, Kaitlin. Il est salement temps aussi.

Liz lui tape le bras.

— Kates aime prendre son temps, intervient Liz pour ma défense, et je ne peux pas songer à un meilleur moment pour obtenir ton permis que le jour de ton dix-huitième anniversaire.

Dix-huit ans. Je ne peux pas croire que j'aurai dix-huit ans dans seulement quelques semaines ! Austin les a eus en octobre, et nous sommes allés manger des sushis pour célébrer. Je lui ai aussi acheté la plus récente version de Rock Band, même si le fabricant n'arrête pas de m'en offrir des exemplaires gratuits. J'ai l'impression que ce n'est pas un cadeau lorsque je ne l'achète pas moi-même. Matty a accepté l'offre, par contre, et il en a un dans sa loge. J'ai entendu dire que sa loge est devenue l'endroit à fréquenter sur le plateau de *Scooby* quand les gens ne tournent pas.

— Si K. échoue, elle gâchera son anniversaire, déclare Sky, mâchant joyeusement une canneberge de sa salade à la pizza.

Toute la table lui lance un regard mauvais.

— Quoi ? Je plaisante ! K. va réussir ! Elle sort dans l'aire de stationnement du studio avec Rod-O presque tous les après-midi pour pratiquer ces virages en trois étapes.

Une chanson lente de Taylor Swift débute et toute cette conversation sur l'université, le drame maternel et le permis est oubliée. Liz et Josh, et même Sky et Trevor, se lèvent et dansent entre les tables. Je suis tellement plongée dans mes pensées que je ne réalise pas qu'Austin et moi sommes les deux seuls à notre box.

— À quoi penses-tu, Burke ? demande Austin après un moment.

Il glisse sa main chaude dans la mienne.

— Je réfléchissais à la question pour la dissertation de l'Université Southern California.

Je regarde mes amis sur la piste de danse.

— Est-ce que je change ma propre vie ou est-ce que la vie me change ?

Austin hoche la tête.

— Je me débats aussi avec cette dissertation.

— J'ignorais que tu y présentais une demande.

Je sens une poussée d'espoir à la pensée qu'Austin reste près de la maison au lieu de déménager à cinq mille kilomètres pour fréquenter une université à Boston comme il l'a toujours désiré.

Austin hausse les épaules.

— J'imagine que je suis comme Liz. J'essaie de me garder toutes les options. De plus, j'ai discuté avec l'entraîneur de crosse là-bas, et ils ont une équipe du tonnerre.

Il sourit.

— Ils m'offriront peut-être une bourse d'études. D'ailleurs, l'école a l'air fantastique et elle offre un bon programme d'éducation.

Austin songe à devenir professeur d'éducation physique et il serait merveilleux dans ce rôle.

— Nous pourrions travailler ensemble à la demande, suggéré-je.

Peut-être que la présence d'Austin dans la pièce avec moi est la petite poussée dont j'ai besoin pour plonger. Ne serait-ce pas formidable si nous fréquentions USC ensemble ? Se rendre en classe, étudier à la bibliothèque, se procurer des survêtements USC assortis...

D'accord, je m'emporte.

— Tu sais que je suis toujours partant pour une séance d'études à deux, me taquine-t-il.

Il prend ma main et me tire hors du box.

— Mais pour l'instant, oublions les demandes d'admission à l'université. Toi, mon amie, tu as besoin d'une pause du travail, de ta mère et possiblement de la vie. Nous devons seulement trouver comment t'y mener, Burke. Et nous y arriverons.

Austin regarde la piste de danse. Taylor a terminé et tout à coup, tout le monde se balance sur les Black Eyed Peas avec Antonio, le propriétaire de A Slice of Heaven. Sky cogne ses fesses contre celles d'Antonio, un spectacle que je ne pensais jamais voir.

Je devrais tellement la filmer avec mon iPhone et mettre cela sur YouTube. (Mais je ne le ferai pas.) Josh fait tournoyer Liz, et elle rit tellement fort que j'ai peur de voir du Sprite jaillir de son nez. Trevor chante à pleins poumons et exécute une étrange version de la danse du robot qui le ferait chasser à coups de pied des salles d'audition d'*American Idol*. Je commence à rire — à gorge déployée. Et c'est bon.

— Et si nous éliminions un peu de ta frustration en dansant ? demande Austin en balançant ma main.

Il me décoche un clin d'œil.

— Une compétition de danse jusqu'à la mort ?

Je souris.

— Je te suis.

Samedi 7 novembre

NOTE À MOI-MÊME :

Lire lè 2 scénarios d'ici lun. é prendr 1 décision.

Choisir 1 scénario.

Lequel ????

UNIVERSITÉ SOUTHERN CALIFORNIA

QUESTION DE LA DISSERTATION : Avez-vous changé votre vie ou votre vie vous a-t-elle changé ?
(La dissertation doit contenir au moins deux mille mots, mais pas plus de quatre mille. Veuillez taper votre dissertation avec un double interlignage.)

En réponse à la question, avez-vous changé votre vie ou votre vie vous a-t-elle changé, je dirais que je…

Je crois être une personne qui a à la fois changé sa vie et que sa vie a changée.

La vie n'est jamais facile, même quand on est adolescent. Ma vie est un peu plus compliquée que celle de la majorité parce que je suis une adolescente avec une carrière à temps plein. Je suis actrice. Je sais que j'ai changé la vie des gens et pourtant, ma vie m'a changée.

ÇA SONNE MINABLE!

ARGH!

Je déteste les dissertations. Fin.

SEPT : *Comme les dénouements surviennent rapidement*

Je fais le plus beau des rêves. C'est mon anniversaire de naissance et je porte cette incroyable robe du soir lilas Marchesa. Austin est habillé comme le prince charmant et il me fait tournoyer sur une piste de danse comme si j'étais Belle dans *La Belle et la Bête*. Nous nous trouvons à l'intérieur du château de la Belle au Bois dormant à Disneyland, je pense (le vrai est loin d'être aussi gros), et la salle est bondée de gens qui nous observent avec adoration. Mickey et Minnie sont présents, ainsi que Matty, papa et regardez ! Il y a mon ancien coiffeur et mon ancienne maquilleuse, Paul et Shelly. Je dois réellement les convaincre de quitter leur nouvelle émission de télévision pour se joindre à moi dans *Petites prises*. Liz et Sky sont ici, avec certaines de mes amies actrices comme ma copine Gina de CW. Aaah… il y a ce mignon bébé que j'ai tenu dans mes bras pour une photo le week-end dernier au marché des fermiers. Je ne peux pas croire qu'elle soit ici elle aussi. Tout cela est tellement beau…

Est-ce que quelqu'un crie ?

— Meg, tu ne peux pas faire cela sans d'abord lui en parler. Elle va être furieuse et elle aura toutes les raisons de l'être !

— Elle ira bien une fois que je lui aurai expliqué. Nadine ! Je sais ce qu'il y a de mieux pour elle !

J'arrête de danser et je me mords la lèvre inférieure. Ma mère se tient au bord de la piste de danse, vêtue comme la méchante sorcière dans *Le Magicien d'Oz* et elle se dispute avec Nadine, elle-même habillée comme Glinda. Nous sommes peut-être censés assister à un bal costumé.

— Pourquoi n'arrêtes-tu pas de lui faire des coups semblables? demande Nadine. Si tu connaissais ta *fille* — pas ta *cliente* —, tu saurais qu'elle ne souhaite pas rencontrer la presse aujourd'hui!

Beurk. Cette conversation n'est pas de l'étoffe des rêves. Je pourrais vraiment voir Nadine dire quelque chose comme cela à maman.

— Elle veut de l'équilibre! ajoute Nadine. Tu le sais et pourtant tu continues de l'obliger à saisir chaque petite occasion de parler aux médias qui se présente à elle. Elle est trop importante pour faire une soirée bingo Turkey Tasters! C'est Matty qui devrait assister à ces événements.

Mon Dieu. Je ne peux même pas faire un rêve de princesse sans que Turkey Tasters l'envahisse?

— Oh, alors tu me dictes aussi ce qui est bon pour Matty? crache presque maman. Tu es l'*assistante* de Kaitlin Burke et seulement l'*assistante* de Kaitlin Burke.

Je tressaille devant la façon dont maman prononce le mot *assistante*. Nadine déteste quand maman déprécie son rôle dans ma carrière. Je regarde Austin, mais il a disparu. J'essaie de rejoindre maman et Nadine pour les supplier d'arrêter, mais je ne peux pas me déplacer aussi loin. C'est comme si j'étais enfermée dans une bulle de verre et que je ne pouvais pas empêcher ce qui se déroule sous mes yeux.

— Je n'aime pas ton insolence grandissante, poursuit maman d'un ton strident. Tu ferais mieux de te surveiller sinon…

Oh oh. Oh non. Maman, ne le dis pas. Ne le dis pas! Même pas dans un rêve! Tu ne peux pas m'enlever Nadine!

— C'est mon anniversaire, vous vous en souvenez? crié-je.

Mais ma voix est comme un gazouillis dans mon rêve et elle se fait à peine entendre, comme si je parlais à travers des guimauves.

— Nous devrions célébrer !

— Sinon quoi ?

Nadine donne un coup de baguette à maman.

— Tu vas me congédier ? Bien, devine quoi ?

NOOOOOOOOOOOOON !

Je sursaute et je regarde dans la pièce sombre. Je jette un coup d'œil à l'horloge. Il est 8 h. Je tends la main vers mon iPhone sur ma table de lit blanche patinée et je vérifie la date : 11 décembre. C'est vraiment mon anniversaire. Tout le reste n'était qu'un rêve. Merci, mon Dieu. Je suis au lit, dans mon pyjama du singe pirate Paul Frank en flanelle et pelotonnée sous mon duvet de 600 fils au pouce. Je suis censée rejoindre tout le monde pour le petit déjeuner à 9 h 30 avant mon rendez-vous pour mon examen de conduite à 13 h.

— Oui, je peux te congédier ! C'est moi qui suis le chef ici. MOI ! C'est moi qui prends les décisions !

Oh mon Dieu. Pourquoi est-ce que j'entends encore des cris ? Je suis réveillée, n'est-ce pas ? Je me pince. AÏE ! Je suis réveillée.

— Kaitlin peut décider elle-même ! Elle a dix-huit ans maintenant, et si tu continues à jouer les dictatrices, elle va t'en vouloir. Tu es trop dure, Meg. Tu surmènes tout le monde, y compris toi-même. Si seulement tu me laissais t'aider…

C'est Nadine qui parle. Je regarde autour de moi. Je suis seule dans ma chambre.

— M'aider ? Je n'ai pas besoin d'aide ! Pourquoi tout le monde pense-t-il que je suis incapable de gérer plus d'un client ? Je veux dire, mes deux enfants ?

Oh. Mon. Dieu. Cette conversation que j'ai entendue dans mon rêve doit réellement avoir lieu ! Je regarde la porte. Je crois qu'elles sont au rez-de-chaussée, mais elles crient si fort qu'on les penserait allongées à côté de moi. Je ferais mieux d'y aller. Je n'ai jamais entendu maman et Nadine se quereller ainsi auparavant.

Nadine devient un peu moins bruyante, mais je perçois toujours sa voix élevée.

— Je ne dis pas que tu es incapable de gérer la situation. Je dis seulement que c'est beaucoup de travail. C'est correct d'admettre cela.

— Je veux que tu partes, Nadine ! MAINTENANT !

Mon Dieu. Je repousse mon duvet et je cours droit sur la porte de ma chambre à coucher, l'ouvrant à la volée, renversant un Matty aux yeux embrouillés alors qu'il sort de sa propre chambre, je dépasse papa, qui occupe la salle d'exercice avec des écouteurs sur la tête, ratant toute l'affaire, et dévale l'escalier menant à la cuisine. J'arrive à l'étage juste à temps pour entendre maman dire :

— Ne reviens pas !

— Salut ! crié-je joyeusement, même si mon cœur bat la chamade. Bonne fête à moi ! C'est mon anniversaire !

Je sais que j'ai l'air ridicule, mais peut-être que si je leur rappelle quel jour nous sommes, elles oublieront le sujet de leur dispute. Sauf qu'elles ne donnent pas l'impression qu'elles vont l'oublier. Au contraire, elles ont l'air plus furieuses que jamais. Maman et Nadine se tiennent à chaque extrémité de l'îlot de cuisine comme des boxeurs patientant dans les coins du ring. Maman est complètement habillée à 8 h du matin avec une blouse à motif en soie et un jean cigarette en denim foncé avec des bottes hautes. Nadine a l'allure de quelqu'un qui vient juste de sortir du lit. Ses cheveux roux frisottés sont tirés en arrière en petite queue de cheval, et elle a vitement enfilé le chandail à encolure en rond American Eagle à rayures blanches et bleues qu'elle portait hier avec un jean coupe ample. Aucune des deux ne détache son regard de l'autre pour me regarder.

— Les filles? essayé-je de nouveau, commençant à me sentir faible. S'il vous plaît? Ne vous querellez pas. C'est mon anniversaire.

— Je suis désolée, Kaitlin, mais ta mère n'aurait vraiment pas dû aller jusque-là, répond Nadine en se tournant pour me regarder.

Ses yeux sont rouges.

— J'ai roulé à 110 km à l'heure pour venir ici après avoir lu son courriel de ce matin. Je pense que c'est tout simplement inapproprié. Tout ce que tu fais n'a pas besoin d'être écrit dans un communiqué de presse. Ceci ne devrait absolument pas susciter la présence des paparazzis! Nous avons eu assez de problèmes avec eux la dernière fois!

J'interromps Nadine.

— Calme-toi. Je n'ai pas encore lu mes courriels. Qu'est-ce qui se passe?

Quand maman lance un regard froid à mon assistante au lieu de me répondre, Nadine soupire.

— Les médias ont été invités à ton examen de conduite, Kates. Je suis tellement désolée.

— Les paparazzis m'accompagnent au bureau des permis?

Je jette un regard inquiet à maman; son visage confirme mes pires craintes.

— Ma chérie, Nadine surréagit.

Maman se hâte de contourner l'îlot et traverse la coûteuse cuisine dans ma direction. Elle rate de peu une des lourdes chaises de cuisine en bois en se dépêchant de venir me regarder dans les yeux.

— J'ai seulement invité quelques personnes et certainement pas les paparazzis, juste quelques journalistes et photographes chevronnés d'Hollywood.

Elle pose ses doigts sur mes lèvres pour m'empêcher de protester.

— *Celebrity Insider, Hollywood Nation* et *Sure*. Ils ont tous été tellement bons pour toi, ma douce, comment pouvais-je dire non ?

Nadine rit amèrement et maman lui lance un regard mauvais.

— Ils ont promis que tu ne remarquerais même pas leur présence.

— Maman, je suis assez déjà nerveuse comme ça, tenté-je de lui dire. Je ne veux pas être en représentation tout le temps juste pour avoir l'air bien à la télévision.

— D'accord ! Oublie ça ! éclate maman, et je sursaute.

J'entends des bruits de pas et aperçois papa et Matty. Matty porte un peignoir Playboy qu'il a reçu en cadeau quand maman et papa n'ont pas voulu lui permettre d'aller à ce qui aurait été sa première fête au manoir Playboy. Papa a un t-shirt Nike blanc et un pantalon de survêtement gris légèrement trop serré. Ils paraissent tous les deux aussi perplexes que moi.

— Je pensais que tu appréciais tout mon dur labeur, Kaitlin, mais j'imagine que j'avais tort, déclame maman. J'essaie de faire de toi et ton frère ce que vous pouvez être de meilleur !

— Tu peux prendre un engagement avec *Celeb Insider* pour moi, maman, intervient Matt. Je vais les laisser m'observer pendant mon examen de conduite.

— Tu n'y es pas encore admissible, rappelé-je à Matty, sentant mon sang commencer à bouillir.

Comment maman ose-t-elle me donner l'impression que c'est moi qui suis à blâmer ?

— ÇA SUFFIT TOUT LE MONDE !

Oh oh.

Laney entre à pas vif dans notre cuisine d'un air important, lançant son gros sac Gucci et ses clés sur le comptoir de granite de sorte qu'ils glissent sur l'îlot et s'arrêtent devant Nadine. Laney porte — sursaut — des vêtements d'entraînement ! Un débardeur rose et un pantalon noir ajusté en Spandex. Je ne savais même pas qu'elle possédait des survêtements. Ses longs cheveux couleur sable sont — double sursaut — coiffés en queue de cheval. Oh ! mince. Elle doit être en colère si elle se présente ici avec cette allure.

Je vois Seth entrer derrière elle. Si la situation n'était pas aussi bouleversante, je pourrais rire. Seth est aussi en survêtement, bleu foncé, avec un t-shirt gris sans manches. C'est la première fois depuis plusieurs années que je vois ses cheveux sans produits dessus. Il manque aussi ses lunettes de soleil.

— Je ne peux pas croire que tu as fait cela, Meg, gronde Seth. Kaitlin obtient des offres dignes des Oscars, et tu diminues son attrait en laissant *Celeb Insider* filmer son examen de conduite ? À quoi as-tu pensé ?

— Je n'ai pas à me justifier devant toi, Seth, rétorque froidement maman. Que fichez-vous ici tous les deux de toute façon ? Kaitlin Burke, leur as-tu téléphoné ?

— C'est moi qui l'ai fait, intervient Nadine en croisant les bras sur sa poitrine. Meg, tout ceci doit cesser. Tu vas nuire à la carrière de Kaitlin, et juste au moment où tout va si bien.

— Tu as invité la presse à l'examen de conduite de ta fille ? demande papa en se grattant la tête.

— Oui.

Maman ne semble pas le moins du monde penaude.

— Turkey Tasters commandite l'extrait dans *Celeb Insider* et ensuite je parlais à *Hollywood Nation* et ils désiraient aussi participer, alors je leur ai accordé les droits exclusifs pour les médias imprimés et…

— Je retire mes propos, s'immisce encore Matty. Ça me paraît vulgaire.

— Je suis d'accord avec Matty, déclaré-je à maman, même si je me sens coupable parce que nous sommes tous sur son dos. Je ne veux pas de public. Appelle-les et dis-leur que nous avons changé d'avis.

— C'est trop tard. Ils sont déjà au bureau des permis en train de s'installer, m'apprend maman.

J'en ai assez. Qu'est-ce que cela a à voir avec elle ? C'est mon examen de conduite !

— Je n'irai pas, alors, lui dis-je avec une colère grandissante.

Maman semble sous le choc.

— Assez, c'est assez, Meg, déclare fermement Laney. Je suis habituellement en accord avec toi en ce qui concerne les médias, mais prendre des engagements sans m'en parler, c'est encore plus obscène que la fois où Tom et Katie m'ont acheté des serviettes de bain brodées de mon signe du zodiaque.

Elle frissonne.

— Cela ne se fait tout simplement pas. Et ceci non plus. Je ne permettrai pas à Kaitlin de se présenter au bureau des permis si les médias sont là.

— Je suis d'accord avec Laney, acquiesce Seth. Si Kaitlin échoue à son examen aujourd'hui et que le monde entier l'observe, ce sera humiliant. Ce n'est pas le genre de publicité que nous devrions rechercher quand elle est sur le point de tourner le projet de Jim.

— Et d'Eastwood ! ajoute maman.

— Maman.

J'expire lentement pour éviter de hurler à en perdre haleine

— Je te l'ai dit, j'ai changé d'avis. Je ne joue pas dans les deux films si je dois le faire pendant la pause estivale. C'est trop.

— Ce ne l'est pas ! insiste maman, l'air dément.

Qui est cette femme ? Ma mère peut se montrer dure, mais habituellement, elle n'est pas folle.

Seth regarde Nadine et Laney.

— Meg, écoute, c'est le genre de chose dont nous parlons. Tu es débordée. Cela explique peut-être pourquoi tu ne penses pas clairement. Nous avons discuté et nous croyons tous que tu devrais temporairement te retirer du poste de gérante de Kaitlin.

— QUOI ? disons-nous à l'unisson, papa, Matty, maman et moi.

Pourquoi cette idée m'excite-t-elle en secret ?

— De manière temporaire seulement, insiste Laney. Nous n'avions pas prévu en discuter maintenant, mais tu ne nous laisses pas le choix. Nous allons nous occuper de Kaitlin et tout te faire approuver. Tu pourras concentrer ton attention sur la carrière de Matty, et quand les choses se calmeront, nous réévaluerons la situation.

— C'est pour le mieux, Meg, ajoute doucement Nadine. Nous devons protéger Kaitlin.

Maman commence à faire les cent pas, ses bottes noires Gucci aux genoux et à talons aiguilles cliquetant sur les tuiles de céramique, mais elle ne prononce pas un mot. Je ne sais pas si c'est bon ou mauvais signe.

Tout à coup, ma colère s'évanouit, remplacée uniquement par la tristesse. Je crie après ma mère, elle me hurle dessus… ce n'est pas ce que je veux. J'aimerais que nous ayons une relation mère-fille normale. Maintenant, plus que jamais, j'aurais besoin des conseils de ma mère — et non de ma gérante.

J'ai passé une audition pour Jim (il a dit que je pouvais l'appeler Jim !) Cameron et je suis à ça de signer un contrat pour passer ma pause estivale dans un hangar d'aéroport transformé en une autre planète ! Jim me paraît extraordinaire, et je ne pourrais pas être plus excitée de faire cela. J'ai aussi passé une audition pour Clint Eastwood, mais son film n'a pas de date de début, alors nous sommes en mode attente pour celui-là. Seth et moi croyons vraiment que je devrais refuser si le film Eastwood se tourne pendant la pause. Je pense que c'est ce que je devrais faire. Tout comme je pense que je devrais remplir la demande d'admission pour USC et essayer de rédiger cette dissertation que je remets sans cesse. Mais je suis encore tellement incertaine à propos de l'université. Vous voyez? C'est pour ça que j'ai besoin de ma mère! Et je n'ai pas eu de temps avec ma mère depuis très longtemps.

— Meg? Ma chérie?

La voix de papa interrompt mes pensées.

— As-tu entendu les propos de Seth et Laney? Je pense qu'il s'agit d'une sage idée.

— Parfois, la publicité que tu obtiens pour Kaitlin la met en danger de violer sa clause sur la moralité, explique Laney avec précaution, faisant taper ses longs ongles rouges sur le comptoir. Oui, il s'agit seulement d'un examen de conduite, mais si Kaitlin boit une boisson inconnue en conduisant et appuie sur l'accélérateur au lieu du frein et accroche un piéton, la dernière chose que nous voulons alors est la présence de *Celebrity Insider* pour immortaliser toute l'affaire sur pellicule. Désirons-nous réellement devoir émettre une autre déclaration à propos du choix de boissons de Kaitlin? Laisse Kaitlin garder son Sprite et plaque les journaux à potins, et nous sommes tous contents.

SECRET D'HOLLYWOOD NUMÉRO SEPT : J'ai vraiment une clause sur la moralité dans mon contrat, tout comme la plupart des jeunes vedettes de mon âge. Ça paraît plutôt vieux jeu, mais même Hollywood a besoin d'un système pour assurer que ses vedettes restent dans le droit chemin. Pour certaines célébrités, c'est écrit en termes généraux, par exemple, ne pas se retrouver avec un casier judiciaire pendant qu'on est payé par le réseau. Pour d'autres, comme mes amis qui travaillent pour des entreprises destinées aux jeunes, cela peut être plus précis, comme ne pas boire si on est mineur et ne pas voir des photos de nu de soi sur le Web. Je ne sais pas exactement ce qu'il y a dans ma clause de moralité pour *Petites prises*. Tout ce que je sais, c'est que je ne veux pas faire quelque chose qui serait assez mauvais pour qu'ils en parlent. L'époque des fêtes, du magasinage extrême et de traîner avec les mauvaises personnes est depuis longtemps révolue pour moi.

— Je ne boirai rien pendant que je passerai mon examen de conduite, dis-je pour clarifier, mais la dernière chose que je souhaite est d'avoir des ennuis liés à ma clause de moralité ou autre chose avec *Petites prises*, déclaré-je en me frottant les tempes. Je pense que tu devrais écouter tout le monde, maman.

Maman cesse de marcher, et son visage est étrangement calme.

— Vous pensez que je devrais me retirer ?

— Seulement de manière temporaire.

Laney hoche la tête, sa queue de cheval blonde se balançant.

— Vous trois, que j'ai embauchés, pensez que je devrais me retirer ? répète maman, sa voix s'élevant. C'est peut-être vous qui devriez vous retirer.

Oh oh.

Tout le monde commence à parler en même temps, pointant du doigt, et leurs voix enflent tellement que je pense que les fenêtres vont exploser. Je distingue seulement des petits bouts de conversation, mais tout à coup, j'entends chanter. Anita, notre gouvernante, faufile sa silhouette ronde dans notre groupe, et je vois qu'elle transporte un cupcake cuisiné maison avec une bougie allumée sur le dessus. Elle me chante « Joyeux anniversaire » en espagnol. Je crois bien que je pourrais pleurer. Au moins, quelqu'un s'en est souvenu. Matty pousse doucement Laney, qui pousse Nadine et papa et Seth, et tout le monde se joint à elle (en français). Quand Anita s'arrête devant moi, je souffle la bougie. La paix dans la casa Burke me paraît un bon vœu.

— Joyeux anniversaire, mon chou, dit papa. Je suis désolé que ta journée ait dû commencer ainsi.

— Je ne me retire pas !

Au lieu de me souhaiter de nombreuses années devant moi, maman se lance de nouveau dans sa tirade.

— J'en ai marre que tout le monde m'attaque. Je fais du mieux que je peux. J'ai deux carrières à gérer et pas de temps pour moi.

Ni pour mes œuvres de bienfaisance. Même pas pour jouer au tennis avec Victoria.

Tout à coup, elle éclate en sanglots, et je pense qu'ils sont sincères. Je ne me souviens pas de la dernière fois où j'ai vu pleurer maman.

Je suis trop sonnée pour parler. Matty et moi, nous nous regardons. Je suis tellement occupée à être agacée que maman me surmène et ignore notre relation que je ne me suis même pas arrêtée pour réfléchir à l'effet néfaste que cela avait sur elle.

— Je suis désolée, maman.

Je lui touche l'épaule.

— Tu es désolée ? explose Nadine. Elle s'est fait cela elle-même ! Elle contrôle ce que tu manges, critique ce que tu portes et trouve des idées folles comme cette chanson *Princesse des paparazzis*. Ce n'est pas toi qui devrais être désolée !

Bien, quand on voit les choses ainsi…

— Meg, je pense que ce que Nadine essaie de dire — et pas tellement bien, devrais-je ajouter — est que tu dois céder un peu de terrain, dit Seth avec plus de diplomatie avant de lancer un regard sévère à Nadine, réussissant à assurer un rôle d'autorité, même dans ses vieux vêtements d'exercice. Considère cela comme des vacances. Concentre-toi uniquement sur Matty. Il se passe tellement de choses pour lui et tes, euh, années d'expertise pourraient vraiment lui être utile.

— Je discutais avec Drew, hier soir, et elle me parlait de ce fabuleux spa à Palm Springs, ajoute Laney. Pourquoi n'y vas-tu pas quelques jours pour te remettre d'aplomb ? Quand tu reviendras, nous pourrons discuter. Qu'en dis-tu ?

Nous regardons tous maman avec espoir, mais le mien s'estompe rapidement.

— Qu'est-ce que j'en dis ?

La voix de maman suinte le mépris, ses yeux se plissant maintenant derrière le mascara coulé.

— Ce que j'en dis ? Je pense que vous avez gâché l'anniversaire de ma fille, et vous savez ce que cela m'indique ? Que vous ne vous souciez pas d'elle comme je le pensais. Et si c'est le cas, alors je pense que vous ne devriez plus faire partie de sa vie.

— Maman !

Je panique.

— Meg, penses-y avant d'ajouter autre chose, la prévient papa.

Toutefois, elle ne s'arrête pas. Elle gagne de la vitesse.

— Je suis la seule à vraiment voir à ses meilleurs intérêts. Je suis la seule à avoir assez d'amour pour lui dire la vérité — que les cupcakes font grossir, que deux projets d'envergure valent mieux qu'un et que prendre du temps pour l'université est un suicide professionnel.

Elle les regarde tous avec fureur.

— Donc, ce que je pense est que vous n'avez plus rien à faire ici. Vous êtes tous renvoyés ! Maintenant, partez !

Tout le monde tombe dans un silence stupéfait, sauf moi.

— MAMAN ! crié-je encore, le cœur en débandade. Tu ne peux pas faire cela !

— Oui, je le peux.

Maman lève un sourcil menaçant dans ma direction. Elle me met au défi de désobéir.

— Normalement, je ne le ferais pas, mais c'est différent, cette fois.

— Maman, j'ai dix-huit ans aujourd'hui, déclaré-je calmement. Ce qui signifie que, légalement, j'ai mon mot à dire ici. Je veux que tu prennes, euh, une petite pause. Ils connaissent ma carrière mieux que personne. Tu ne peux pas les congédier.

Wow, c'était bon.

Maman me regarde étrangement.

— Demande à Nadine si elle surveille tes arrières, Kaitlin. Je suis certaine que c'est la partie de notre querelle de ce matin que tu n'as pas entendue. Si Nadine surveille tellement tes arrières, alors pourquoi fait-elle autant de choses derrière ton dos?

Je regarde Nadine et vois ses oreilles rougir.

— Rencontrer Laney, dîner avec Seth, tout cela sans toi. Pourquoi aurait-elle besoin de faire cela, hein? demande maman. À moins qu'elle ne planifie un coup d'État!

— Meg, tu es ridicule, insiste Laney. Nadine me demandait des conseils professionnels et c'est tout. Cela n'avait rien à voir avec Kaitlin.

Je regarde toujours Nadine. Elle est un peu étrange ces derniers temps, mais j'ai pensé que c'était parce qu'elle était un peu gênée de me parler d'un gars qu'elle fréquentait. Dernièrement, elle porte des vêtements plus habillés et ne m'accompagne pas à toutes mes réunions. Je suis sur le point de demander à maman ce qu'elle veut dire quand je remarque l'immense horloge Restoration Hardware suspendue dans la cuisine. Il est neuf heures. Je dois rencontrer mes amis dans une demi-heure.

— Je dois partir, annoncé-je à tout le monde.

— Où?

Maman est incrédule.

— Aujourd'hui, c'est mon anniversaire et certaines personnes pensent en fait qu'il faut célébrer au lieu de provoquer des disputes, lancé-je à maman, me sentant blessée.

— Kates, ne soit pas comme ça, dit Matty. Je veux célébrer avec toi.

— Merci, Matt, réponds-je, mais je m'en vais quand même.

Je regarde les autres.

— Aucun de vous n'est congédié, et je ne me plie pas aux médias pour mon examen de conduite, maman, alors débarrasse-toi d'eux!

— Kaitlin, reviens ici, insiste maman, mais papa lui bloque le chemin avant qu'elle ne puisse me suivre hors de la cuisine.

En me dirigeant en haut de l'escalier principal vers ma chambre pour m'habiller, j'entends Nadine m'appeler depuis l'étage inférieur.

— Kaitlin, je veux t'expliquer.

Nadine semble bouleversée.

— Viens prendre le petit déjeuner, suggéré-je. Je descendrai dans cinq minutes et te rejoindrai à la voiture. Rod est déjà devant.

Puis, je me précipite dans l'escalier avant qu'une autre personne m'accoste.

En considérant la façon dont mon anniversaire a commencé, on penserait que je porterais uniquement du noir, mais je veux être belle aujourd'hui. Comme je passe mon examen de conduite, je choisis des ballerines Coach raisonnables (pas des Manolo), un mignon chandail vert à manches courtes et col boule (après tout, le vert est ma couleur chanceuse) et un jean Gap habillé. Je sors de la maison par le chemin le plus long, marquant une pause pour accepter une étreinte d'Anita avant de filer discrètement devant la cuisine. Tout le monde crie encore là-dedans. Je me glisse par la porte où Rodney garde la voiture en marche dans l'allée.

— Joyeux anniversaire, Kates, lance Rod, et il me tend une tasse Jamba Juice.

Il en tient une pour lui dans son autre main. Rod est habillé en noir de pied en cape et ses lunettes de soleil sont posées haut sur son crâne bronzé chauve.

— C'est un smoothie léger aux fraises Nirvana. Ton préféré.

— Merci, Rod, dis-je avec gratitude avant de boire une gorgée du breuvage froid. Prêt pour ta demi-journée de congé ?

Il fronce les sourcils.

— Ouais, mais je me sens coupable de te laisser le jour de ton anniversaire. Et si tu avais besoin de moi ? Tu seras parmi le public.

— Rod, ça ira, insisté-je. Austin me ramène chez moi après mon examen de conduite. Nous avons planifié toute la journée. Nous pourrons aussi déposer Nadine.

— Bien sûr, répond-elle d'un air absent.

Elle a l'air tellement sérieuse.

Rodney sirote bruyamment.

— Bien, si tu es vraiment certaine.

— Absolument. J'ai seulement besoin de toi pour ce trajet et ensuite, tu es en congé. Profites-en, insisté-je, même si je ne suis certaine de rien en ce moment.

Je me tourne vers Nadine, qui se ronge les ongles.

— Est-ce que ça va? Qu'est-ce qui se passait là-dedans?

Nadine soupire.

— C'est compliqué.

— Maman n'aurait pas dû te sauter dessus.

Je vérifie mon maquillage dans mon poudrier de poudre bronzante Bobbi Brown.

— Maman fait assurément une surdose de vitamines K si elle pense que je change mon équipe. Ne t'inquiète pas. Je vais lui parler et arranger tout cela. Elle est stressée, tout simplement.

Rodney rigole.

— Tu lui trouves constamment des excuses, Kates.

— Ce n'est pas vrai, protesté-je.

Nadine me lance un regard perçant.

— Oui, tu le fais. Toujours. Tu laisses tout passer avec elle.

— Parfois, mais c'est ma mère, dis-je en désespoir de cause. Je veux changer les choses. C'est vrai. C'est juste… je ne veux pas la blesser.

— Tu devrais…

Nadine s'interrompt et prend une profonde respiration.

— Oublie ça. C'est ton anniversaire, et je suis désolée si je l'ai gâché. Tu n'aurais pas dû entendre cela.

Les ongles rongés de Nadine tapotent sur le cartable qu'elle tient, et je remarque qu'elle est agitée.

— C'est juste que je me suis mise tellement en colère lorsque j'ai lu le courriel de ta mère! Je ne pouvais pas croire qu'elle essaierait d'obtenir une couverture de presse pour ton examen de conduite sans nous en parler. J'ai envoyé un texto à Laney et Seth, et quand ils ont pété les plombs, j'ai su que j'avais raison. Je devais voir ta mère et lui dire le fond de ma pensée.

Nadine me regarde.

— J'ai peur qu'elle ne détruise un jour ta carrière, Kaitlin.

Une boule se forme dans mon estomac.

— Elle ne ferait pas cela, réponds-je à la hâte.

— Pas intentionnellement, mais…

— Ne le dis pas. Si tu le dis, je devrai peut-être tomber d'accord avec toi et je n'en suis pas là. Je ne l'ai jamais vue pleurer ainsi. Et tu sais que maman a toujours eu une emprise sur moi que je n'ai jamais été capable de secouer. Je ne veux pas que ce soit ainsi, mais je ne veux pas non plus perdre ma mère. Je l'aime… mais elle me rend folle ! réalisé-je, acceptant ce qui se passe réellement.

Je suis tellement frustrée que ma voix enfle. Après avoir été la personne calme dans la cuisine, j'ai enfin l'occasion de piquer une crise et je la saisis.

— Je ne sais pas quoi faire !

Moi-même, je suis étonnée par ma soudaine explosion, mais une fois que les mots commencent à voler, je ne peux plus les retenir. C'est comme si je les avais réprimés si longtemps qu'ils explosent comme un bouchon de champagne la veille du jour de l'An.

— Elle ignore tout ce que je dis, me plains-je. Elle pense toujours avoir raison ! Elle agace les cadres du studio, elle m'embarrasse pendant les fêtes et elle ne se comporte jamais comme ma mère. Sais-tu combien je donnerais pour la voir poser un geste maternel sans me demander si elle a des buts cachés de gérante ?

Ma lèvre inférieure commence à trembler.

— Kates.

Nadine me caresse la main, mais j'ai un mouvement de recul comme si elle brûlait.

— Non ! Vous agissez tous comme si j'avais un choix. Si je marche sur les traces de Sky, ma mère ne me le pardonnera jamais. JAMAIS. Je ne veux pas cela non plus.

Nadine m'attrape les mains fermement afin que je ne puisse pas lui échapper.

— Bien sûr que tu ne le veux pas ! Toutefois, si c'est pour le mieux, ta mère le comprendra avec le temps et te pardonnera. C'est ta mère.

Je soupire.

— Je sais, mais ne plus être ma gérante lui manquerait tellement. D'ailleurs, si j'obtenais ce que je désire et que ma mère n'agit toujours pas comme une mère ? Cette pensée me fait peur plus que tout.

— Cela ne se produira pas, déclare Nadine. Tu vas lui faire comprendre. Elle pourrait changer sa manière d'être une fois qu'elle verra comme c'est agréable d'avoir du temps pour une véritable relation avec toi. Ensuite, tu pourras embaucher une nouvelle gérante.

Je ris.

— Comme qui ? Au moins, je fais confiance à ma mère.

À bien y penser...

— Embauche-moi, dit Nadine d'une seule traite.

Abasourdie, je me redresse sur mon siège et j'observe son visage déterminé.

— Que viens-tu de dire ?

— Ouais, quoi ? demande Rodney depuis la banquette avant.

Nadine se penche en avant et parle vite, ses yeux brillants d'excitation.

— Embauche-moi. Je connais ta carrière par cœur. Je te suis depuis des années ! J'ai discuté avec Laney et Seth, et ils pensent que j'ai ce qu'il faut pour faire de la gestion de talent. Ils m'ont dit qu'ils m'aideraient à trouver des clients et à développer mes aptitudes de base. Kaitlin, nous ferions un malheur ensemble. Je sais que tu serais heureuse.

Je ne peux pas passer par-dessus la première partie. Si Nadine devient ma gérante, cela signifie qu'elle ne sera plus mon assistante.

— Mais ça veut dire…

— Oui, interrompt doucement Nadine. Je donne ma démission en tant que ton assistante. J'allais te le dire après Noël et t'accorder un mois pour trouver quelqu'un d'autre et me retirer lentement, mais après ce qui s'est passé ce matin…

Elle secoue la tête.

Nadine me quitte. Elle ne sera plus mon assistante.

Je ne peux pas vivre sans Nadine ! Elle sait tout de moi ! Je lui fais totalement confiance ! Je ne peux pas gérer ma vie sans elle !

Je devrais accepter son offre.

Mais je ne peux pas ! Maman péterait les plombs. Je serais aussi bien de dire que je veux que Nadine devienne ma mère à sa place. Je la crois capable de me renier. Elle est déjà assez en colère à propos des demandes d'admission à l'université. Pouvez-vous imaginer ce que ce serait si je lui apprenais que je la congédie pour la remplacer par Nadine ? Je ne peux pas la laisser continuer à agir comme une assoiffée de pouvoir, par contre. Elle ne peut pas renvoyer Laney et Seth. Je ne le permettrai pas. Papa non plus. Il m'appuiera.

— Kates ?

Nadine me lance un regard interrogateur.

— Qu'en penses-tu ?

— Je ne sais pas.

Je mords ma lèvre inférieure.

— Je suis heureuse pour toi. Tu dis depuis toujours que le poste d'assistante est seulement temporaire pour toi, mais j'imagine que j'ai chassé cela de mon esprit. Je crois que tu feras une gérante extraordinaire.

Nadine me sourit timidement.

— Tu me manqueras terriblement.

Voici venir les larmes.

— Kates ! Ne pleure pas, dit Nadine avant de m'offrir un mouchoir de la boîte à l'arrière de la voiture. Tu n'as pas à te passer de moi ! Je vais endosser un nouveau rôle. Je sais que je peux faire un bon travail.

— Je sais que tu réussirais.

Je renifle.

— Je ne sais pas quoi faire, c'est tout. Comment tout cela est-il arrivé ?

J'essuie mes larmes.

— Je sais que tu as recommencé à parler de l'école d'administration dernièrement, mais j'ignorais que tu songeais à une nouvelle carrière.

Nadine baisse les yeux.

— Ce n'était pas le cas, mais quelqu'un m'a demandé de devenir sa gérante. Je pensais au début qu'elle était folle, mais ensuite j'y ai réfléchi et j'ai aimé l'idée de guider la carrière d'une personne.

Ses yeux brillaient d'excitation.

— Je me suis surprise à accepter.

La voiture s'arrête devant Barneys New York, où je rejoins Austin, Liz et Sky pour le petit déjeuner. Le grand magasin a un excellent restaurant au cinquième étage appelé Barney Greengrass, et nous adorons y prendre le petit déjeuner sur la terrasse extérieure surplombant les montagnes. Je lève les yeux et aperçois les tables et les parasols blancs au dernier étage. Je vois également un énorme bouquet de ballons, qui m'est probablement destiné. Cela me fait sourire. Un peu.

— Wow, quelqu'un t'a demandé de devenir sa gérante ? m'enquiers-je, un brin jalouse, un brin admirative. Qui ?

Le valet ouvre la portière, et Nadine sort la première et moi la deuxième, puis je suis aveuglée par un flash. Et un autre. Et un troisième.

— Salut, les amis, dis-je, souriant même si je suis un peu étourdie par les lumières et les révélations de Nadine.

— Kaitlin ! Par ici ! Peux-tu poser pour quelques photos ?

— Kaitlin ? Kaitlin ! Kaitlin !

Leurs voix me tapent sur les nerfs dans un moment comme celui-ci. Je ne peux pas sourire maintenant. Je ne peux pas me recomposer pour poser. Je me sens mal, mais je prends toujours la pose pour ces gens. Ne puis-je pas jouer les divas juste pour cette fois ? Larry le menteur n'est pas ici, mais je reconnais certains autres. C'est un groupe agressif. Le genre que je ne peux pas supporter, mais que je tolère afin qu'ils ne me rendent pas la vie insupportable. Aujourd'hui, je m'en fous. J'agite la main une fois et je suis rapidement Nadine dans le grand magasin.

— Très gentil, Kaitlin ! Bon anniversaire à toi aussi ! Belle façon d'agir comme une vedette de cinéma ! Tu n'en es tellement pas une !

Aïe.

J'essaie d'ignorer leurs sarcasmes et centre mon attention sur Nadine. Elle discourt sur le fait que cette décision l'a déchirée, mais je ne cesse de me demander qui est sa première cliente. Quelqu'un de nouveau à Hollywood ? Quelqu'un de déjà important ? Il pourrait s'agir de n'importe qui ! Tout le monde adore Nadine lorsqu'ils la rencontrent. Miley me dit toujours que je suis très chanceuse d'avoir une aussi bonne assistante. Est-ce que Miley m'a chipé Nadine ? Quand nous atteignons le restaurant, le groupe nous attend à une table sur la terrasse. Les ballons sont pour moi — des boules perle, roses et argentées oscillent sous la douce brise. La table est mise avec la nappe blanche habituelle, mais je remarque que quelqu'un a aussi jeté dessus des confettis d'anniversaire. Une pile de jolis présents emballés sont déposés près d'une des chaises en bambou. Je suis émue, mais je me sens encore déprimée. (Maman m'a-t-elle seulement souhaité un bon anniversaire ?)

— Joyeux anniversaire !

Liz lance ses bras autour de moi, mais elle recule rapidement, promenant son regard du visage sérieux de Nadine au mien.

— Qu'est-ce qui cloche ?

— Est-ce que ça va, Burke ? s'enquiert Austin avant de m'embrasser rapidement. Tu as l'air pâle.

— Tu lui as dit, n'est-ce pas ? demande doucement Sky à Nadine.

Elle tient un énorme bouquet de tournesols et elle le laisse tomber sur son flanc.

— Je pensais que nous allions le faire ensemble.

— J'ai été obligée, explique Nadine. Ce fut une dure matinée.

— Tu sais que Nadine devient gérante ? demandé-je à Sky, dirigeant mon regard vers elle, puis vers Nadine, perplexe.

Je ne peux pas croire que Nadine l'ait annoncé à Sky avant moi !

— Oui, répond Sky d'un air gêné, parce qu'elle sera ma gérante.

HUIT : *Atterrissage d'urgence*

— Tu es la cliente de Nadine ?

Je pique une crise. Plusieurs femmes bien habillées buvant leur thé English Breakfast à une table proche me lancent un regard désapprobateur, mais je suis trop abasourdie par la bombe de Sky pour leur présenter mes excuses.

— Tu as demandé à Nadine d'être ta gérante ? Tu m'as chipé Nadine ?

Ma tête pivote du visage gêné de Nadine à celui de Sky, un peu provocant, à la vitesse de la lumière.

— Comment as-tu… quand as-tu… je ne comprends pas pourquoi vous deux…

Austin me tire une chaise et je me laisse tomber sur le coussin vert. Je pourrais bien ne jamais quitter ce siège. Au moins, j'aurai de la nourriture, et si j'ai besoin de changer de vêtements, je peux entrer et acheter un confortable pantalon James Perse. J'ai l'impression que le sol se dérobe sous mes pieds. Tout d'abord, mes problèmes avec maman refont surface, puis la bombe de Nadine et maintenant Sky me prend mon assistante ? Non, elle me vole mon assistante ?

— Quand est-ce arrivé ?

Nadine tire la chaise à côté de la mienne, se penchant vers moi afin que j'entende chacune de ses paroles.

— Je ne souhaitais pas que tu le découvres de cette façon, mais tu ne peux pas être furieuse contre Sky, dit-elle d'une voix insistante. Je t'adore et je veux seulement le meilleur pour toi. Tu es comme une sœur pour moi.

Les yeux de Nadine sont mouillés.

— Je te connais assez bien pour savoir pourquoi tu ressens cette colère. Ce n'est pas à cause de mon départ, c'est parce que je te quitte pour devenir la gérante de Sky.

— Tu crois?

Je secoue ma serviette de table avec colère et je la pose sur mes genoux. Je tends la main vers un panier, choisissant un petit pain chaud et mordant dedans afin de ne pas prononcer des mots que je pourrais regretter comme : comment Nadine a-t-elle pu me faire ça? Me quitter, c'est une chose — je dois l'accepter. Elle a toujours déclaré qu'il s'agissait pour elle d'un poste temporaire et elle l'occupe depuis des années. Toutefois, maintenant elle reste à Hollywood et elle prend Sky comme cliente? Je fusille Sky du regard.

— J'aurais dû m'attendre à cela de toi, dis-je froidement, puis je prélève un peu de beurre avec mon couteau dans le beurrier. Tout le monde m'avait prévenue, mais nooooon, Sky a changé! Elle ne me trahira plus jamais. Nous sommes amies. Ha!

Sky s'assoit en face de moi, et j'ai l'impression que je suis sur le point de subir un interrogatoire.

— Nous sommes amies, K. J'ai agi ainsi pour nous deux! Toi et moi, nous savons toutes les deux que Nadine gaspillait ses talents à passer sa journée à aller cueillir des hauts Marc Jacobs chez le nettoyeur et faire des achats chez Pinkberry.

Elle lance un regard élogieux à Nadine.

— N. ici mérite d'être gérante. Je l'ai vu la première fois où elle t'a exposé ses vues sur les conseils de ta mère sur ta carrière. Elle peut réussir!

Je sens mes joues s'enflammer.

— Ne penses-tu pas que je sais que Nadine est douée ?

Je regarde Nadine, et ma lèvre commence à trembler.

— J'ai toujours su que tu ferais quelque chose de formidable. Comme de travailler pour les Obama ! Je savais que ce jour viendrait. Seulement, je ne pensais pas que ce serait aujourd'hui.

— Les filles, c'est sa fête, intervient doucement Austin, et pour la première fois je remarque à quel point il a de l'allure, debout derrière ma chaise, une main sur mon épaule.

Il porte une chemise habillée bleu marine à l'extérieur de son pantalon, un jean foncé usé en denim.

— Et elle passe son examen de conduite dans quelques heures. Pouvons-nous mettre cela de côté et en reparler demain ?

Tout le monde le regarde.

— Non, répondons-nous à l'unisson.

Parfois, les gars ne comprennent tout simplement pas. Une fois le chat sorti du sac, on ne peut pas l'y enfoncer de nouveau.

— Je ne pense pas être en forme pour mon examen de conduite aujourd'hui, de toute façon, dis-je à Austin, et je contemple mon assiette blanche d'un air coupable. Je ne veux pas le faire devant les médias. Maman les a invités à mon examen de conduite.

— Elle a fait quoi ?

Le visage de Liz est aussi sombre que son bandeau indigo retenant ses cheveux bouclés. Elle se lève, m'offrant une belle vue de sa robe verte taille basse Marc Jacobs.

— Pourquoi ?

Je regarde encore une fois les montagnes, fixant intensément une maison géniale sur une falaise pour éviter le regard perçant de Liz.

— Elle a pensé que ce serait une bonne publicité.

— *Celebrity Insider* filmant ton examen de conduite est une bonne publicité ?

Liz est abasourdie.

— Kates ! Pourquoi n'as-tu pas essayé de l'arrêter !

— J'ai tenté le coup, mais il y avait des événements plus importants qui se déroulaient à ce moment-là. Elle était en train de congédier Laney, Seth et Nadine ce matin quand je l'ai découvert !

Je m'interromps.

— KATES !

La tête de Liz va tourner et se défaire de son socle pour atterrir sur Wilshire Boulevard.

— Tu ne l'as pas laissé faire, n'est-ce pas ?

— Je lui ai dit non ! Tout comme je lui ai dit d'annuler les paparazzis, insisté-je, le menton haut.

Liz continue de me fixer, tout comme les autres. Je détourne les yeux.

— Cependant, je ne suis pas certaine qu'elle va m'obéir.

Sky secoue la tête et claque la langue.

— C'est pour ça qu'il était si facile de s'en prendre à toi toutes ces années. Tu es une pâte molle.

— Je ne suis pas une pâte molle !

Je marque une pause pour commander mon petit déjeuner au serveur qui attendait patiemment que la conversation s'interrompe. (J'opte pour l'omelette au fromage Jarlsberg. Austin fait de même. Sky choisit des blancs d'œufs, Liz, un bagel au saumon fumé, et Nadine, une omelette.) Tout le monde me fixe, l'air d'attendre quelque chose, et je réalise que j'ai encore une argumentation à présenter.

— Je tiens parfois tête à ma mère ! Vous vous rappelez lorsque je voulais aller à New York ? Ou jouer dans *Petites prises* ? J'ai pu fréquenter Clark Hall quelques mois, non ? Et pour être honnête, je ne l'ai pas vraiment laissée congédier quiconque ce matin.

— Mais tu es de retour à la case départ, fait remarquer Liz. Quand nous avons concocté l'idée de Clark Hall pour t'offrir quelques mois de vie normale, tu avais juré avoir compris l'importance d'avoir du temps pour toi. Tu as dit que tu voulais être au mieux de ta forme devant les caméras et heureuse lorsqu'elles s'éteignaient. Tu as dit que tu maintiendrais l'équilibre dans ta vie, mais regarde-toi ! À peine quelques mois de tournage, et tu permets encore à ta mère de te passer sur le corps.

— C'est facile de juger pour vous tous, mais vous ignorez comment c'est. Comment congédie-t-on sa propre mère ?

Je regarde Sky.

— Qui d'autre que Sky a le courage de licencier sa propre mère ? Oui, je le devrais, mais elle va être démolie et je ne peux pas supporter cela. Donc, pour l'instant, je lui permets de trop m'en mettre sur le dos et je me rends moi-même la vie misérable en cours de route.

Je commence à sentir ma poitrine se serrer. Je connais ce sentiment et je le déteste. Je dois prendre de profondes respirations, mais c'est impossible quand on fait tout ce qu'on peut pour se retenir de pleurer.

— Je te l'ai dit, je vais t'aider. Je vais prendre le projet Eastwood, dit Sky dans une tentative d'alléger l'atmosphère.

Mais je m'en prends plutôt à elle encore une fois.

— TU n'as pas le droit de plaisanter.

Je pointe un doigt tremblant sur elle, la manche large de mon chandail vert tombant presque dans mon verre d'eau. Austin tire dessus.

— Je ne sais même pas quoi te dire ! Tu ne vas tellement pas conserver l'horloge Bob's Big Boy !

Sky a le souffle coupé.

SECRET D'HOLLYWOOD NUMÉRO HUIT : L'horloge Bob's Big Boy est un accessoire dans la résidence étudiante de nos personnages de *Petites prises*. Oui, c'est un peu ridicule, mais l'accessoire est notre préféré entre tous, et même si nous espérons que l'émission durera une décennie, nous plaisantons toutes les deux pour déterminer qui obtiendra Bob's Big Boy si l'émission est annulée (c'est encore de la superstition — les acteurs sont incapables d'admettre que les choses vont bien !). Notre décorateur de plateau, Bobby O'Shea, est très pointilleux quand il s'agit de se procurer des accessoires qui dénotent réellement la place qu'occupent les personnages dans la hiérarchie universitaire (sans parler de leur portefeuille). La plupart des décorateurs de plateau de ma connaissance font pareil. Lorsque vous regardez une émission de télévision, je suis certaine que vous ne passez pas beaucoup de temps à faire des arrêts sur écran pour voir des trucs particuliers sur la table de nuit du personnage ou bien les livres dans sa bibliothèque, mais croyez-moi, tout ce qui se trouve sur ce plateau y a été installé à la suite d'une longue réflexion. Les boîtes de céréales sur le dessus du réfrigérateur miniature dans *Petites prises* sont changées après chaque enregistrement. Les manuels de Taylor sont identiques à ceux des étudiants de première année à l'Université Brown. Même nos notes sur le tableau blanc effaçable qu'on voit à peine derrière une grosse plante en pot près de la fenêtre de la chambre du dortoir sont tout le temps modifiées. Décorer une chambre de dortoir d'une première année peut être assez facile, mais certaines émissions que je connais, comme *Mad Men*, qui nécessite des accessoires des années 1960, ou *The Big Bang Theory*, qui a des tonnes de gadgets scientifiques, demandent beaucoup de planification.

— Tu peux garder l'horloge Bob's Big Boy.

Sky est calme.

— Si c'est ce qu'il faut pour que tu entendes raison, K. Nous sommes inquiets pour toi.

— Nous? questionné-je, plissant des paupières menaçantes vers le groupe.

Il y a d'autres traîtres dans les parages.

— Oui, nous, intervient Liz. Je déteste te voir comme ça. Tu étais si heureuse depuis que tu as obtenu cet emploi.

— Elle est heureuse.

Austin prend ma défense.

— Particulièrement aujourd'hui. C'est son anniversaire. Message. Message.

— Mais si ce n'était pas son anniversaire, elle serait misérable en ce moment, lui fait remarquer Liz, me fixant comme si j'étais un spécimen dans sa classe de science au lieu de sa meilleure amie. Depuis cet événement Turkey Tasters, j'ai vu à quel point tu es devenue malheureuse. Je pense que c'est très lié à ta mère. Tout le stress qu'elle subit parce qu'elle lance deux vedettes dans deux émissions l'a finalement rattrapée et elle a perdu l'esprit.

— Et ta mère qui est prise de folie te fait perdre la tête, clarifie Sky. Deux emplois ? Une pause estivale ? Sérieusement ? Elle essaie de te perdre. Ceci — elle agite violemment les mains dans un geste censé représenter ma vie — n'est pas normal.

— Vous surréagissez tous, me moqué-je. Ma vie est normale.

— Kates, nous t'adorons plus que tout, mais ta vie n'est pas normale, dit Liz avec précaution avant de prendre une gorgée d'eau gazeuse. Tu vas te perdre, toi, dans tout ce travail, je le sais, et cela m'effraie. Tu n'auras pas de temps pour nous.

Elle détourne les yeux.

— J'ignore jusqu'à quand nous resterons sur la touche à attendre que tu tiennes tête à ta mère. Tu as fait de si grands pas cet été. Je ne t'avais jamais vue aussi détendue. À la prochaine pause, tu vas ressembler à un zombie ! Et tu pourrais même perdre certaines de tes amies.

— Est-ce une menace ?

Je ne sais pas si je devrais être blessée ou furieuse.

— C'est un fait, répond simplement Liz.

— Si tu te surmènes et te casses la gueule sur les deux projets, tes offres futures seront celles qui feront lever le nez aux acteurs de séries D, ajoute Sky.

— De plus, il faut penser à l'université, rajoute Nadine. Nous savons que tu as un minuscule intérêt pour t'inscrire à des cours à USC. Ne le nie pas ! J'ai vu la dissertation sur ton bureau.

— C'était privé!

J'avale ma salive. Zut. J'espérais que personne ne la trouverait. C'est pourquoi je l'avais dissimulée sous un magazine *Sure*. Personne ne le lit plus.

— Que voulez-vous que je fasse, les filles? Dire non à Cameron? Refuser *Ellen*? Je ne peux pas!

— Commence par changer le rôle de ta mère dans ta vie, réplique simplement Nadine. Elle doit partir. Réfléchis seulement aux ennuis qu'elle t'a causés! Te souviens-tu de la chanson *Princesse des paparazzis*? Cela ne se serait pas produit si ta mère ne t'avait pas obligée à rencontrer ce nabab de la musique, TJ. Ensuite, il y a eu ce temps où ta mère est devenue obsédée par Alexis Holden et ne voyait pas à quel point elle était manipulatrice et...

— Et puis, il y a eu l'époque où ta mère voulait que les Burke participent à une émission de téléréalité ou qu'elle souhaitait que tu te rendes dans les Hamptons pour l'après-midi même si tu avais à peine le temps de rentrer en ville pour jouer dans *Les grands esprits*...

Liz fait le décompte de chaque imprudence sur ses ongles courts argentés.

Je ferme très fortement les paupières, essayant de bloquer les images.

— N'est-ce pas le cas de toutes les mères, de se tromper parfois?

— Non! répondent-ils tous en même temps.

Je lance ma serviette sur la table.

— J'en ai assez.

Le serveur me verse un autre verre de jus d'orange fraîchement pressé, et j'en bois une grosse gorgée avant de poursuivre ma diatribe.

— C'est ma mère. Je n'ai jamais insulté un membre de vos familles.

Liz baisse la tête de honte.

— Ma mère accepte peut-être trop d'engagements avec les médias pour moi derrière le dos de Laney, elle ne m'écoute peut-être pas et elle est peut-être dominatrice.

Wow, cela fait vraiment mauvaise impression, mais je ne le laisse pas voir.

— Mais c'est à moi de m'en plaindre et pas à vous, les filles.

Sky elle-même commence à avoir un air un peu coupable.

— Elle est ma famille, et la famille, ça se tient.

Je deviens émotive et je repousse ma chaise de la table afin de pouvoir partir.

— Et comme à l'évidence vous n'êtes pas ma famille ni les amies que je croyais, je pense que je veux célébrer mon dix-huitième anniversaire ailleurs.

— Nous sommes tes amies, insiste Sky, sa grosse bague en quartz Pippa Small frappant la table. K., si seulement tu acceptais de nous écouter, tu verrais que nous avons un plan.

Nadine m'attrape la main avant que je puisse m'éloigner.

— Je veux être ta gérante et la gérante de Sky. J'ai essayé de trouver une façon de te le dire. Je sais que je peux faire un travail admirable, et tu serais beaucoup plus heureuse.

— Écoute-la, Kates, acquiesce Liz. C'est exactement le changement dont tu as besoin.

Je regarde Liz avec scepticisme.

— Vraiment ? Congédier ma mère, c'est le changement dont j'ai besoin ? Comment vais-je vivre avec elle après cela ? demandé-je au groupe. Je parie que vous n'y avez pas songé. Ou du moins, c'est réellement très facile à dire quand ce n'est pas soi qui doit y arriver. Encore pire, vous n'avez vraiment pas réfléchi aux détails logistiques. Comment aurai-je les moyens de payer Seth et Laney et maintenant Nadine alors que ma mère gère mon argent jusqu'à mes vingt et un ans ?

— Mais… commence Nadine.

Son cou est marbré. Elle et Liz développent toujours de l'urticaire quand a) elles mentent ou b) elles sont très nerveuses.

— Veux-tu embaucher Nadine? demande Sky sans ambages. C'est la grande question. Il s'agit de ta carrière et non celle de ta mère.

— Ma mère a créé ma carrière! déclaré-je au groupe. Sans elle, je ne serais pas assise chez Barney Greengrass en ce moment. Je serais dans un petit centre commercial dans la vallée en train d'acheter un pantalon en velours côtelé chez Old Navy! Vous autres, vous voulez que je me retourne et que je lui dise : « Je suis désolée, j'ai décidé que j'étais mieux sans toi » ? Elle serait anéantie. Je ne peux pas lui faire cela.

J'attrape mon sac en cuir jaune.

— Profitez bien du gâteau d'anniversaire.

— Kates, attends! supplie Liz, mais je continue à marcher, souriant poliment au serveur, qui me fixe avec perplexité.

— Burke! Pause!

Austin me suit et me saisit le bras.

— Calme-toi. Ne laisse pas ceci gâcher ton anniversaire. Tu as dix-huit ans! Nous devrions célébrer.

— Kates! Attends!

C'est encore Liz et Nadine, mais je suis déjà montée dans l'ascenseur. Quatre étages à descendre.

— Allons, K.! Grouille-toi et remonte ici. Parlons.

Sky est juste derrière eux, mais les portes se referment, et Austin et moi sommes heureusement seuls.

Je suis furieuse.

— De tous les jours, elles choisissent celui-ci pour me dire tout ce qui va mal dans ma vie? marmonné-je davantage pour moi que pour lui. Je sais que je dois arranger les choses, mais aujourd'hui était-il le bon moment pour aborder ce sujet? Je veux seulement partir d'ici et aller au bureau des permis.

— Malgré la présence des paparazzis ? demande gentiment Austin.

— Je sais.

Je soupire.

— J'ai dit à maman de les annuler. Qui sait ce qu'elle a fait ? J'imagine que je peux appeler Laney pour avoir des nouvelles quand nous serons dans la voiture.

Je sors en vitesse par la porte d'entrée. Je ne veux pas voir mes amies, ni mon ancienne assistante. Je poursuis simplement ma route, mais je suis aveuglée par un flash dès ma sortie.

La horde de paparazzis se tient prête.

— Déjà de retour, Kaitlin ?

J'avais oublié leur présence.

— Allons, prend cinq minutes pour une photo ! dit l'un en se plaçant devant mon visage.

J'essaie de le contourner, mais il y a un autre photographe juste à côté de lui.

— C'est le moins que tu puisses faire ! Allons, c'est ton boulot ! Allonsallonsallonsallonsallonsallonsallons !

— KAITLINKAITLINKAITLINKAITLINKAITLINKAITLIN !

— LAISSEZ-MOI TRANQUILLE ! aboyé-je, les stupéfiant un instant, ainsi que moi-même.

— Tu es impolie ! me crie en retour un des paparazzis.

Je pivote et commence à être entourée de caméras.

— Je dois partir d'ici, dis-je à Austin. J'ai donné la journée de congé à Rodney. Où se trouve ta voiture ?

Austin fait la grimace.

— Au garage, qui, je le réalise maintenant, est situé de l'autre côté du bâtiment.

— Kaitlin !

Liz passe la porte en courant, l'air bouleversée.

— Peux-tu attendre une minute ? Nous devrions discuter.

Nadine et Sky sont juste derrière elle.

— Je ne veux pas discuter ! crié-je pendant que les flashes continuent leur danse.

— Kaitlin, dit Nadine, regardant les caméras de côté. Reviens à l'intérieur afin que nous puissions parler de tout cela en privé.

— Ouais, Kaitlin, retourne à l'intérieur ! raille l'un des paparazzis en capturant de nouvelles photos de nous. Nous avons besoin d'une plus grande vedette de toute façon. Tu n'iras pas très loin si tu ne peux même pas te tourner et poser pour une simple photo.

— Il blague, me dit un autre. Reste et prends la pose. ALLONS. Tu nous le dois !

— Kaitlin ! KAITLIN ! KAITLIN ! chantent-ils d'une manière agaçante.

— Va-t'en ! dis-je à Liz. Tu n'es pas mon amie. Aucune de vous ne l'est !

— Bou… la pauvre célébrité chouchoutée à des problèmes. Bou hou, entends-je quelqu'un dire.

Mon sang bouillonne.

— Burke, je pense que nous devrions entrer.

Austin me prend la main.

— Ces gars ne vont pas lâcher.

Je ne veux pas rester ici, et je ne veux pas entrer et parler à mes amies. Je suis piégée.

Puis, un VUS noir se gare dehors. C'est un véhicule de courtoisie du studio. Je le reconnaîtrais n'importe où. Il est ici pour venir chercher une autre vedette, j'en suis certaine, mais je me hâte vers lui et je frappe sur la vitre pendant que les paparazzis commencent à m'encercler.

— Hé ! Hé ! Pouvez-vous m'amener quelque part ?

— Kaitlin ! Reviens simplement à l'intérieur, supplie Nadine.

— Sérieusement, K., prends sur toi, aboie Sky. Pose pour une photo avec moi et débarrasse-toi de ces imbéciles. Nous pouvons terminer notre brunch. C'est ce que tu veux, non ?

Je pivote à toute vitesse. Mon cœur bat vite.

— ARRÊTEZ DE ME DIRE QUOI FAIRE ! crié-je à pleins poumons.

Sky me regarde comme si je l'avais frappée.

J'ai finalement craqué et je le sais.

— Je suis fatiguée que tout le monde me dise quoi faire ! Quoi ne pas faire ! Où aller, où ne pas aller, pour qui poser. Laissez-moi tranquille ! ALLEZ-VOUS-EN !

— Kates, bégaie Nadine, mais je l'interromps.

— VOUS CROYEZ TOUS SAVOIR CE QUI EST MIEUX. TOUT LE MONDE SAIT MIEUX QUE MOI, C'EST ÇA ?

Je hurle encore et je me fous que les paparazzis prennent des photos et utilisent probablement leurs caméras vidéo téléphoniques pour enregistrer ma tirade.

— Bien, parfait. Allez faire ce que vous pensez qui est mieux, et je ferai ce qu'il faut pour moi-même.

Je ne suis même pas sûre que ce que je dis est logique.

— Tout le monde prend soin de soi-même. C'est ce que tu as fait, n'est-ce pas, Nadine ? Tu t'es dégotté un joli petit numéro et tu m'as oubliée. Alors, vas-y. Sky ? Tu as signé même si tu savais que je serais bouleversée. Alors, prends-la. Vous vous méritez, toutes les deux !

Je commence à pleurer, et les paparazzis s'en donnent à cœur joie.

— Bou hou ! Pauvre Kaitlin ! dit l'un des gars pendant qu'il utilise son zoom pour faire un plan rapproché de mes larmes.

— Arrêtez ça, leur dit Austin.

— Hé, liberté de parole, mec, rétorque l'un. Toi, mêle-toi de tes affaires !

— Austin, oublie ça.

Je les fixe avec dédain.

— C'est de la racaille ! Je sais que je les incite à continuer et je m'en fous. Ils n'obtiendront pas de bonnes photos de moi aujourd'hui.

FLASH.

— Qui a dit que ce devait être un bon cliché ? réplique l'un d'eux en riant.

Le chauffeur baisse la vitre côté passager. C'est un grand homme mince dans la quarantaine.

— Kaitlin Burke, c'est ça ? Monte vite. Nous allons t'éloigner de ces voyous.

— Allons-y, dis-je à Austin, et je le traîne vers la voiture.

— Burke, nous ne le connaissons pas, commence-t-il à dire.

— Kates, n'y va pas, intervient Nadine. Austin a raison.

— Je peux prendre soin de moi-même !

Je me sens écrasée par les flashes qui continuent de m'aveugler.

— Arrêtez d'essayer de diriger ma vie !

Est-ce que je contrôle ma vie ou est-ce que la vie me contrôle ?

Ma vie me contrôle.

C'est la question à un million de dollars de la dissertation, non ? Du moins, c'est ma réponse et savez-vous quoi ? C'est moche. C'est vraiment moche !

— Je n'ai aucun contrôle sur ma vie. Tout le monde a quelque chose à dire sur ce que je fais. Tout le monde ! Ma mère me dicte chaque respiration, comme une forme de yoga Astanga. Laney veut que je sois à l'origine de la phrase du jour dans chaque magazine et le sujet principal dans chaque émission à potins de la télévision. Tout cela pour de bonnes raisons, bien sûr. Liz est sur mon dos à propos de, bien, tout. Nadine veut que je présente une demande d'admission même si je n'ai pas le temps de prendre une pause pipi, encore moins de suivre un cours de psychologie 101. Papa veut une part de chaque projet dont je fais partie. Matty, lui aussi, veut toujours savoir ce qu'il y a pour lui. Lauren et Ava veulent détruire ma carrière. Alexis Holden a presque détruit ma carrière. Sky me fait subir trop de foutaises pour que je commence à les énumérer.

— Vas-y, ma fille, dit l'un des paparazzis en riant.

— Kates, arrête, lâche Nadine à travers des dents serrées.

Mais j'en suis incapable.

— Austin est le seul qui m'aime, qui se soucie de moi. TOUT LE MONDE a quelque chose à dire au sujet de ma vie, depuis la couleur de mon manucure jusqu'au shampoing que j'utilise pour mes cheveux. Chaque partie de ma vie est gérée dans les moindres détails et minutieusement orchestrée, et je n'ai mon mot à dire dans rien ! J'en ai marre !

— Burke ?

Austin tente à nouveau d'attirer mon attention.

— Maintenant que j'y réfléchis vraiment, je déteste que ma vie soit à ce point contrôlée. Je n'ai que dix-huit ans ! À quoi ressemblera mon existence à vingt-cinq ans ? Ou trente ? Ma mère décidera-t-elle encore de la couleur de mes souliers chez Fred Segal pour les Emmy ? M'obligera-t-elle à laisser tomber un dîner avec des amis pour aller enregistrer le *Tonight Show* ? Comment ma vie a-t-elle pris cette tournure ?

Je sens que je commence à souffrir d'hyperventilation.

— Kates ? entends-je Liz me demander.

— Elle pique une crise de nerfs ! commente l'un des photographes. J'ADORE !

FLASH ! FLASH ! FLASH !

— Je vous déteste, les gars ! Allez vous faire foutre ! crié-je au paparazzi.

Je n'ai jamais de ma vie dit quoi que ce soit d'un tant soit peu semblable à l'un d'eux. Je suis habituellement si accommodante.

L'un marmonne quelque chose dans sa barbe que je ne peux pas répéter, et je perds complètement les pédales. Je lui rétorque la même chose !

— Kates !

Nadine panique.

— Monte, Austin ! aboyé-je, et il saute dans la voiture. ROULEZ, ordonné-je au gars derrière le volant.

— Wow, ces gars sont comme des animaux, déclare le chauffeur en secouant la tête. Racaille.

Il s'éloigne à toute vitesse du coin de la rue, et je tombe sur Austin.

— Ça va ? demande-t-il en bouclant sa ceinture de sécurité.

Je l'imite.

— Non, réponds-je à voix basse avant de me mettre à pleurer. Je peux voir mon avenir s'étirer devant moi et je ne l'aime pas.

Je regarde Austin.

— Des rendez-vous de presse les uns à la suite des autres, un projet après l'autre survient, et je sais qu'on les insérera dans mon horaire jusqu'à ce que je n'aie plus le temps de dormir. Il n'y aura pas de temps pour moi, pour toi, pour mes amis… Pourquoi, encore, ai-je décidé de devenir actrice ?

— Kates, tu es bouleversée en ce moment, mais tu adores ton métier, me rappelle Austin.

Il se retient à la banquette et, tout à coup, je réalise à quelle vitesse nous roulons.

— Pouvez-vous ralentir, demandé-je au chauffeur.

— Impossible ! Regardez en arrière ! me répond-il. La racaille nous poursuit. Ne vous inquiétez pas, je vais les semer.

Je m'en fous. Ce qui me préoccupe, c'est ma vie, et j'ai l'impression qu'elle s'effondre autour de moi. Austin a raison. J'aime jouer, mais cela se résume ainsi : je ne peux pas supporter ce qui accompagne mon métier. Je veux deux vies et je ne semble pas capable de trouver le moyen d'y parvenir.

— J'aime jouer, mais oublie Hollywood ! dis-je à Austin alors que nous glissons d'un bout à l'autre de la banquette arrière. Ma vie me contrôle et je déteste cela ! Si c'est ce qui se produit — quelqu'un prend toutes les décisions et l'artiste perd le contrôle —, alors, je n'en veux pas. Qui désire être suivi sept jours sur sept par Larry le menteur ou photographié mangeant des frites quand on est censé porter du 4 pour entrer dans son nouveau costume ?

— Kates, tu ne le penses pas vraiment, réplique Austin tout en gardant les yeux sur le chauffeur.

— Oui, insisté-je. Si c'est à cela que ressemble une vie à Hollywood, alors je n'en veux pas.

CRIIIIIIIIII !

J'appuie fortement mon bras contre le dossier de la banquette pour conserver mon équilibre pendant que la voiture vire brusquement à droite.

— Hé, mon vieux, ralentissez ! lâche rudement Austin.

— C'est eux ! crie le chauffeur. Ils sont à côté de nous.

Je regarde, et les paparazzis arrivent à notre hauteur et prennent des photos à travers les vitres. Mon Dieu, ils n'ont jamais agi ainsi avec moi avant.

— Tu vois ? C'est pour cela que je dois partir loin d'Hollywood. Je dois m'éloigner de ce genre de folie !

— Je te comprends ! acquiesce le chauffeur. Ne t'inquiète pas, je vais les semer !

Il commence à rouler plus vite, et nous nous distançons des paparazzis, frappant presque la voiture dans la voie de gauche. Holà ! Il accélère encore plus, et pourtant, les paparazzis ne sont pas loin derrière nous. Là, la peur s'empare de moi.

— Ralentissez quand même, supplié-je le chauffeur. Ça va. Je reviens sur ce que j'ai dit. Laissons-les prendre une photo.

— Jamais de la vie ! rétorque-t-il. Tu as raison à propos de cette machine hollywoodienne. Ils n'obtiendront pas un seul cliché si je peux l'empêcher !

Le chauffeur vient juste de brûler un feu rouge ! J'entends des crissements de pneus alors que nous sommes à un cheveu de frapper une voiture arrivant dans la direction opposée. J'attrape la main d'Austin. Mon cœur bat de nouveau la chamade. Je veux changer ma vie, mais pas de cette manière.

— Je m'en fous, dis-je en tremblant. Ralentissez. Cela ne vaut pas la peine de risquer un accident.

Ce gars est fou.

— L'avez-vous entendue ? Ralentissez ! crie Austin, frappant sur la banquette arrière pour attirer son attention.

Le chauffeur nous ignore. Je regarde Austin une autre fois, puis par la vitre derrière sa tête. Nous roulons tellement vite que nous dépassons les pâtés de maisons sans même nous arrêter aux panneaux d'arrêt. Il se faufile dans la circulation. Il va nous tuer. Je commence à hurler et Austin aussi. Je le vois sortir son téléphone cellulaire et composer le 911. Nous crions tous les deux, et j'ai l'impression d'être dans un tunnel.

Et c'est à ce moment-là que je vois que cela se produit, même si je ne suis pas encore moi-même une conductrice expérimentée. Le chauffeur s'engage sur la rampe de sortie de l'autoroute au lieu de la rampe d'accès.

— ATTENTION ! hurlé-je.

Mais il est trop tard.

Vous savez, dans les films, quand il se passe un événement extraordinaire, on dirait que cela survient plus lentement et sur l'écran, les choses ralentissent ? C'est habituellement dans des films de guerre où les obus à balles volent doucement dans les airs comme s'il s'agissait de confettis. C'est l'impression que fait un accident de voiture. C'est comme si le temps ralentissait et que j'observais le tout se dérouler depuis ma place sur le sofa de mon salon. Je me tourne juste à temps pour voir un VUS défoncer le devant de la voiture, et le corps d'Austin se balance d'un côté et de l'autre. Un bruit de ferraille et des crissements sont émis par la voiture, et elle commence à tournoyer. Mon corps est précipité en avant, puis à gauche, et je perçois un craquement très perturbant. Du verre se met à éclater tout autour de moi, presque au ralenti. Les éclats me frappent comme de minuscules grains de plomb. Je m'entends crier, mais on dirait que le cri vient de l'extérieur de mon corps. Puis, la voiture s'arrête dans un bruit d'enfer, suivi par un silence sinistre.

Je ne me rappelle pas grand-chose après cela. Il y a eu le son des sirènes et d'une ambulance, et beaucoup de voix. Beaucoup de voix donnant différents rapports dont je me souviens vaguement.

— La jambe droite du garçon est très mal en point... Il ne veut pas quitter la fille, par contre. Son côté gauche à elle est extrêmement contusionné. Il pourrait y avoir une hémorragie interne. Les deux jeunes ont besoin de chirurgie. Nous les amenons au centre médical Cedars-Sinai...

Et ensuite, certaines voix que je connais (ce qui me fait quand même un peu grimacer de douleur).

— Kate-Kate ! Kate-Kate ! Oh mon Dieu. Est-ce que ma fille ira bien ? Que voulez-vous dire, elle a immédiatement besoin de chirurgie ? Elle a un enregistrement demain soir, et ils ne peuvent pas tourner sans elle !

— PAS de journalistes ! Je suis responsable des médias ! Je ne veux personne jusqu'à ce que je donne l'autorisation, exige Laney.

— Et un tweet ? Devrai-je informer ses admirateurs avec un tweet ? entends-je dire maman. HÉ ! Lâche mon BlackBerry ! Tu l'as cassé ! Tu vas payer pour cela !

— Pas de tweet ! déclare Seth.

— Pourriez-vous rester concentrés, vous deux ? ordonne sèchement Laney. Je fais des heures supplémentaires pour maîtriser la situation avec les médias et je ne suis même pas certaine d'être rémunérée puisque je pense — sauf erreur, Meg — que tu nous as virés ce matin, Seth et moi.

Maman hésite.

— Bien, je...

— Oublie ça ! lance Laney en prenant la mouche, et j'entends vaguement un irritant bruit de claquement. Quelqu'un ! Hou hou ! Le personnel infirmier. Tout le monde sur cet étage doit signer une entente de confidentialité. Et trouvez-moi du Purell. Stat !

Et ensuite, soit que je suis trop fatiguée ou trop lasse pour faire face, tout devient noir.

AF1112 « Après le feu vient la pluie »

FONDU À L'OUVERTURE :

MANOIR DES BUCHANAN – SALON

Les murs sont brûlés, des cendres recouvrent le plancher et la plupart des meubles sont couverts de suie. Au centre de la pièce, il y a une immense marque de brûlure montant le long de la cheminée et passant à travers le portrait de famille des Buchanan. DENNIS, PAIGE, SARA et SAMANTHA fouillent pour trouver tout ce qu'ils pourraient sauver. SAMANTHA sanglote.

SAMANTHA

Maman, notre portrait de famille ! (Elle le retire du mur et les autres se rassemblent autour.)

DENNIS

Ça va. Nous pouvons en commander un autre. Il sera encore meilleur que l'original.

SAMANTHA

(larmoyante) J'aimais le premier.

SARA

(sanglotant) Moi aussi.

PAIGE

Moi de même. Mais ça va. Je vais retrouver l'artiste et je suis certaine qu'il pourra en peindre un nouveau. Celui-ci n'est pas en si mauvais état qu'il ne pourra pas nous reconnaître. (Sa voix baisse de volume.) Plutôt, reconnaître qui nous étions avant… (Elle regarde autour d'elle.) Tout ceci.

KRYSTAL

Les amis ? Les policiers sont ici pour prendre les déclarations. Êtes-vous d'attaque ou devrais-je demander à papa de leur dire que vous irez au poste plus tard ?

DENNIS

Dis-leur que nous arrivons tout de suite, Krystal. Et merci, pour tout.

PAIGE

Dennis, je ne suis pas certaine de pouvoir le faire. (sanglots) C'est trop tôt. Il s'est passé trop de choses. Si je n'avais pas… si Sam et Sara ne m'avaient pas entendue, nous ne serions peut-être pas sorties d'ici. Et si ? Et si…

DENNIS

Mais cela ne s'est pas produit ! (attrapant sa femme par les épaules) Tu as échappé au feu et tu as fait sortir les filles aussi ! Tu es une héroïne, Paige.

PAIGE

(pleurant) J'ai l'impression que c'est ma faute. Je voulais déménager. Je voulais quelque chose de différent, un nouveau départ, quelque chose de neuf, mais en voyant ceci, l'ancien me manque.

SAMANTHA

(sanglotant) C'est ma faute aussi, maman ! Je pensais la même chose. Cet endroit est trop grand, trop froid, trop plein de courants d'air. Je détestais cette maison. C'est moi qui ai provoqué ceci et pas toi.

SARA

Oh, s'il vous plaît ! Pourriez-vous arrêter, toutes les deux ? J'ai de mauvaises pensées chaque jour de la semaine et personne ne prend feu. Vous n'avez pas causé ceci, les filles.

DENNIS

Sara a raison, les filles. Ce feu s'est produit, c'est tout. Nous ignorons encore comment ou pourquoi, mais nous l'apprendrons. Nous irons au fond de cette affaire. Voulez-vous savoir pourquoi ? Les Buchanan ne s'avouent jamais vaincus ! Les Buchanan sont une famille qui se bat ensemble et reste ensemble malgré les difficultés que ses adversaires lui balancent. Je sais que la route devant nous peut sembler sombre et morne, et nous ne savons pas trop par où commencer, mais quand la vie lance une balle à effet à nous, les Buchanan, nous l'affrontons franchement et trouvons une solution ensemble.

SARA

(tapant des mains) Beau discours d'encouragement ! Papa, tu sais que nous sommes derrière toi, hein ? Même moi, et c'est beaucoup dire, parce que je suis censée sortir avec Tommy Davies ce soir.

SAMANTHA

Ce que Sara veut dire est que nous aimons qui nous sommes, et nous sommes qui nous sommes grâce à toi, papa. Et toi, maman. Peu importe ce qu'il faudra, nous ramènerons les Buchanan à leur juste place. La maison, ce ne sont pas ces quatre murs. La maison, c'est l'endroit où nous sommes ensemble.

(La famille s'étreint autour de l'âtre.)

FONDU À LA FERMETURE

NEUF : *Bienvenue de l'autre côté du miroir*

— Maman ?

Je parle, mais ma voix ne semble pas m'appartenir. J'ai comme un chat dans la gorge, et parler me fait souffrir. J'ai désespérément besoin de Smartwater. J'ai la bouche très sèche et... HOLÀ. Est-ce que la pièce tourne ? Ma tête paraît peser mille kilos. Les objets sont embrouillés, mais je vois des images bouger, et chaque son est amplifié comme si j'écoutais mon iPod à plein volume.

— Je suis juste ici, ma douce, répond maman.

Je sais que je n'ai pas toute ma tête, mais on dirait qu'elle caresse mon front moite. J'ai dû être vraiment malmenée pour qu'elle agisse ainsi.

— Austin. Est-ce qu'Austin va bien ? demandé-je avec inquiétude, m'efforçant de prononcer les mots à voix haute. Et le chauffeur ?

Je dois tout dire rapidement parce que mon cerveau est comme de la pâte à modeler Play-Doh et j'ai juste envie de dormir.

— Chut... chut... tout le monde va bien.

La voix de maman est rassurante.

— Papa et Matty s'en viennent.

— Où sont Seth et Laney ? Sont-ils rentrés chez eux ? m'enquiers-je.

Où que je sois, c'est affreusement silencieux. Seulement des murmures, quelques bips provenant d'équipement et des infirmières posant des questions comme : « Aimerais-tu un autre sachet de biscottes ? »

— Ne t'inquiète de rien, ma chérie, me dit maman d'une voix un peu étranglée.

Wow, qu'est-ce qui m'est arrivé ? Je dois avoir l'air affreuse. J'essaie de lever mon bras droit pour le regarder. Je vois quelques petites entailles et des marques rouges, mais sans une glace, je ne peux pas découvrir ce que je veux vraiment savoir — mon visage est-il intact ? C'est l'atout le plus important d'une actrice !

— Ils vont amener ton lit dans la salle de réveil dans quelques heures, ajoute maman. Là, je veux que tu boives ce jus et manges quelques biscuits salés.

Je l'entends verser un verre de jus, et elle place une paille entre mes lèvres. La boisson est froide et je me sens un peu mieux quand j'avale. Je me demande pourquoi Nadine n'est pas de garde à côté de moi. Je m'étais à moitié attendue à m'éveiller pour découvrir que maman s'était envolée pour les Hamptons pour se remettre du stress que je lui avais fait subir. Mais alors, il est vrai que maman a essayé de congédier Nadine et toute mon équipe ce matin. Je devrais ressentir de la colère en ce moment, mais je suis seulement contente de la présence de ma mère à mes côtés.

— La voiture est-elle complètement démolie ? La jambe d'Austin est-elle en bon état ? J'ai entendu quelqu'un dire qu'elle avait mauvaise allure. Quand puis-je retourner au travail ? Vais-je rater l'enregistrement demain soir ?

Je ne peux pas m'arrêter de poser des questions. Je dois savoir ce qui s'est passé. J'ai dit des choses tellement méchantes à mes amies devant les paparazzis. J'ai sauté dans une voiture avec un inconnu ! Suis-je folle ? Mes bosses et mes ecchymoses sont secondaires face à la montagne de culpabilité que je ressens pour avoir mis Austin en danger. Il n'y a qu'un point positif à ce désastre : au moins, je ne me suis pas blessée sur le plateau. Je ne voudrais pas que l'émission reçoive de la publicité négative à cause de mes mauvais choix.

SECRET D'HOLLYWOOD NUMÉRO NEUF : Nous savons tous que les films ne sont pas réels, mais faire de la fiction donne l'impression que la réalité, c'est beaucoup de travail. Il peut y avoir des centaines de personnes participant à une seule production. Elles peuvent mettre les points sur tous les i et les barres sur tous les t avant une prise de pyrotechnie, une scène de poursuite ou un sauvetage par hélicoptère et se servir de cascadeurs pour tout sauf pour les plans rapprochés, mais il arrive quand même que les acteurs soient blessés. Shia LaBeouf a eu une blessure à la hanche en filmant *Indiana Jones*. Et Robert Pattinson s'est apparemment déchiré un muscle pendant le tournage de *Tentation*. Heureusement, ces deux incidents ne menaçaient pas leurs vies, mais un accident sur le plateau d'un film intitulé *La quatrième dimension*, produit en 1982, a tué deux enfants acteurs et un adulte dans une scène de cascade qui a mal tourné. Ce qui s'est passé sur ce plateau explique en partie pourquoi Matty tombe sous le coup de la loi sur le travail des enfants qui le protège davantage aujourd'hui (et le rend fou).

— Kaitlin, que fais-tu ; repose-toi, d'accord ? Je répondrai à toutes tes questions plus tard, affirme maman. Promis. Tout ira bien, mon ange. Ferme les yeux.

Maman se montrant maternelle, ce qui est encore plus rare que voir une starlette mordant dans un beigne Krispy Kreme, suffit à me faire obéir. Je m'endors.

Lorsque je m'éveille, ma tête me semble juste un peu lourde en comparaison du bloc de deux tonnes pesant plus tôt sur mon front. La pièce a cessé de tourner et je peux enfin regarder autour de moi. On m'a déménagée dans une chambre d'hôpital régulière et le rideau est tiré autour de moi. La télévision est allumée et il y a un autre patient dans la chambre. Je ne peux pas croire que maman n'a pas tapé du pied jusqu'à ce que j'obtienne une chambre privée digne d'une reine ! Sur ma table de chevet, il y a un petit arrangement floral un peu effrayant rempli d'œillets. Je suis trop faible pour saisir la carte et voir de qui il provient. Mes yeux glissent vers maman. Elle dort sur une chaise en vinyle à côté de mon lit et elle porte — ATTENDEZ.

C'est impossible. Est-ce un survêtement prune PB&J Couture. Oui ! Il ne s'agirait pas d'un faux pas en matière de mode pour la majorité des gens, mais en ce qui concerne maman, PB&J est tellement dépassé depuis trois ans. Et qu'est-il arrivé à ses cheveux ? Au lieu de la chaude teinte caramel pour laquelle elle paie des centaines de dollars afin qu'elle ressemble à la mienne (elle aime bien prétendre qu'elle est naturelle), sa chevelure est châtain terne. Je me casse la tête un moment avec cette information jusqu'à ce que je trouve une solution possible. Maman doit être déguisée. Brillant. Peut-être que les paparazzis grouillent dehors. Je devrais vraiment téléphoner à Laney, mais d'abord, je dois joindre Austin.

Je suis certaine qu'ils ont pris mon sac dans la voiture quand ils m'ont amenée ici, mais je ne le vois nulle part. Mon iPhone est probablement rangé dedans. Hum… je suis ankylosée, mais je m'assois lentement. Je repousse les couvertures, et c'est là que j'aperçois le plâtre. Ma cheville droite est recouverte d'un plastique blanc et dur qui va de mon pied jusqu'à mon genou. Oh mon Dieu. Comment les auteurs expliqueront-ils cela ? Je vais devoir commander un chariot de café à Coffee Bean pendant un mois pour compenser cela. Je laisse doucement tomber mes jambes sur le côté du lit, attentive à ne pas cogner mon plâtre. Je me lève sur le plancher de tuile froid et essaie d'établir mon équilibre sur un pied afin de clopiner pour me déplacer. Le seul sac que je vois est un Coach soldé sur la tablette devant moi. Où est mon sac jaune de saison ? Où se trouve le sac Birkin de maman ?

— Kaitlin ! Tu ne devrais pas te promener ainsi !

Maman bondit sur ses pieds et me saisit par les épaules, me ramenant vers mon lit. Elle m'aide à grimper dessus, puis elle soulève mes pieds afin que je sois en position assise. Son visage est de marbre. Je connais cette expression.

— Je suis désolée, maman. Je cherchais mon téléphone, lui dis-je. L'as-tu ? Je n'aperçois mon sac nulle part.

— J'ai ton téléphone, répond maman, et elle traverse la pièce et s'arrête devant une étagère.

Je l'observe mettre la main dans le sac Coach démodé et en sortir un cellulaire plié en deux.

— Il a été éjecté de ton sac, mais il semble bien fonctionner.

Elle me le tend et je le fixe.

— Ce n'est pas mon téléphone. J'ai un iPhone, tu te souviens ? Et pourquoi utilises-tu ce sac ?

Maman me paraît perplexe.

— Un iPhone ? Ceci est ton téléphone, Kaitlin.

— Maman, je sais que mon esprit est embrouillé, mais ce n'est pas mon appareil. Le mien est… oublie ça. Puis-je emprunter ton BlackBerry ?

— Même enroulée dans des bandages, tu es drôle à mourir. Un BlackBerry !

Elle rit toute seule et sort un autre téléphone fermé en deux de son sac à main.

— Cette nouvelle école te donne des illusions de grandeur !

Au lieu de discuter, je lui prends le téléphone et compose le numéro de cellulaire d'Austin. La boîte vocale s'enclenche immédiatement. À quoi pensé-je ? Austin n'a peut-être pas son téléphone avec lui s'il est hospitalisé lui aussi.

— Maman, sais-tu dans quelle chambre Austin est alité ? m'enquiers-je. Je dois le voir.

Elle secoue la tête.

— J'ignore où ils ont amené les autres. Je vais demander à l'infirmière de vérifier.

Elle passe la tête dans le couloir.

Austin doit me détester. D'accord, je ne penserai pas à cela. Là, je vais occuper mon esprit à autre chose. Je vais appeler Laney.

La toute nouvelle assistante de Laney, Paula, répond à la première sonnerie.

— Le bureau de Laney Peters.

— Salut, Paula, c'est Kaitlin. Peux-tu mettre Laney en ligne ?

— Kaitlin ?

Je l'interromps avant qu'elle ne puisse poser la question.

— Je vais bien. Je suis hospitalisée et ma cheville est cassée, mais je vais bien. Laney est-elle de retour au bureau, où je dois tenter de la joindre sur son cellulaire ?

— Je suis désolée, qui êtes-vous, déjà ?

Mince, comment Paula peut-elle ignorer qu'il s'agit de moi ?

— Kaitlin, dis-je aimablement.

— Kaitlin qui ?

— Kaitlin Burke ! réponds-je sèchement.

Maman revient dans la pièce et me regarde avec inquiétude.

— Écoute, Paula, ce n'est pas drôle. Il est fort probable que les paparazzis fourmillent dehors et je dois parler à Laney !

— Je n'essaie pas d'être amusante, réplique-t-elle lentement. C'est juste… je suis désolée… j'ignore qui vous êtes.

QUOI ?

Je suis tellement énervée que je raccroche. Attendez que Laney apprenne le coup que vient de me faire Paula. Elle sera chanceuse d'y survivre une seule journée !

— Kaitlin, ma douce, ta tête est-elle douloureuse ?

Maman me touche le front.

— Devrais-je appeler le Dr Lowe ?

Je chasse la main de maman. Je vois ce qui se passe. J'aurais dû savoir qu'il ne fallait pas croire au numéro de bonne maman de ma mère !

— Tu as congédié Laney, n'est-ce pas ? C'est pour ça que Paula fait semblant de ne pas me connaître.

— Qui est Laney ?

Maman affiche une expression perplexe.

— Ma douce, ce que tu dis n'a pas de sens.

Papa et Matty entrent juste à temps parce que je suis sur le point de piquer une crise à maman. Toutefois, quand je vois Matty, je suis presque trop abasourdie pour parler. Au lieu d'un jean à la mode et d'une chemise habillée créée par un nouveau designer, Matty porte un survêtement Old Navy. Une tenue complète. Genre, survêtement et pantalon ! Rouge. Ses cheveux sont en bataille, comme s'ils n'avaient pas été coupés depuis un mois. Il doit s'agir d'une perruque. Il n'y a pas d'autre explication. Papa présente la même allure — une chemise boutonnée froissée, un pantalon kaki —, mais il arbore un manteau bleu foncé avec fermeture éclair portant l'inscription Jeep en lettres majuscules.

— Pourquoi êtes-vous tous déguisés ? m'enquiers-je. Est-ce que Larry le menteur est dehors ? Il va finir par apprendre que je suis ici. J'ai tenté de joindre Laney, mais Paula fait semblant de ne pas savoir qui je suis. C'est la faute de maman ! Papa, fais quelque chose.

— Depuis combien de temps agit-elle ainsi ? demande papa à maman.

— Depuis qu'elle s'est réveillée, répond maman à voix basse, sans me regarder. Je vais faire appeler le Dr Lowe.

— Tu ne vas nulle part avant d'avoir réembauché Laney !

Je fais claquer ma main sur le lit. Aïe. J'ai oublié le traumatisme cervical. Je baisse la voix.

— Et, hum, as-tu su dans quelle chambre se trouve Austin ?

Maman secoue la tête.

— L'infirmière dit qu'il n'a pas de chambre.

— Est-il encore sur la table d'opération ?

Je m'inquiète.

— Je l'ignore, admet maman, l'air nerveuse elle aussi.

Cela me fait vraiment flipper.

— Tu dois le découvrir, la supplié-je.

Je dois sortir de cette chambre et le trouver moi-même. Mais comment? Jamais je ne réussirai à leur échapper à tous les trois. Mais il le faut. Je dois savoir si Austin va bien.

— Et ensuite, tu dois réembaucher Laney!

Papa semble soucieux.

— Qui est Laney?

— Laney Peters? ronchonné-je, et papa m'observe encore d'une manière étrange. La plus importante agente de publicité à Hollywood? Celle que j'ai depuis que je suis enfant? Papa, arrête de prétendre que tu ne sais pas qui elle est! Est-ce maman qui t'incite à agir ainsi pour me faire oublier Laney?

Maman est atterrée.

— Chérie, pourquoi obligerais-je papa à faire semblant d'oublier cette amie à toi?

— Elle n'est pas mon amie, mais mon agente de publicité! dis-je, frustrée, avant de reposer ma tête sur l'oreiller inconfortable.

— Parles-tu de la représentante publicitaire d'Alexis Holden? demande Matty, puis il rougit quand papa le regarde d'une drôle de façon. J'ai lu beaucoup de numéros d'*Hollywood Nation*, d'accord? Elle est toujours citée là-dedans.

— Laney a accepté Alexis comme cliente?

Je perds les pédales.

— Depuis quand? Quand j'étais sous anesthésie? Maman, vois-tu ce que tu as fait?

Je la fusille du regard.

— Ensuite, tu vas me dire que Sky l'a embauchée elle aussi!

— Sky Mackenzie? m'interroge Matty en faisant courir une main dans ses cheveux décoiffés. C'est une vraie catastrophe ambulante. J'adore ça. Avez-vous regardé le numéro d'*Hollywood Nation* cette semaine ? Je le lisais dans la salle d'attente. Elle a sérieusement besoin de suivre une cure de désintoxication.

— Non, c'est faux, déclaré-je en prenant la mouche. Elle est totalement sobre, Matty, et tu le sais !

Je jette un coup d'œil à maman, qui serre fortement ce sac démodé Coach comme si sa vie en dépendait.

— Licencier des gens dans mon dos. J'ai dix-huit ans à présent et je peux prendre mes propres décisions. Je veux ravoir Seth et Laney. Et Nadine aussi ! Sinon, je vais…

Je ne peux pas cesser de fixer maman.

— Sinon, je vais…

Oubliez ça. Je ne peux toujours pas menacer de congédier ma mère.

— Qui est Nadine, déjà ? demande papa avant de se gratter la tête. Je la connais ?

Maman hausse les épaules.

Quelqu'un tousse.

Je regarde fixement ma famille, et aucun d'eux n'a toussé. Qui vient de tousser ? Je tire le rideau et je vois une blonde dans la trentaine dans le lit à côté. Ses deux jambes sont suspendues dans les airs, mais ses mains sont libres et elle semble prendre des notes sur un bloc-notes. Elle doit se préparer à relater ma dispute familiale à *Hollywood Nation* ! Si ce n'était pas aussi difficile de me lever, je lui arracherais ce bloc d'entre ses mains aux ongles rongés. À la place, je lui dis calmement :

— Si je vous surprends seulement à songer à téléphoner à la ligne d'info d'*Hollywood Nation* pour leur raconter ce que vous venez d'entendre, je vais vous coller un procès pour diffamation sur le dos plus vite qu'une infirmière peut vous apporter un Jell-O.

— Je suis désolée, s'excuse maman auprès de la femme, et elle essaie de refermer le rideau. Elle a vécu toute une journée.

Mais, cela ne s'est pas produit! Tu as échappé au feu et tu as fait sortir les filles aussi! Tu es une héroïne, Paige.

Je regarde le téléviseur accroché au mur et je m'égaye instantanément.

— Hé, ils rediffusent des émissions d'*Affaire de famille*!

C'est Spencer qui parle. Il jouait mon père. Il est debout dans ce qui reste du salon familial et il livre son célèbre discours qu'il a prononcé quand une partie du manoir Buchanan a brûlé (nous découvrons plus tard que l'incendie était criminel).

— Ooh, mon amour, j'avais oublié quel soir nous sommes, dit maman à papa, et nous jouons toujours les voyeurs envers ma compagne de chambre. T'es-tu souvenu de régler l'enregistreur?

— S'il vous plaît? se plaint la femme en levant le drap plus haut sur sa poitrine.

— Désolée, déclare maman, et elle m'arrache le rideau des mains pendant que je continue à lui transmettre par télépathie ce qui l'attend si elle appelle les journaux à potins. Chéri, allume le téléviseur de Kaitlin!

Papa change de canal et utilise la télécommande sur mon lit pour monter le volume.

— Mon Dieu, j'adore cette scène, dis-je à ma famille, me sentant nostalgique et un peu larmoyante.

Ça doit être l'anesthésie. Mes années dans *AF* étaient folles, mais pas plus que mon existence ces derniers temps. Toute l'équipe me manque encore terriblement.

— Vous souvenez-vous? Tom a filmé le grand discours de Spencer et il était si passionné qu'il a décidé de se servir de la première prise.

— Et comment sais-tu cela? s'enquiert Matty.

— Je faisais partie de cette scène.

Je hausse les épaules et je lève de nouveau les yeux sur l'écran du téléviseur.

— Vous ne vous en souvenez pas ? Nous avons fini de tourner à 23 h. Il a fallu toute la journée pour filmer ce clip de cinq minutes parce que nous étions tellement nombreux dans cette séquence. J'adore mes répliques et celles de Sky. Particulièrement celles de Sky. « Oh, s'il vous plaît ! Pourriez-vous arrêter, toutes les deux ? J'ai de mauvaises pensées chaque jour de la semaine et personne ne prend feu. »

J'éclate de rire.

Oh, s'il vous plaît ! Pourriez-vous arrêter, toutes les deux ? J'ai de mauvaises pensées chaque jour de la semaine et personne ne prend feu. Vous n'avez pas causé ceci, les filles.

Matty est admiratif.

— Comment connais-tu cette réplique ?

Nous regardons tous les deux l'écran et voyons Sky, ses cheveux aile de corbeau lissés au fer, son maquillage sombre et triste. Elle porte un chandail Gucci rouge. Je le sais, parce que je voulais le mettre et elle m'en a empêchée. À la place, j'ai porté Galliano, qui n'est pas trop miteux.

— Je me souviens habituellement des répliques d'une scène importante, pas toi ? demandé-je à Matt.

Maman et papa se regardent, puis ils se tournent vers Matt. Sa mâchoire est en quelque sorte figée en signe de O.

— Va chercher le Dr Lowe, chuchote maman à papa. Vite.

— Chut ! leur dis-je. C'est ma réplique préférée de tout l'épisode. Bien, la préférée de mes répliques où je dis : « Ce que Sara veut dire est que nous aimons qui nous sommes et nous sommes qui nous sommes grâce à toi, papa. Et toi, maman. Peu importe ce qu'il faudra, nous ramènerons les Buchanan à leur juste place. La maison, ce ne sont pas ces quatre murs. La maison, c'est l'endroit où nous sommes ensemble. »

Je souris fièrement à Matty, impressionnée de m'être remémoré tout le discours. Il m'observe toujours avec la même expression idiote. Je suis tellement occupée à le regarder que je manque le début de ma réplique.

… Et toi, maman. Peu importe ce qu'il faudra, nous ramènerons les Buchanan à leur juste place.

Hé, ce n'est pas ma voix. La mienne n'est pas si profonde et râpeuse. Est-ce que quelque chose cloche avec le téléviseur ? Je lève les yeux et… NON.

NOOOOOOOOOOOOOOOOOOOOOOON!!!!!!!!!!!!!!!!!!!!!!!!!!!!!!

— POURQUOI ALEXIS HOLDEN PRONONCE-T-ELLE MA RÉPLIQUE ? crié-je si fort que ma compagne de chambre lâche son pichet d'eau et le renverse sur le plancher.

Alexis joue mon personnage. Samantha Buchanan. Alexis Holden, la fougueuse rousse que je pensais si gentille jusqu'à ce que j'apprenne qu'elle voulait me voler mon boulot, porte ma robe Galliano. Elle se tient debout à côté de mes collègues acteurs. Elle est dans mon émission, déclamant mon texte dans un épisode datant de plusieurs saisons ! Elle n'a pas fait partie d'*AF* avant la dernière saison ! Qu'est-ce qui se passe ?

Je regarde maman et Matty.

— Avez-vous truqué le téléviseur ? Pourquoi me feriez-vous cela après la journée que j'ai vécu ?

— Nous ne l'avons pas fait, répond lentement Matty, me fixant comme si j'étais bouchée. Est-ce toi qui nous fais une blague ?

— Non !

Je découvre que j'ai chaud et que je suis énervée et totalement inconfortable. La pièce recommence à tourner et j'ai mal à la tête. Papa revient en vitesse avec un grand gars mince aux cheveux foncés, vêtu d'une blouse blanche. Je suppose qu'il s'agit du Dr Lowe.

— Kaitlin, est-ce que ça va ? s'enquiert maman, l'air essoufflée. Dis-le au Dr Lowe, ma chérie. Dis-lui ce qui ne va pas. Elle dit des choses qui ne font aucun sens, déclare-t-elle au médecin, qui est occupé à écrire sur son écritoire à pince.

— Je ne dis pas des choses insensées !

Je panique. Mon cœur bat tellement fort que je me demande s'il ne va pas sortir de ma poitrine.

— Samantha Buchanan est mon personnage, et je ne sais comment, Alexis Holden joue mon rôle dans ce téléviseur ! Je sais que j'ai eu un accident de voiture aujourd'hui, mais je sais qui je suis, lui dis-je d'un ton insistant. Je sais ce qui s'est passé aujourd'hui. Ma mère a congédié mon agente de publicité, Laney Peters. Mon amoureux, Austin Meyers, est allongé quelque part dans cet hôpital, et tout ce que je désire en ce moment est de découvrir où il est et d'aller m'assurer qu'il va bien. Je dois m'expliquer. S'il vous plaît, supplié-je, la voix rauque.

Je fixe les yeux bleus du Dr Lowe.

— Vous devez m'aider.

— Oh mon Dieu, dit maman à voix basse.

Elle s'appuie sur papa.

Les autres dans la pièce gardent le silence, à l'exception de Matty qui, en fait, rigole.

Mes yeux accrochent les siens.

— Qu'y a-t-il de si amusant ?

— Euh, ton monde imaginaire ? dit-il avec esprit.

— Matthew, le prévient papa avant de le pousser doucement.

Lui, le Dr Lowe et maman me fixent comme si j'étais un animal enragé me préparant à l'attaque.

— Ta sœur a reçu un coup sur la tête. Ce n'est pas un sujet d'amusement.

— Elle doit s'être frappée vraiment fort si elle pense être une vedette de cinéma.

Matty roule les yeux.

— Elle se fait du cinéma, oui, mais elle n'est pas célèbre ; ça non. Et Austin Meyers ne jetterait même pas un regard de son côté. Particulièrement pas après aujourd'hui.

Mon cœur s'arrête presque.

— M'a-t-il laissée tomber ? murmuré-je, puis mes yeux se remplissent de larmes.

Les yeux de Matty sortent presque de leurs orbites et il bredouille :

— Te laisser tomber ? Kates, il sort avec Lori Peters depuis la première année du lycée.

— Non, dis-je, puis je secoue la tête avec violence. Ils ont rompu il y a très longtemps.

— Matty, ne lui fais pas cela maintenant, rétorque papa en m'offrant un sourire tendu.

— Laissez-le poursuivre, crois-je entendre dire le Dr Lowe.

Il me semble. Difficile d'en être certaine, car un gros bruit de vague a surgi dans mes oreilles et il s'amplifie comme celui d'un train de marchandises.

— Voyons ce qu'elle fera.

— Et tu n'es pas dans *Affaire de famille*, dit brusquement Matty, et il lève les yeux sur l'écran, où Alexis et Sky sont dans la scène suivante, riant joyeusement dans la cuisine de tante Krystal.

— J'y étais avant !

Je pleure. Pourquoi sont-ils tous aussi méchants avec moi ? Est-ce que quelqu'un a téléchargé ma crise de nerfs de ce matin sur YouTube ? Ils m'ont peut-être entendue dire que je voulais congédier maman.

— Alexis Holden joue Samantha Buchanan depuis quatre ans. Elle a pris la relève de l'actrice originale, Lilly Amber, reprend lentement Matty. Tu n'es pas une vedette, Kates. Tu es Kaitlin Burke, une élève récemment transférée à l'école huppée Clark Hall et qui n'a pas eu de petit ami depuis, genre, toujours.

Je me couvre les oreilles pour essayer de bloquer ses propos, mais c'est inutile. Je peux l'entendre, et comme lors d'un accident de train, autant je veux l'oublier, autant je veux en savoir davantage.

— Ton seul lien avec Austin Meyers est que tu l'as frappé à toute volée, ainsi que quelques-uns de ses amis de l'équipe de crosse, quand tu as pesé sur l'accélérateur au lieu des freins pendant ton cours de conduite automobile ce matin. La voiture a passé sur le trottoir et les a écrasés alors qu'ils se rendaient en classe à pied. J'ai entendu dire que tu lui as cassé la jambe et que cela lui coûtera probablement sa carrière de joueur de crosse.

Matty secoue la tête.

— Les gens ne sont pas trop contents de toi à Clark Hall.

Je fais glisser mon regard sur les visages affligés de papa, maman et Matty, et je sais que Matty ne ment pas. Le Dʳ Lowe me regarde tristement. Matty raconte une version étrange, folle et bizarroïde de la vérité, mais c'est tout de même la vérité. Ici. En ce moment, du moins.

C'est là que je fais la seule chose à laquelle je peux penser. Je commence à hurler. Le cri est tellement fort et terrifiant que je crois presque qu'il provient de quelqu'un d'autre. Mais non. C'est moi. Et si quelque chose dans les propos que Matty vient de prononcer est vraiment réel, ils devront peut-être me passer la camisole de force, m'enfermer et jeter la clé.

DANS LE SECRET

Sky Mackenzie et Alexis Holden forcent la fermeture tardive d'un lieu à la mode

par Andrew Harris

Ce qui se passe au Teddy's ne reste pas toujours au Teddy's. Quand les deux starlettes dont on parle le plus à Hollywood se souviendront-elles de cela à propos de cette boîte de nuit des plus courues? Quelqu'un devrait le rappeler aux actrices d'*Affaire de famille*, Sky Makenzie et Alexis Holden (qui jouent les populaires fausses jumelles Sara et Samantha Buchanan), parce que leurs heures supplémentaires causent plus d'émoi ces jours-ci que leur dialogue à l'écran (zzzzz).

Bras dessus, bras dessous, le duo est arrivé au Teddy's pour une collation et un cocktail de fin de soirée, accompagné d'environ vingt membres de leur entourage. Quand on leur a dit qu'il n'y avait pas assez de place pour l'ensemble du groupe et que l'endroit fermait bientôt, Alexis a piqué une crise. « Elle a commencé à crier : "Savez-vous qui je suis?" La direction ne savait plus où donner de la tête, rapporte un témoin. Personne ne veut agacer la vedette de l'émission de télévision la plus populaire. »

Sky, qui arbore de nouvelles mèches blondes décolorées en contraste avec le teint orangé de son visage, était tout aussi difficile. Quand on lui a dit que le bar ne servait pas les personnes âgées de moins de vingt et un ans, Sky a insisté pour commander une eau de Seltz, puis elle a refusé de partir avant d'avoir terminé de la boire. « C'était une heure plus tard ! s'est plainte une serveuse. Elle avait une mine terrible, aussi. Des cernes sous les yeux, des cheveux graisseux, et sa ceinture Gucci était mise à l'envers. Alexis n'arrêtait pas de lui crier dessus, et elle l'acceptait. J'ai presque eu pitié d'elle. Jusqu'à ce qu'elle ne me laisse pas de pourboire. »

Bien qu'*Affaire de famille* soit toujours numéro un dans les cotes d'écoute, des sources en coulisse s'inquiètent que les singeries des filles en dehors du petit écran puissent avoir un effet sur la popularité de la télésérie. Ce n'est pas un secret que Melli Ralton (qui incarne la mère des filles, Paige) et le créateur et réalisateur, Tom Pullman, veulent s'arrêter. Ils ont essayé de quitter le navire la saison dernière alors qu'ils croyaient que les intrigues devenaient minces (n'est-ce pas la vérité !), mais ils ont été forcés à rester par les cadres du studio, qui se sont inquiétés quand leurs mines d'or, c'est-à-dire Alexis et Sky, ont menacé de partir si les autres étaient libérés de leurs contrats. Le noyau du public de l'émission lui demeure fidèle, mais plusieurs critiques de la télévision se sont plaints que les jours heureux d'*Affaire de famille* sont loin derrière eux.

« [Elle] rapporte une fortune au studio. Tant qu'elle continuera ainsi, ils se foutent de savoir qui elle rend malheureux. »

Soyez sans inquiétude, admirateurs. Tant qu'ils garderont Alexis, *AF* ne va nulle part. « Alexis est une déesse dans ce studio, se plaint une source. Aussi terrible soit-elle, elle fait toute la publicité qui lui revient auprès de la presse, fait semblant d'être une soie pendant les entrevues et rapporte une fortune au studio. Tant qu'elle continuera ainsi, ils se foutent de savoir qui elle rend malheureux. »

DIX : *Une nouvelle réalité*

— Es-tu allé voir si elle allait bien ? entends-je maman prononcer d'une voix étouffée à travers la porte de la chambre à coucher.

— Non, j'ai pensé que tu t'en occuperais, chuchota papa en retour.

— J'ai peur.

Maman paraît plus hésitante que jamais.

— Elle va recommencer à crier. Tout ce qu'elle fait, c'est regarder cette série en DVD qu'elle a pris dans le salon. Épisode après épisode d'*Affaire de famille* ! Elle n'a pas quitté sa chambre depuis des jours… elle ne mange pas. Elle n'a même pas avalé son repas préféré… du poulet au citron !

— Nous exigeons peut-être trop d'elle en si peu de temps, dit papa. Le Dr Lowe a dit que nous devons lui laisser du temps. Elle va finir par sortir de sa chambre. Elle sait qu'elle doit retourner à Clark Hall mercredi. Deux jours de plus, et son moteur s'emballera à plein régime. J'en suis convaincu.

Papa fait encore des analogies avec les voitures. Au moins, certaines choses n'ont pas changé. J'entends des pas et je me tortille pour rentrer davantage sous mes couvertures. Je ne me souviens pas d'avoir aimé autant le rose. L'édredon, les rideaux, le tapis usé, le papier peint de roses — c'est comme si quelqu'un avait pris une bouteille de Pepto-Bismol et l'avait fait exploser ici. Mon ameublement est blanc, exactement comme mes véritables meubles, mais ce mobilier a déjà vécu son heure de gloire depuis longtemps. Il y a même mon nom en lettres carrées inscrit au marqueur vert d'une écriture enfantine sur une colonne du lit. Je ne vois pas d'objets de *La guerre des étoiles*, par contre. Il manque mon horloge et ma couverture princesse Leia.

Même si Han, Leia et Luke me manquent, je dois admettre que cette chambre est douillette. Ainsi que la maison. Nous vivons à Toluca Lake, que j'ai toujours adoré, et nous sommes dans une maison de style colonial dont l'entrée donne sur le côté, avec un petit salon, une salle à manger, une cuisine et une salle familiale au premier étage, et trois chambres à coucher au second. La maison a un revêtement extérieur jaune et une cour arrière joliment paysagée avec une piscine (pas de jardins de pierres ni de chute cascadant dedans comme notre véritable piscine, mais c'est quand même bien). On ne peut pas perdre quelqu'un dans cette demeure. À la maison, je passe mon temps à courir de haut en bas des escaliers pour trouver quelqu'un et, quand j'y arrive, je regrette en quelque sorte de l'avoir cherché en premier lieu. Dans cette maison-ci, je ne quitte pas ma chambre — bien, sauf pour quelques razzias de fin de soirée dans la cuisine quand tout le monde dort. Je sais que je pourrais faire davantage d'efforts. Si je ne me remets pas bientôt, le Dr Lowe m'obligera à suivre une thérapie ! Même si ce scénario me fait paniquer au possible, quitter ce lit et affronter cette folle réalité qui m'attend m'effraie encore plus.

— Matt, où crois-tu aller comme ça ? entends-je maman lui demander, d'un ton qui ressemble plus à la mère que je connais.

— Kaitlin m'a demandé quelques magazines supplémentaires, leur dit-il. J'allais en acheter en revenant de l'école, mais Rob Murray traînait à l'extérieur du CVS et j'ai pensé qu'il allait peut-être me flanquer une raclée à cause de mon nom de famille. Je suis assez maltraité à l'école sans en plus avoir à prendre des coups pour le pied de plomb de Kates.

— Plus de journaux à potins, insiste maman. Kaitlin devient obsédée par cette fille, Alexis Holden ! Tout ce qu'elle fait, c'est de lire sur elle et de regarder *Celebrity Insider.* C'est-à-dire, quand elle ne regarde pas *Affaire de famille.*

— Elle a hérité de cette obsession sur Hollywood de toi, tu sais. Matty a probablement pris cette pile de magazines dans ta réserve, déclare papa, lançant cette pointe à maman.

— Dis-tu que c'est ma faute ? demande maman en pleurant.

— Non. Nous vivons à côté d'Hollywood. Ce n'est pas malsain de vouloir en apprendre davantage sur nos propres voisins, répond papa avec tact. Kaitlin est beaucoup plus en contact avec des célébrités à présent qu'elle et Matty fréquentent Clark Hall. Cette fille, Liz Mendes, a fait admettre les copines à toutes ces premières de cinéma, récemment. Je suis certain que Kaitlin ne fait que mélanger ces deux mondes dans sa tête.

— Crois-tu que nous avons eu tort d'envoyer les enfants à Clark Hall cette année ? s'enquiert maman avec inquiétude. L'éducation est top niveau, mais même avant l'accident, elle ne semblait pas dans son assiette. J'aime bien Liz, mais je me dis que ces deux-là deviennent trop obnubilées par la scène hollywoodienne. Kaitlin change à cause de cela, poursuit tristement maman, et maintenant elle pense qu'elle est une célébrité. Elle a perdu l'esprit !

Elle commence à pleurer.

J'enfouis ma tête dans mon oreiller, espérant étouffer le son de leur conversation, en vain.

— Oublie les célébrités, maman. Kates a de plus gros problèmes. Quelqu'un m'a dit que Lori Peters veut faire expulser Kaitlin, affirme Matty. J'ai entendu dire qu'elle a une réunion avec la directrice P. demain pour discuter de l'obsession malsaine de Kaitlin pour son amoureux à elle. Caden Mitchell a surpris Lori à dire que Kaitlin a frappé Austin par exprès parce qu'elle est en colère de ne pas l'avoir pour elle.

Je n'en peux plus.

— J'ai Austin! crié-je depuis ma cachette sous les couvertures. Je sors avec Austin! Nous nous fréquentons depuis un an! Pourquoi personne ne s'en souvient-il?

Je commence moi aussi à pleurer.

— Chérie?

Maman fait cliqueter la serrure de la porte.

— Ouvre pour que nous puissions parler. Nous voulons t'aider, ma douce.

Elle tourne la poignée, mais je me contente de la fixer. Je n'ouvrirai pas cette porte.

— Je sais que tu es frustrée, mais nous sommes tes parents, et notre travail est de te venir en aide. Permets-nous de le faire, Kaitlin. Parle-nous ou discute avec un thérapeute. Ce ne sera pas difficile, je te le promets. Nous devons aller au fond de l'histoire de cette, euh, vie dont tu n'arrêtes pas de parler.

— Je ne veux pas discuter.

J'avale de l'air à grosses goulées à travers mes larmes.

— Je veux seulement qu'on me laisse tranquille.

Je déteste parler parce que quand ils me parlent, ils disent que ceci est la réalité et que l'autre Kaitlin et compagnie dont je ne cesse de parler n'existe pas. Je sais qu'ils ont tort et je ne peux pas supporter de les entendre dire autrement. Je ne peux pas admettre — je n'admettrai pas — que ma vraie vie ne soit pas réelle en fin de compte.

Dix-huit ans ne peuvent pas être un rêve. J'ai trop vécu, expérimenté trop de choses. Ce n'est tout simplement pas possible que j'aie tout inventé!

Dieu que Nadine me manque. Si quelqu'un pouvait arranger ce gâchis, c'est bien elle. Je n'arrête pas de composer le numéro de son cellulaire et le message dit : « Le numéro que vous avez composé n'est plus en service. Veuillez vérifier le numéro et composer de nouveau. »

Je perçois le soupir de maman.

— D'accord Kaitlin. Plus tard, peut-être ? Je prépare des pennes à la vodka. Tu adores ce plat. Quand je le monterai, peut-être pourrais-je manger avec toi et bavarder.

J'entends des bruits de pas traînants, d'autres pas encore, puis quelques magazines sont lancés brusquement sous ma porte. Quand le couloir est à nouveau silencieux, je me glisse hors du lit en faisant attention à mon plâtre et je les ramasse. Celui du dessus est *Hollywood Nation* et mes yeux sont attirés par l'histoire en page couverture : « SKY MACKENZIE ET ALEXIS HOLDEN FORCENT LA FERMETURE TARDIVE D'UN LIEU À LA MODE ». Je le feuillette jusqu'à la bonne page et lis rapidement l'article, puis je regarde les photos d'Alexis et de Sky sortant en chancelant de chez Teddy's. Sky semble ne pas avoir dormi depuis un mois. Sky aime peut-être faire partie de la vie nocturne d'Hollywood, mais sa réputation est prioritaire ces jours-ci, et elle ne se comporterait jamais de la manière décrite dans cet article. Et Alexis… je ne veux même pas en discuter.

Je lance le magazine à travers la pièce, et il atterrit sur la commode en osier blanc dans le coin. Je ne sais pas trop ce qu'il y a dans cette chose parce que ce n'est pas ma chambre. Ce n'est pas ma vie. Je veux rentrer à la maison.

Qu'est-ce qui m'arrive ?

Quand ma famille a réagi comme elle l'a fait à l'hôpital, j'ai pensé au début que je faisais un horrible cauchemar. Alors, j'ai agi comme d'habitude devant un mauvais rêve — comme celui où je me présente pour coanimer *The View* en sous-vêtements — : je me pince partout (mon bras droit est encore rouge), je ferme les yeux et je m'oblige à me réveiller par la force de ma volonté.

Rien n'a changé. Je suis encore ici. Peu importe où est situé cet endroit ou ce qu'il représente.

Chaque « jour », s'il s'agit bien d'un jour, est pareil. Je me réveille, je sanglote parce que je suis ici, et ensuite je reste allongée dans mon lit à regarder la télévision et à lire les magazines que m'apporte Matty. Je suis incapable de cesser de penser à l'endroit où je me trouve.

Se peut-il que je sois plongée dans un genre de coma qui ressemble à un état de rêve ? Cela pourrait se produire. Peut-être les choses se sont elles très mal passées pendant l'opération médicale, que Meredith a laissé tomber ma rate sur le sol, qu'ils ont dû aller chercher le chariot d'urgence et que McDreamy m'a sauvée par la peau des fesses. D'accord, je regarde peut-être trop Dre Grey, leçons d'anatomie. Il y avait des épisodes en rafale toute la journée hier. Mais tout même, si ceci n'est pas un rêve, je suis peut-être dans le coma ou... HORREUR. Je ne peux pas être morte, n'est-ce pas ? C'est peut-être un genre de purgatoire hollywoodien où vont les vedettes avant de passer de l'autre côté pour se repentir des coups de couteau dans le dos, des mauvais films et des vacheries qu'elles ont fait subir au monde. Oh mon Dieu. Voilà la réponse, n'est-ce pas ?

NOOOON ! Je ne veux pas mourir ! Je viens d'avoir dix-huit ans ! Je n'ai pas encore gagné d'Oscar, ni fréquenté l'université, ni visité l'Australie ! Comment vais-je un jour épouser Austin si je ne suis pas là ?

Oh mon Dieu. Je veux aller à l'université. Je veux épouser Austin. Je le veux !

Ces découvertes devront attendre parce qu'en ce moment, ma priorité est de découvrir si je suis vivante, morte, dans une réalité alternative ou au purgatoire. Dieu, tout ceci est trop difficile à comprendre, tout comme l'était l'émission *Perdus* !

Ooh… c'est ça ! Je suis peut-être dans une émission de télévision ! C'est peut-être comme le film tourné par Jim Carrey où il vit dans cette gigantesque bulle et toute sa vie est filmée pour la télévision. Ils ont mis en scène chaque intrigue importante et Jim n'en savait rien du tout. Se peut-il qu'il m'arrive la même chose ?

C'est peut-être ma punition pour être montée en voiture avec un étranger et m'être comportée si mal devant les paparazzis. Je ne serais pas surprise que maman combine le fait de me priver de sortie avec une couverture médiatique. Je fixe le plafond à la recherche de caméras cachées, puis jette un œil autour de la chambre. Ah ha ! Je savais que l'ourson avait l'air étrange. Je ne posséderais jamais un ours en peluche vert moche comme celui-là ! Je le prends sur son étagère encombrée et tente de lui retirer son rembourrage. Hum. Il ne peut pas y avoir de caméra là-dedans. Je lance l'ours sur le sol.

D'accord, oubliez les caméras. Je n'en ai pas besoin. Si je suis réellement à la télévision en ce moment et que c'est maman qui m'a mise dans cette position, je n'ai qu'à présenter mes excuses en direct, et maman devra me pardonner. C'est un plan brillant.

Je me lève sur mon lit (ainsi, je suis plus près des micros cachés) et je m'assure que mon débardeur ne montre rien qu'il ne devrait pas. Je lisse mes cheveux non lavés, rétablis mon équilibre afin de ne pas me briser l'autre cheville et je m'éclaircis la gorge.

— MAMAN ? PAPA ? LE RÉSEAU DE TÉLÉVISION ? Si vous pouvez m'entendre en ce moment, j'ai quelque chose à dire. Je sais que je suis dans une émission de télévision et qu'il s'agit de ma punition pour avoir été une vedette au comportement inapproprié. Je veux présenter mes excuses. Je sais que j'ai eu tort de me disputer avec les paparazzis et d'agir de manière irrationnelle et de monter dans cette voiture. J'aimerais pouvoir effacer mes actes.

Je marque une pause. Laissez-moi réfléchir une seconde.

— Bien, tous à l'exception de m'être mise en colère parce que tu as congédié Seth, Laney et Nadine. Je veux les ravoir. Je vais accepter tout le reste, d'accord ? Je vais respecter tous les rendez-vous avec la presse, imprimée et autres, que tu veux. Laisse-moi juste sortir de cette bulle, d'accord ? Je veux rentrer à la maison !

Silence. Ils ne m'ont peut-être pas entendue. Ou bien maman n'a pas aimé les conditions. Mes mains deviennent moites. Je dois lui faire comprendre et sortir d'ici ! Qu'est-ce que ça prendra ? JE SAIS !

— Maman, tu peux avoir une augmentation de salaire. Tu peux déduire vingt pour cent de mon revenu au lieu de quinze ! dis-je au plafond.

Le plafond ne répond pas. Si maman m'avait entendue, elle aurait défoncé la porte. Du moins, c'est ce qu'aurait fait mon autre mère.

— LES AMIS ? hurlé-je d'une voix perçante et désespérée.

— Kates ? À qui parles-tu ? As-tu besoin que maman t'apporte tes médicaments ?

C'est Matty.

Matty le clone, comme je l'ai surnommé, et il se tient juste derrière ma porte. Cette porte. Pas ma porte. Ce n'est pas ma maison !

— Va-t'en !

Je m'écrase sur mon lit, déclenchant une profonde douleur dans ma cheville brisée à cause du choc. Puis, je recommence à pleurer.

Cela ne peut pas m'arriver. Je suis Kaitlin Burke, vedette de la télé, actrice d'Hollywood, diplômée du lycée. Je fais partie d'une nouvelle émission de télévision et j'ai un amoureux extraordinaire. N'est-ce pas ?

N'EST-CE PAS ?

Je me sens comme Dorothée quand elle est tombée dans le pays d'Oz. Tout est différent. Maman est une hygiéniste dentaire qui est chaleureuse et bêtement sentimentale, et elle cuisine mes mets préférés. Papa est enchanté de travailler pour le même concessionnaire automobile depuis que je suis bébé. Matty est une lèpre sociale et il est passé d'éblouissant à barbant. C'est comme si tout le monde sauf moi était satisfait de vivre la vie que nous aurions vécue si... non, ça ne peut pas être cela, n'est-ce pas? Est-ce cela qui est différent?

Est-ce à quoi ma vie aurait ressemblé si maman ne m'avait pas amenée à l'audition pour *Affaire de famille*?

Toc. Toc. Toc.

— J'ai dit de me laisser tranquille, grommelé-je.

— Kaitlin? C'est moi. Liz.

Liz? Ma Lizzie? Elle saura quoi faire.

— Lizzie?

— Liz, me corrige-t-elle. Puis-je entrer?

Je cours à ma porte de chambre et l'ouvre à la volée. C'est Liz en chair et en os, et elle a l'air exactement la même. Elle porte une splendide robe Marchesa que je viens juste de voir dans *Hollywood Nation* et des bottes noires au genou. Elle m'étreint avant de se laisser choir sur mon lit.

— Tu me sembles bien à l'exception du plâtre, mais ton frère dit que tu es devenue folle, déclare Liz entre deux bulles de gomme à mâcher. Qu'est-ce qui se passe? Tu n'as répondu à aucun de mes appels.

— Quels appels? demandé-je, perplexe.

— Sur ton cellulaire.

Liz me regarde d'une manière étrange en éloignant ses cheveux bruns bouclés de son cou pour les attacher en une minuscule queue de cheval avec un élastique décoré d'un papillon en soie.

Je n'ai pas vérifié le téléphone qui, selon maman, m'appartient. J'ignore le mot de passe. Il est différent du régulier, qui est l'anniversaire d'Austin.

— Je me suis fait du souci pour toi, déclare Liz, puis elle fait éclater une bulle pour marquer son point. L'école est un cauchemar. Tout le monde parle de ton accident de voiture. Je n'arrête pas de prendre ta défense, mais je ne sais pas exactement ce qui s'est passé parce que tu ne me parles pas. Ta mère ne cesse de m'appeler et me raconte les trucs bizarres que tu as dits. Que tu penses que c'est toi qui joues Samantha Buchanan dans *Affaire de famille* et qu'Alexis Holden t'a volé ton boulot ?

Elle émet un gros POP avec sa gomme à mâcher.

— Tu blagues, n'est-ce pas ? Je sais que tu es beaucoup sortie dans le milieu récemment, mais tu ne crois pas vraiment être une célébrité, n'est-ce pas ?

Je m'allonge sur le lit à côté d'elle. Donc, cette Liz me pense folle elle aussi. Si j'essayais de lui raconter la vérité, elle s'enfuirait probablement en courant de la chambre et ne reviendrait jamais. Je ne peux pas accepter cela. J'ai besoin d'une personne à qui parler. Je fixe le tapis et j'enfonce mes orteils dans mon édredon.

— Non. Je me dis qu'il s'agit d'un effet secondaire de tous ces médicaments qu'ils m'administrent, mens-je, et Liz hoche la tête d'un air entendu. J'imagine que j'ai dit des trucs plutôt dingues.

Liz rit.

— Tu peux le dire ! Tu as l'air affreuse. Qu'est-il arrivé à tes cheveux ?

Je tire sur l'une de mes mèches couleur de miel.

— Ils ne ressemblent pas à ceci habituellement, non ? J'ai toujours adoré les mèches caramel que Ken Paves me fait. Il mourrait s'il voyait l'allure de ma chevelure maintenant.

Liz glousse.

— Tu me fais me tordre de rire. Je voulais dire que tes cheveux ont l'air de ne pas avoir été brossés depuis une semaine. Comme si tu avais déjà eu l'argent pour te payer des mèches Ken Paves — sans vouloir t'offenser.

Liz examine une mèche de mes cheveux.

— J'aimerais que tu acceptes que je les paie. Je devrais plutôt préciser que papa les paie.

Elle arque ses sourcils malicieusement.

— Depuis qu'il a Alexis Holden comme cliente, c'est comme s'il imprimait son propre argent !

Liz se lance de nouveau sur mon lit, sa tête touchant la mienne.

— J'adore carrément cette manne qui est la sienne en ce moment, Kaitlin. Cela ne fait que deux mois, mais ça va changer notre vie, je le sais. Papa me permet d'acheter tout ce que je veux et il m'obtient tous ces vêtements géniaux, comme cette robe.

— Marchesa.

Je hoche la tête en connaisseuse et tâte le tissu.

— Splendide.

— Merci, répond Liz avec bonheur. Je songe à la porter vendredi soir à la première. Tu penses être en forme pour y aller ?

Elle se lève sur ses coudes.

— Nous pourrions décorer ton plâtre de brillants afin de t'attirer beaucoup de sympathie. Je peux même t'acheter une nouvelle robe !

Elle commence à s'exciter.

— Tu ne peux pas m'obliger à m'y rendre seule. Cara Simeone sera présente et je ne peux pas la supporter !

Je suis sur le point de lui demander pourquoi, quand Liz ajoute :

— Je sais ; nous devons lui faire de la lèche si nous voulons être admises dans son cercle intime, mais tu fais ça mieux que moi.

Elle fronce les sourcils, et je remarque ses lèvres.

Les lèvres de Liz ! Ses lèvres n'ont jamais été aussi charnues. Elle les a sans conteste modifiées. Il y a autre chose de différent aussi. OH MON DIEU !

— Quand t'es-tu fait refaire les nichons?

Liz bombe la poitrine avec fierté.

— Bon dix-septième anniversaire à moi! Ne sont-ils pas fabuleux à présent que l'enflure est partie? J'aurais aimé que nous puissions profiter d'une gratuité afin que tu puisses en recevoir une nouvelle paire toi aussi.

BEURK.

Je ne sais pas trop quoi commenter en premier — le fait que je voulais de nouveaux nichons ou que je n'ai plus les moyens maintenant pour Ken Paves. Une unique larme s'échappe de mon œil droit avant que je puisse la retenir.

— Je suis désolée.

Je l'essuie rapidement avec la manche de mon pyjama en flanelle.

— Lève-toi, insiste Liz. Prends une douche. Enfile quelques vêtements et, pour l'amour du ciel, passe un peigne dans tes cheveux. Nous te sortons d'ici. Tu as besoin d'air.

Vingt minutes plus tard, je porte ce que j'ai trouvé dans le placard de la chambre à coucher : un chandail Gap convenable à encolure bateau et à rayures bleu foncé et blanches, et un jean Gap avec des ballerines. Au moins, Kaitlin le clone possède une garde-robe acceptable. Elle s'en tire bien sans designers de renom. Et Liz avait raison. Prendre un peu d'air améliore légèrement mon état. Quand elle est sortie de mon allée de garage pour rouler en vitesse à travers le quartier dans sa toute nouvelle BM (le gros cadeau de la semaine de son père) et s'engager d'un bond sur l'autoroute, j'ai senti un petit sentiment de soulagement. Elle peut peut-être me conduire hors de ce monde et dans le mien. J'ai ressenti encore plus d'espoir lorsqu'elle s'est arrêtée devant A Slice of Heaven.

Antonio est toujours ici et l'endroit semble identique. Nous sommes assises dans un box avec une tache de spaghettis sur la nappe à carreaux rouges et blancs en vinyle et pourtant… tout est différent. Je mange notre pizza préférée à moi et à Liz — brocoli, extra fromage et poivrons — et je sirote un Sprite, mais je ne me sens pas mieux. C'est peut-être parce que Liz discute de notre vie sociale, qui me semble plutôt pathétique.

— As-tu écouté un seul mot que j'ai prononcé ?

Liz cesse de mâcher et de parler et me lance un regard sévère.

— Tu ferais mieux de retrouver ton degré d'attention, sinon tu devras dire adieu à ton stage. Il y a trois filles en attente derrière toi qui se meurent d'envie d'obtenir ce travail. Papa s'est totalement mouillé pour toi.

J'arrête de boire mon Sprite et lève les yeux.

— Quel travail ?

Liz me regarde comme si je venais de lui suggérer de rendre sa nouvelle carte de crédit noire American Express.

— Ton stage ! Dans *Affaire de famille* ! Tu sais…

Je ne sais pas, mais je me sens tout à coup pleine d'espoir.

Liz m'observe encore étrangement.

— Celui que mon père t'a obtenu le mois dernier parce que tu as toujours désiré un boulot à Hollywood !

Elle glousse.

— Du moins, c'est ce que nous lui avons dit afin que tu puisses t'approcher de Trevor Wainright.

J'AI un boulot à Hollywood !

— Ce stage qui t'attend sera la meilleure des affaires pour nous, assure Liz en versant du Sprite dans nos verres. Oublie l'idée de caresser Trevor dans le sens du poil pour l'instant. Nous sommes à ça d'obtenir notre propre émission de téléréalité ou quelque chose de semblable, je le sens ! Ensuite, tout le monde en ville voudra devenir notre ami.

Je fixe ma pizza.

— Les célébrités ne ressemblent habituellement en rien à ce qu'ils sont à la télévision, affirmé-je à voix basse. Parfois, être ami avec des gens à l'extérieur de l'industrie du spectacle est beaucoup plus enrichissant.

Je la regarde.

— Du moins, c'est toujours ainsi que nous avons vu les choses, toi et moi.

— J'imagine.

Liz éponge l'excès d'huile sur sa pizza avec une serviette en papier.

— Nous le pensions, mais c'était avant que papa gagne la cagnotte. À présent, nous n'avons plus à faire semblant que nous ne voulons pas faire partie de ce monde, Kates ! Nous en sommes.

Elle sourit jovialement.

— J'ai détesté te voir hors de service cette dernière semaine parce qu'il se passe tellement de choses.

Elle se penche plus près, et je peux sentir son parfum de chèvrefeuille.

— Les gens me téléphonent ! déclare-t-elle en jubilant. De leur propre chef ! Kates, nous sommes tellement dans le coup. Je veux dire, ouais, certains d'entre eux paraissent un peu superficiels et égocentriques et pas notre genre, mais qui s'en soucie ? Une fois dedans, nous ne sommes pas obligées d'agir comme si chaque petite chose qu'ils disent est capitale.

Elle rit si fort que nous entendons à peine son téléphone sonner.

— HÉ, bébé !

Liz prononce en silence pour moi le nom d'une personne avec excitation quand elle répond.

— Quoi de neuf? Aaah... oui, je comprends. C'est tellement important !

Liz hoche la tête dans ma direction d'un air entendu.

— Combien ?

Liz se ronge les ongles.

— Euh, bien sûr. Bien sûr que Kaitlin et moi viendrons à ton événement de charité. Mon père peut casquer le prix des billets à mille dollars. Cela vaut totalement la peine de... sûr, d'accord. On se voit là-bas !

Elle me sourit largement.

— C'était Cora. Elle devait y aller, mais elle nous veut à son dîner Sauvons les dauphins.

— Pour un prix, la corrigé-je.

J'ai vu ce genre de chose beaucoup trop de fois pour les compter sur mes ongles rongés. (Je me ronge les ongles moi aussi ! Comme Nadine ! BEURK !)

— C'est une bonne cause, insiste Liz.

Non seulement je ne suis pas une actrice, mais je suis un parasite de célébrité. De ce que j'ai compris de nos conversations, l'entreprise du père de Liz vient de prendre son envol, alors que dans le monde véritable, elle connaît le succès depuis des années, au moment où il m'avait acceptée comme cliente. Ici, le contact de Liz avec la ville du cinéma est récent, et elle ne paraît pas si bien gérer la situation. Il ne semble pas que Kaitlin le clone s'adapte bien non plus au mode de vie d'Hollywood.

— Étais-tu obligée d'apporter ce sac ?

Liz gémit.

— Il est tellement vulgaire.

Je regarde le sac rouge brillant que j'ai trouvé dans le placard de Kaitlin le clone. Il est assez spacieux pour contenir des livres scolaires, mais tout de même assez petit pour que je puisse le porter sur l'épaule pour sortir manger. On penserait que les brillants lui donneraient un air trop élégant, mais on ne sait pourquoi, ce n'est pas le cas. Le sac a simplement l'air amusant, et j'ai bien besoin d'amusement en ce moment. Il me rappelle un peu les chaussures rouge rubis de Dorothée. *Le Magicien d'Oz* faisait partie de mon marathon télévisuel de l'autre soir, et j'avais oublié à quel point il me plaisait. En fait, je préfère ce sac au coûteux sac en cuir jaune beurre que je traînais partout, même si celui-ci n'est pas de très bonne facture. Je n'ai jamais entendu parler de la designer, Riley Pierce. Il vient probablement de Target.

— Je l'aime.

— Pour se déguiser, peut-être, ou pour l'Armée du Salut, mais tu ne peux pas sortir ce sac en public.

Liz grimace.

— Imagine être photographiée sur le tapis rouge avec ce sac. Beurk !

Je le lève et le fixe sur tous les angles. Il me lance joyeusement ses mille feux. Il s'agit d'un sac joyeux et mon but est d'être heureuse. Il reste.

— Je pense qu'il est génial.

Liz secoue la tête et ses boucles bondissent, sortant de la queue de cheval qui les retenait à peine.

— Je vais t'acheter un meilleur sac.

Son téléphone sonne de nouveau et elle l'ouvre d'un coup.

— Hé, toi. Oui.

La bouche de Liz prononce un autre nom en silence, mais je ne peux pas le distinguer à travers ses mâchonnements.

— Nous adorerions assister à l'ouverture de ton club ! Bien sûr. Quelle heure ? Je pense que j'ai un dîner, mais nous pouvons venir après. Oui, je comprends que tu ne peux accepter qu'un certain nombre de personnes. Nous ne te laisserons pas tomber.

Elle passe à un autre appel.

— Mia, ma mignonne ! Hé. Ouais, bien sûr que j'ai reçu l'invitation. Je suis désolée de ne pas avoir rendu ma réponse. Ouais, j'y serai. Accompagnée, j'en suis convaincue. Oui, Kaitlin est sur la voie de la guérison !

Elle me regarde avec excitation.

— D'accord, poupée. Nous te verrons à ce moment-là.

Liz raccroche et soupire.

— Trois événements en une seule soirée. Comment allons-nous réussir à tout faire ?

— Nous ne le pouvons pas, dis-je d'un ton léger avant de prendre une autre bouchée de ma pizza. Nous devons en refuser un.

Liz commence à composer un message texte.

— Pas question ! Ils seront furieux contre nous. Au moins, Mia se souvient de toi aussi. Sérieusement, Kates, tu dois être plus prudente. Nous ne pouvons pas disparaître de la vie nocturne plus d'un ou deux soirs. Sinon, nous serons simplement remplacées, et je ne pars pas alors que nous venons juste d'arriver.

Liz semble en quelque sorte effrayée par cette pensée. Puis, son téléphone sonne dans sa main et elle lit le texto.

— C'est toi qui as dit d'accepter tous les événements auxquels nous étions invitées et ensuite de ne pas nous présenter aux plus minables et c'est tout.

Elle glousse.

— Tu es tellement méchante.

Je le suis ? Non !

Elle lève les yeux, et j'imagine que je dois afficher une drôle d'expression parce qu'elle ajoute :

— Pourquoi as-tu l'air aussi inquiète ?

— C'est juste, commencé-je lentement, que j'ignorais que tu aimais autant sortir.

Liz hausse les épaules.

— Nous aimons cela toutes les deux ! Mais je sors tous les soirs. Papa se met en colère, mais ce n'est pas comme si je pouvais refuser des billets pour une première de film majeur, tu sais ? Et si nos nouveaux amis cessent de nous inviter ?

Le téléphone de Liz se remet à sonner.

— Ooh ! C'est Jade.

Je frissonne. Jade, connue uniquement par son prénom, fait partie de cette émission de téléréalité complètement bizarre sur E ! Elle est une actrice de série C, plus vraie que toutes. Liz s'excite à propos de son appel ?

— Cela ne prendra qu'une seconde, s'excuse Liz en plaçant une main sur le téléphone. Hé, mon chou ! Ouais. C'était super. Vendredi ? Hum… oui !

Abattue, je fixe les autres tables. Quelques personnes de mon âge environ m'observent et chuchotent. Elles doivent fréquenter Clark Hall elles aussi. Apparemment, ce prétendu accident de voiture que j'ai provoqué pendant une leçon de conduite est une affaire importante. Personne n'avait l'air très content de moi quand je suis entrée.

— Tu es tordante ! Tu mérites tellement ce nouveau pilote. Tu le décrocheras. Je le sais.

Qu'est-il arrivé à ma meilleure amie ? Bien sûr, Lizzie a toujours aimé posséder de l'argent, mais elle ne s'est jamais laissée prendre par la célébrité comme maintenant. Elle est comme une version métamorphosée de…

Le téléphone de Liz sonne encore.

— LC ! Hé, bébé. Oui, je sais que c'est Cobb et non Conrad.

Elle roule les yeux à mon profit.

— Comment va Ava ? Dis-lui que cette crise qu'elle a piquée à la porte de Shelter l'autre soir était à mourir de rire. Vendredi ?

Là, Liz semble nerveuse.

— Je viens juste de prévoir quelque chose, mais je suis certaine que je peux arrêter en passant. Han han. Ouais…

Liz est amie avec LAVA ? (C'est le surnom que la presse a donné à Lauren Cobb et Ava Hayden quand Sky et moi nous disputions avec elles. Nous sommes SKAT.) Liz est tellement au-dessus d'elles ! Du moins, ma Liz l'était.

— Ouais, Kates est avec moi.

Elle me tend le téléphone avec excitation.

— Ava veut te parler. Elle a dit que tu n'as pas répondu à ses appels.

Attendez. QUOI ? Je suis redevenue amie avec Ava ? Et avec Lauren aussi ?

BEURK.

POURQUOI ?

Je secoue la tête avec violence.

— Je pense que je me suis surmenée. Dis-lui que je vais la rappeler plus tard.

— Elle utilise encore une fois le prétexte de l'épuisement après l'accident de voiture, blague Liz en me décochant un clin d'œil. Je vais lui dire. Bye !

Liz referme son appareil d'un claquement.

— C'est elle que j'aime le moins, mais que peut-on y faire ? Nous avons besoin d'elle.

Elle lance un regard mauvais au téléphone quand il commence à vibrer presque immédiatement après qu'elle l'a déposé. Cette fois, elle l'ignore.

— Parlons de toi. Prête pour l'école mercredi ?

— Non, réponds-je d'une traite.

Je tire sur un bord effiloché de notre nappe. On dirait qu'elle a été brûlée.

— Tu as besoin d'une transformation, suggère Liz. Quelque chose qui te fera passer incognito lorsque tu seras là. Cela empêchera la bande de Lori et Austin de te rentrer dedans à propos du cours de conduite automobile. Austin vient de sortir de l'hôpital aujourd'hui, tu sais.

J'ouvre la bouche pour parler, mais Liz me bat de vitesse.

— As-tu expédié une carte à ton béguin préféré ?

Elle fait un clin d'œil.

— Sûrement pas, quand on pense que c'est toi qui l'a envoyé là-bas.

Elle rit.

— Mais sérieusement. Une transformation beauté est de mise. Nous devrions appeler Ken et lui demander de te faire une place. C'est moi qui paie.

Elle commence à composer le numéro.

SECRET D'HOLLYWOOD NUMÉRO DIX : Dans mon vrai monde, les vedettes se soumettent constamment à des transformations physiques et elles paient de leur poche. Quand une vedette subit une transformation physique pour un rôle dans un film, c'est le studio qui casque. Vous avez besoin de perdre dix kilos pour jouer les mannequins ? Apprendre l'accent russe pour incarner un espion ? Teindre vos cheveux pour le personnage d'un super héros ? Un studio de cinéma ou un producteur paie chaque cent pour cela. Il n'y a qu'une condition à cette règle : le changement que vous subissez doit servir à un projet précis ou à un rôle que vous interprétez. Si vous désirez une liposuccion pour le rôle de vos rêves, le chèque sort de votre chéquier personnel.

— Je ne veux pas aller voir Ken.

Je repousse l'offre de Liz.

— Je veux seulement passer inaperçue pendant un temps, jusqu'à ce que je puisse partir d'ici.

— Que veux-tu dire, « partir d'ici » ?

Liz me lance un regard bizarre.

— LC vient juste de me parler d'une fête sur Laurel Canyon. Nous devrons recommencer à sortir. J'ai besoin de ma complice. D'ailleurs, j'ai entendu dire que Lennon pourrait être présent.

Elle soupire.

— Imagine qu'il se souvienne de mon nom ? Je vais mourir.

Comme au son d'un signal, son téléphone vibre.

Elle regarde l'écran, mais elle ne répond pas tout de suite.

— C'est Violet ! Holly ! NYC.

Elle lève l'appareil comme pour me le prouver. Son visage s'effondre.

— Je veux te parler, mais…

Elle hésite.

— Non, je vais laisser l'appel passer dans ma boîte vocale. Je peux faire cela, n'est-ce pas ? Et si elles ne rappelaient plus ?

Elle a l'air tellement dévastée que je me sens presque mal pour elle.

— Réponds, insisté-je avant de m'emparer d'une autre pointe de pizza.

Cette Kaitlin n'a pas besoin de rentrer dans une taille 4 de sa garde-robe pour *Petites prises*. Je prends une bouchée et le fromage fondant brûle le fond de ma gorge. Je grommelle à travers ma douleur.

— Ne fais pas attendre Violet et Holly.

Liz sourit largement.

— D'accord. Je ne le ferai pas.

Puis, elle recommence à élaborer des plans pour notre semaine et notre week-end dans l'univers des parasites de célébrités.

Note à moi-même (écrite à la main puisque je n'ai plus de iPhone)

Vraie moi :
Découvrir pourquoi je suis ici.
Découvrir comment rentrer à la maison !!!!

Mon clone :
Trouver tenue dans placard pour l'école mercredi.
Graisser la patte à Matty et Liz pour qu'ils me donnent les primeurs sur ma vie à Clark Hall.

AF1122 « Essayer une nouvelle vie »

FONDU À L'OUVERTURE :

MALIBU – PITTORESQUE MANOIR DE STYLE ESPAGNOL

SAMANTHA, PAIGE et SARA visitent une hacienda avec une coûteuse piscine, un gigantesque salon, une cuisine dernier cri, des sols de marbre et des plafonds hauts. La maison est entièrement meublée d'un mobilier haut de gamme et d'antiquités. L'atmosphère est chaleureuse et invitante, un contraste frappant avec l'humeur de SAMANTHA.

AGENT IMMOBILIER NO 1

Comme vous pouvez le voir, cette maison possède trois foyers électriques. Un dans le salon, un dans la salle familiale et un dans la chambre principale, qui a aussi un Jacuzzi et un balcon privé surplombant la piscine.

SAMANTHA

Trois foyers ? Je suis certain qu'on s'en sert beaucoup dans le sud de la Californie.

PAIGE

(la voix tendue) Samantha…

SARA

Ce que je veux savoir, c'est où serait située ma chambre ? Au deuxième étage ? Si oui, y a-t-il par chance un palmier à l'extérieur que je pourrais en théorie escalader si, hum, je devais échapper à un incendie ?

PAIGE

Veuillez nous excuser. Mes filles ont vécu beaucoup d'émotions ces dernières semaines et parfois, je pense qu'aucun d'entre nous n'est prêt à déménager. À d'autres occasions, je crois que nous en avons besoin plus que tout.

SAMANTHA

Continue à te dire cela, maman. Cela t'aidera peut-être à te sentir plus à l'aise avec ton idée de nous déraciner de nos vies. Je comprends le besoin de trouver un nouvel endroit où vivre après l'incendie, mais pourquoi ne restons-nous pas plus près de la maison ?

AGENT IMMOBILIER NO 1

Bien, comme je le disais, cette maison fait 370 m^2 et possède cinq chambres à coucher, et une maison d'invités avec une chambre à coucher additionnelle, une petite cuisine et une salle de bain complète, qui pourrait facilement être transformée en espace à bureaux.

SARA

Pas de gym ? Voyons, maman.
Cet endroit ne conviendra pas.

PAIGE

Les filles… (Elle soupire en regardant l'agent.)
Pourrions-nous rester seules un instant ?

AGENT IMMOBILIER NO 1

Absolument. Je vais passer quelques appels dans la cuisine. Nous avons trois autres maisons à visiter après celle-ci, alors mangez un biscuit et gardez vos forces ! (Il rit d'une manière agaçante.)

SARA

Oh chouette ! Des biscuits Entenmann.
Maman, c'est épatant.

SAMANTHA

Tu peux le dire.

PAIGE

Les filles, qu'est-il arrivé à l'envie de vivre une grande aventure ? Quand vous étiez petites, vous vouliez toujours jouer à ce que vous appeliez « la vraie vie ». Vous vous déguisiez et faisiez semblant d'être des princesses en pays étrangers ou des héroïnes sauvant leur princesse des dragons.

SARA

Nous avons toujours eu un coup d'avance,
même à cette époque.

SAMANTHA

Mais c'était un monde de fantaisie, maman. Ceci est la vraie vie, et dans le vrai monde, déménager c'est la plaie. Je veux ravoir notre vieille maison. Je ne veux pas prendre un nouveau départ à Malibu et vivre sur la plage ! Je veux que ma vie reste la même.

PAIGE

Vraiment, Sam ? Tu veux que ta vie soit exactement comme maintenant ? Sans un seul changement ?

SAMANTHA

Oui.

SARA

(ricanant) Menteuse.

PAIGE

Ce que j'essaie de dire, c'est que pour quelqu'un qui aime autant sa vie, tu ne sembles pas très heureuse. Tu parais souvent stressée et fatiguée. Parfois, je pense que les quatre murs qui t'entourent vont s'effondrer sur toi tant tu donnes l'impression d'en avoir trop sur les épaules. Oui, ton amoureux te rend heureuse, ainsi que tes œuvres de charité, mais qu'est-ce qui fait TON bonheur, Sam? Qu'est-ce qui doit changer dans ta vie pour ramener ton sourire sept jours sur sept? (Sam ne répond pas.) Exactement ce que je croyais. Tu l'ignores. Mais ça va, Sam; que tu le découvres dans notre vieille maison ou dans une nouvelle demeure, je sais que tu trouveras ce qui te manque.

ONZE : *Déjà vu*

— Chérie ?

Maman est hésitante.

— Ne vas-tu pas sortir ?

Maman s'est garée dans la zone de débarcadère à Clark Hall, et je suis collée aux sièges en cuir par la terreur. Matty s'est glissé hors de la banquette arrière dès que nous sommes arrivés et il est parti en classe sans moi. J'imagine que malgré son peu de talent en société, même Matty le clone ne veut pas être vu avec la fille qui a apparemment mis fin à la carrière de crosse d'Austin Meyers. Un klaxon résonne furieusement derrière nous et sous peu, toute une symphonie de klaxons supplie maman de se déplacer. Elle ne peut pas. Je n'ai toujours pas quitté la voiture.

— Refais le tour, dis-je à maman d'un ton suppliant.

Je serre le sac rouge brillant sur ma poitrine. Ce n'est pas un sac d'école, mais quelque chose en lui me plaît, même si je n'arrive pas à mettre le doigt dessus. Je l'ai traîné partout. C'est apaisant, en quelque sorte.

— C'est la dernière fois, Kaitlin. J'ai déjà tourné en rond à trois reprises.

Maman me lance un regard profondément méprisant quand un autre conducteur appuie fortement sur son klaxon. Puis, elle ajuste sa blouse de travail bleue. (Ce matin, lorsqu'elle est descendue dans ses vêtements de travail et ses Crocs multicolores, j'ai presque craché mes Froot Loops à travers la table du petit déjeuner et j'ai commencé à rire. « Qu'y a-t-il de si drôle ? a-t-elle demandé, sur la défensive. Je sais que ce ne sont pas les fringues les plus belles au monde, mais je fais de mon mieux pour leur donner de la personnalité. » J'imagine que par ça, elle veut dire la barrette multicolore qui retient sa queue de cheval, mais sérieusement — maman coiffée avec une queue de cheval ?)

Je regarde par la vitre de « notre » voiture — un monospace Town & Country 2005, quelle horreur. Alors que la pittoresque Clark Hall disparaît encore une fois à la vue et que maman se joint à la file de véhicules et de limousines attendant de décharger leurs passagers, je me surprends à expirer légèrement.

Il y a eu une époque où j'ai rêvé de fréquenter l'école privée de Liz à temps plein. Cela me rappelle les universités où elle et Austin présentent des demandes d'admission en ce moment même dans un autre royaume. (C'est ma nouvelle théorie : je suis coincée dans un univers parallèle. Hé, c'est arrivé dans la rediffusion d'un épisode de Charmed que j'ai regardé hier soir !) Clark Hall repose sur dix acres de collines onduleuses et d'impeccables pelouses extrêmement vertes. L'école elle-même est composée de cinq manoirs en briques couverts de lierres (elle fut autrefois une résidence privée). La plupart des bâtiments sont reliés par des sentiers pédestres en briques à ciel ouvert qui sont protégés par de belles arches et des platebandes de fleurs épanouies. Des casiers argentés luisants bordent d'autres sentiers pédestres couverts. Heureusement, puisque j'ai vraiment été une étudiante ici — je devrais plutôt dire que j'en ai été une sous la peau d'une autre pendant une brève période —, je connais les environs.

— Kaitlin, je sais qu'il sera difficile d'affronter tes camarades, dit maman, mais ce qui est fait est fait. Tu ne peux pas changer le passé. Ta seule solution est de t'efforcer de te préparer un meilleur avenir.

Je me contente de fixer maman, mes paupières clignant rapidement.

— Wow, maman, c'était plutôt stimulant.

Ma véritable mère était stimulée, oui, mais stimulante… euh, pas vraiment, à moins qu'il s'agisse de m'expliquer comment j'allais faire une apparition dans deux émissions de variété en direct au cours de la même heure.

Maman sourit et manœuvre la voiture autour du coude. Nous sommes de nouveau à quatre voitures de la sortie.

— C'est la vérité. Présente tes excuses, sois contrite, et je promets que tout sera fini d'ici le week-end. Ton père et moi avons discuté avec la directrice Pearson et personne ne porte plainte. Ils savent que ce n'est pas exprès que tu as appuyé sur l'accélérateur au lieu du frein. Le fait que tu as blessé quelques étudiants est une erreur extrêmement déplorable, mais tout de même une erreur. N'est-ce pas ?

Je hoche la tête avec incertitude. Qui sait à quoi pensait cette Kaitlin-ci ? Chaque fois que quelqu'un laisse échapper un nouveau détail sur ma façon de me comporter ici, j'ai un mouvement de recul.

Maman me caresse la joue.

— Je suis seulement contente de te voir hors de ta chambre.

Pendant que je regardais ma quatrième heure des épisodes en rafale de *Charmed* hier soir dans mes survêtements vieux de trois jours avec dans mes mains une boîte de biscuits Oreo vide que je ne me rappelle pas avoir mangée, j'ai eu une révélation : je ne vais pas découvrir ce qui m'est arrivé en restant dans cette chambre pour le reste de mon existence. Si je veux sortir de ce rêve/royaume/coma/purgatoire, je dois quitter la maison. Et peut-être, durant mon temps ici, puis-je faire un peu de bien ? Comme enseigner à Matty comment utiliser du gel coiffant pour les cheveux et amener Liz à voir que traîner avec les acteurs de *Jersey Shore* n'est pas quelque chose à quoi elle doit aspirer.

Alors, me voici.

Encore une fois, maman avance lentement la voiture devant le débarcadère et se gare. Elle me regarde avec impatience.

— Kaitlin, il est temps, dit-elle gentiment, mais fermement. Si tu as besoin de moi, appelle. L'infirmière de l'école a tes analgésiques si tu en as besoin, d'accord ?

Plus moyen de l'éviter. J'attrape mes béquilles (ma cheville restera dans le plâtre pendant quatre semaines) et j'ouvre la portière. Si j'avais deux bonnes jambes, je pourrais peut-être me lever et m'enfuir en courant.

— Oh, chérie ?

Maman abaisse la vitre de la voiture et me rappelle.

— La directrice Pearson aimerait discuter un peu avec toi avant ton premier cours, d'accord ?

Je hoche la tête. C'est tout à fait d'accord. Je suis toujours contente de voir la directrice P. et je l'adore. Je prends une profonde respiration et avance dans l'air frais de décembre. Je serre mon caban très fort autour de ma poitrine, fais glisser mon sac de livres sur mon épaule et utilise les béquilles pour clopiner le long du sentier. Je porte une longue tunique verte que j'ai découverte dans la commode de Kaitlin le clone, un legging noir et une écharpe multicolore autour du cou. Je ne peux pas faire passer la majorité de mes jeans par-dessus mon plâtre, alors je porte des jupes et des pantalons larges ou des leggings. Aussi, je ne peux pas enfiler deux souliers. Mon bon pied chausse une ballerine. L'autre voit mes orteils remuer à travers le plâtre. Tout de même, au moins j'ai bonne allure pour ma marche vers la mort. Je surprends les gens à me fixer et je baisse immédiatement les yeux et avance rapidement. C'est une technique que je maîtrise bien après toutes mes rencontres-surprises avec les paparazzis.

— C'est elle.

— Oh mon Dieu ! Kaitlin Burke est de retour.

— Regarde qui a eu le culot de se montrer.

Arg. Cela ne va pas être amusant. Mais quel choix ai-je ? Je dois comprendre ce que je fous ici si je veux du changement. Et changement est le mot opérationnel. La première chose que je veux en quittant le bureau de la directrice Pearson est de trouver Austin le clone et lui présenter mes excuses.

Austin.

Le simple fait de prononcer son nom me donne mal au ventre et des papillons en même temps. Je l'ai appelé tous les soirs, mais personne ne répond. Peut-être qu'en demandant pardon pour m'être montrée égoïste et avoir fait courir un danger aux deux Austin, tout sera oublié, et que je me réveillerai de nouveau dans le vrai monde.

Je trouve mon chemin sans difficulté jusqu'au bureau principal, mais je suis incapable de concevoir une façon d'ouvrir la porte tout en manipulant mes béquilles.

— C'est Kaitlin ! Quelqu'un a-t-il averti Lori de son retour ?

Déplace une béquille à gauche, essaie de maintenir l'équilibre sur ton pied droit sans béquille. Attrape la poignée de porte. Nan. Ça ne fonctionne pas.

— J'aurais tellement changé d'école, pas toi ?

Utilise les deux mains pour saisir la poignée. OK ; ensuite quoi ? Comment vais-je entrer sans mes béquilles ?

— Rentre à la maison, Burke ! crie quelqu'un.

Formidable, je suis une lépreuse. Comment suis-je censée aller au fond de l'histoire de Kaitlin le clone si je ne peux pas passer dans une porte ?

— Besoin d'un peu d'aide ? me demande un concierge avant de tenir la porte ouverte.

Je souris avec gratitude et me dirige vers le bureau, mais dès que je m'élance, je me dis que j'aurais aimé utiliser mes béquilles comme une perche pour bondir hors d'ici. Les secrétaires cessent de parler, les professeurs qui bavardaient près de la cafetière me fixent intensément, et je jure que même les téléphones arrêtent de sonner. Puis, je vois mon professeur d'histoire doublé de mon instructeur de conduite automobile, monsieur Michaels, et oohh... son visage a l'air vraiment douloureux. Son œil gauche est tuméfié, il a des coupures sur les bras, et sa main droite est bandée. Matty a dit qu'il s'est frappé le visage contre le tableau de bord quand j'ai stoppé violemment sans crier gare. Il se sert de sa main indemne pour tirer sur son bouc poivre et sel.

— Mademoiselle Burke, lance-t-il avec raideur, puis il rassemble vite ses papiers comme s'il était possible que j'essaie de lui rentrer dedans avec mes béquilles. J'espère vous voir en troisième période.

J'ai histoire en troisième période ! D'accord, au moins je sais où aller pour un cours.

— Monsieur Michaels, je souhaite seulement vous demander pardon, commencé-je.

Monsieur Michaels pousse ses verres cerclés de fer sur son long nez.

— Je ne veux pas discuter de ceci devant un public, Mademoiselle Burke. Si vous avez quelque chose à me dire, prenez un rendez-vous après les cours.

Il se fraie un chemin vers la porte du bureau, se cognant presque contre le concierge sans voix et disparaît dans le couloir bondé. Inutile de dire que j'ai le sentiment que je n'obtiendrai pas un A cette session.

— Kaitlin Burke ? La directrice Pearson va vous voir maintenant, déclare l'une des secrétaires.

Je ne pense pas avoir jamais marché aussi vite sur mes béquilles. Alors que je passe la porte en clopinant, je remarque que le bureau de la directrice P. est identique à ce qu'il était lorsque j'étais étudiante. Des plaques sont suspendues sur le mur derrière son bureau encombré en acajou et un téléviseur à écran plat est accroché au mur opposé. La directrice P. est confortablement appuyée sur le dossier de sa chaise, si captivée par ce qu'il y a à la télévision qu'elle me voit à peine entrer. Elle a la même apparence que dans le vrai monde — petite et grassouillette avec des cheveux noirs grisonnants et un style bizarre. Aujourd'hui, elle porte une robe vert lime à petits pois qui me donne un peu le vertige.

— Je, euh, suis avec toi tout de suite, Kaitlin, m'informe la directrice P. à voix basse.

Elle agite la main comme un contrôleur aérien vers une chaise en cuir devant son bureau. Je pose mon sac sur la chaise à côté et fige quand j'entends la voix de Sky.

Oh chouette! Des biscuits Entenmann. Maman, c'est épatant.

Tu peux le dire.

La deuxième réplique devrait être la mienne, mais à la place, je grince des dents lorsque j'entends Alexis. Mes ongles s'enfoncent dans le sac de livres à côté de moi pour retenir mon cri. *Affaire de famille* s'interrompt pour une publicité, et la directrice P. prend la télécommande du magnétoscope et presse sur le bouton d'avance rapide. Elle doit y regarder à deux fois quand elle se tourne et se rappelle que j'attends.

— Je suis désolée! dit-elle en gloussant. Je me perds tellement dans cette émission parfois. Idiot d'aimer autant un feuilleton, je le sais.

— Pas du tout, la contredis-je, sentant le besoin de défendre mon héritage, même si, en ce moment, il ne m'appartient pas.

Voici ce que j'ai résolu du mystère *Affaire de famille* le clone. L'émission est toujours diffusée, mais les intrigues sont celles que j'ai tournées dans le passé. C'est comme si chaque saison est mélangée.

— J'adore *Affaire de famille*. Cela n'a jamais été un simple feuilleton télévisé de soirée, même si les gens essaient de le rabaisser comme tel.

— C'est toujours ce que je dis, acquiesce la directrice P. par solidarité. Je deviens tellement furieuse quand les gens la traitent de navet ! *AF* a été la première émission à mettre en vedette un couple gai pendant les heures de grande écoute.

— Et ils ont réalisé quelques intrigues révolutionnaires à propos de couples transgenres et du changement climatique, lui rappelé-je.

La directrice P. se fend d'un immense sourire.

— J'ignorais totalement que tu étais aussi une fana de *Famille* !

C'est ainsi que se désignent les admirateurs eux-mêmes. Ils formaient un groupe très fidèle. La directrice P. aurait pu assurer la présidence de leur fan-club. Elle était la seule autre personne à part Liz qui connaissait ma véritable identité quand je fréquentais Clark, et elle avait l'habitude d'essayer de me soutirer des informations sur *AF*.

— J'ai adoré cet épisode, en passant, m'extasié-je, pointant l'écran.

La directrice P. rayonne.

— Il est excellent, n'est-ce pas ?

— Il me semble que Samantha a enfin réussi à sortir un peu de sa zone de confort cette saison-ci, vous savez ?

C'est un soulagement de discuter d'*AF* sans que quelqu'un me présente une camisole de force.

— C'était l'un de mes scénarios préférés lorsqu'ils ont décidé qu'elle se mettrait dans tous ses états et refuserait de déménager à Miami.

Je souris, attendant sa réponse.

À la place, la directrice P. me fixe, la bouche légèrement ouverte.

— Je, c'est juste… ils ont déménagé à Miami il y a deux saisons de cela et ils sont revenus la saison dernière. Là, le manoir a de nouveau brûlé et ils pensent à déménager à Malibu.

Hein ?

— Oh. J'imagine que j'ai mélangé cet épisode avec un plus ancien.

La directrice P. rougit.

— Il ressemble un peu à l'épisode qu'ils ont tourné quand elles ont visité leur nouvelle maison à Miami, n'est-ce pas ?

Elle se tord les mains.

— Mon Dieu, mon amie Shelly a raison. Les belles années d'*AF* sont derrière elle !

J'oublie sans cesse que je suis la seule à déjà connaître ces intrigues. Je ris de bon cœur.

— Non, c'est faux, insisté-je lorsque je remarque à quel point elle est bouleversée. Je me suis simplement embrouillée. Dernièrement, j'ai lu tous les comptes-rendus de ces épisodes dans le magazine *Admirateurs d'AF*.

Elle semble pleine d'espoir.

— Ils ne déménagent pas à Malibu, alors? Je pense que l'émission excelle quand ils vivent dans le manoir, mais Shelly a lu en ligne qu'Alexis meurt d'envie que l'émission se tourne dans des sites à la plage encore une fois. Elle obtient un plus beau bronzage sous la lumière naturelle du soleil.

À présent, c'est mon tour de cligner rapidement des paupières.

— Je ne sais pas.

Elle grimace.

— Les intrigues ne sont tout simplement pas aussi bonnes cette année. Malgré tout…

Elle regarde de nouveau le téléviseur lorsque l'émission reprend.

— Il ne reste que cinq minutes à l'épisode. Cela te dérange-t-il si nous le terminons ?

— Bien sûr que non, réponds-je, même si cela me tue de regarder Alexis incarner, bien, moi.

La directrice P. presse sur le bouton « lecture » et nous regardons toutes les deux en silence. Paige se tient debout, l'air de la mère parfaite, comme toujours. Mon Dieu, Melli me manque.

Les filles, qu'est-il arrivé à l'envie de vivre une grande aventure ?

Je suis captivée par le dialogue. Certaines répliques sont pareilles à celles que nous avons prononcées quand nous visitions des maisons à Miami. Mon Dieu, les auteurs n'ont pas pu trouver quelque chose de neuf ? Comment réussissent-ils à se tirer d'affaire tout en se plagiant eux-mêmes ? D'autres répliques sont toutes nouvelles.

Je ne veux pas prendre un nouveau départ, entends-je Alexis. Ce n'est pas une bonne actrice, mais je me fige en écoutant les mots sortant de sa bouche. ***Je veux que ma vie reste la même.***

Pendant que Paige prononce un discours censé être réconfortant, je me surprends à m'y laisser prendre, écoutant chacun de ses mots, comme si elle me donnait un conseil à moi personnellement.

Oui, ton amoureux te rend heureuse, ainsi que tes œuvres de charité, mais qu'est-ce qui fait TON bonheur, Sam ? Qu'est-ce qui doit changer dans ta vie pour ramener ton sourire sept jours sur sept ? (Sam ne répond pas.) Exactement ce que je croyais. Tu l'ignores. Mais, ça va, Sam ; que tu le découvres dans notre vieille maison ou dans une nouvelle demeure, je sais que tu trouveras ce qui te manque.

— Kaitlin, est-ce que ça va ? me demande la directrice P. depuis ce qui me semble un endroit lointain, mais je ne réponds pas.

Mon cerveau fonctionne à toute vitesse.

Ai-je besoin d'un changement dans mon monde ? J'ai tellement manqué d'assurance depuis la fin d'*AF* parce que je pensais que cela signifiait la fin du monde tel que je le connais. Toutefois, depuis ma position présente, je constate que c'était vraiment pour le mieux. J'ai essayé tant de merveilleuses nouvelles choses depuis *AF* — j'ai eu l'occasion de monter sur les planches à Broadway, je fais partie de *Petites prises*, je vais tourner un film de James Cameron. Je suis devenue tellement angoissée à propos de ce qui ne fonctionne pas dans ma vie, j'imagine que j'ai été aveugle à la chance que j'ai réellement.

— Je vais bien. Je suis seulement captivée par le dialogue.

Je refoule mes larmes.

— Je suis encore un peu à côté de la plaque. Mon esprit est embrouillé et je n'arrive pas à me souvenir de mon horaire.

— Pauvre petite !

Elle tape rapidement quelque chose à l'ordinateur, et l'imprimante à côté se met en marche.

— Je peux m'occuper de cela. Je vais t'en imprimer une copie tout de suite.

— Merci, réponds-je avec gratitude.

— Veux-tu un mouchoir ?

La directrice P. m'en tend un et me regarde de ses grands yeux gris et tristes.

— J'ai pensé que tu aurais un peu la larme facile aujourd'hui. Je suis peut-être directrice, mais je suis à l'écoute du corps étudiant et je sais ce que tout le monde dit.

Elle sourit tristement, et je remarque que son rouge à lèvres rouge est appliqué un peu de travers.

— J'ai déjà fait une annonce au corps étudiant à propos de l'accident de la semaine dernière. Je veux que les potins cessent. Il s'agissait d'un accident, rien de plus. Monsieur Michaels va bien et les autres garçons n'ont pas été blessés. Austin Meyers ira bien, merci mon Dieu, même s'il ne peut pas jouer à la crosse ce printemps. J'espère qu'à la place, il dirigera notre carnaval printanier et que cela lui fera oublier les sports. Nous ramasserons beaucoup d'argent avec le kiosque « faites prendre un bain à une célébrité » que le père de Liz Mendes nous aide à organiser.

— Cela attire beaucoup les gens, acquiescé-je.

Liz m'a obligée à participer l'an dernier, et j'ai passé plus de temps dans cette eau dégoûtante que dans la chaise au-dessus.

— Merci de m'avoir réconfortée, Madame Pearson.

— Je t'en prie.

Elle rougit.

— Parlons de quelque chose de plus agréable. As-tu entendu parler de quoi que ce soit d'intéressant sur le plateau ? Je sais que tu fais un stage dans l'émission. Cela doit être extraordinaire.

— Extraordinaire, répété-je, ma bouche se tordant devant l'ironie.

Nous sommes tellement occupées à bavarder que je ne remarque pas que les deux premières périodes passent. La directrice Pearson est fascinée par mes histoires sur les acteurs (« Mon groupe de fanas de *Famille* serait renversé s'il entendait cela ! ») et elle me « rafraîchit » la mémoire à propos des nouvelles intrigues de cette saison. Toute l'émission semble avoir été chamboulée, et je dois me mordre la lèvre très fort pour me retenir de crier quand elle m'apprend ce qui se passe. Tante Krystal a une liaison avec le personnage de mon père ? Paige quitte Dennis pour le chef de la direction d'un empire rival ? Sara sort avec un professeur ? BEURK. Le Tom Pullman que je connais n'aurait jamais approuvé ces intrigues. Je n'arrive pas à croire que les gens puissent vraiment regarder ces foutaises ! Après avoir discuté *AF*, nous passons aux célébrités, et la directrice P. me demande — à moi, la stagiaire du studio — ce que j'ai entendu sur les chirurgies esthétiques, les rumeurs, les liaisons et les problèmes d'argent des différentes vedettes.

— Cette Melli Ralton est éblouissante. Tout simplement éblouissante ! s'émerveille-t-elle à propos de ma mère à la télévision. J'ai entendu dire que cela ne repose pas entièrement sur de bons gènes, par contre.

Elle pointe son nez et sa poitrine.

— Toutefois, Melli déclare dans tous les articles qu'elle n'a jamais eu recours à la chirurgie esthétique, alors j'imagine que nous ne le saurons jamais vraiment.

Moi, je le sais.

SECRET D'HOLLYWOOD NUMÉRO ONZE : La chirurgie esthétique reste un sujet tabou à Hollywood, particulièrement pour les femmes. Il y a deux camps à propos de la chirurgie esthétique : il y a les Heidi de ce monde qui utilisent leur temps sous le scalpel pour obtenir des pages couvertures de magazines et générer des sujets de conversation autour de la fontaine d'eau. Puis, il y a le reste d'Hollywood, ceux qui jurent que leur peau est aussi parfaite que les fesses d'un bébé, même à l'âge de cinquante-cinq ans. Vieillir constitue une inquiétude pour toutes les vedettes, mais les femmes ont tendance à subir le gros du fardeau. C'est pourquoi elles sont si nombreuses à recevoir un petit déridage, une plastie abdominale mineure, puis à disparaître pendant un mois et voilà ! Elles sont comme neuves ! Enfin, elles le croient. Personnellement, je ne me tournerais jamais vers la chirurgie esthétique. Je déteste cette expression de surprise qu'arborent tant de vedettes après avoir reçu un déridage du visage. Dans le cas de Melli, elle y a eu recours, mais elle ment pour protéger sa carrière. Si Melli avoue une chirurgie des seins ou un déridage des paupières, certains agents de distribution pourraient ne pas lui donner l'heure. Melli sait garder le silence afin d'obtenir des rôles en or.

La mâchoire de la directrice P. se décroche quand je finis d'exposer ma théorie.

— Comment sais-tu tout cela ?

Hum... C'était peut-être un peu trop d'informations privilégiées venant d'une stagiaire.

— J'écris une dissertation sur la culture de la célébrité pour mon cours de psychologie, mens-je.

L'interphone sonne et nous sursautons.

— Madame la directrice Pearson? Madame Jasons dit que Kaitlin ne s'est pas présentée pour son rendez-vous. Elle veut savoir si elle est venue à l'école aujourd'hui et si elle est dans votre bureau. Vous étiez censée l'accompagner à son rendez-vous pendant la première période.

Ma directrice regarde sa montre Timex.

— Oh mon doux! Regardez l'heure.

Elle agite un doigt sous mon nez.

— Je t'ai fait rater presque deux périodes et je n'ai toujours pas abordé ce dont je devais discuter avec toi. Peu importe. Nous dirons à tes professeurs que nous avions beaucoup de choses à voir ensemble.

Elle me décoche un clin d'œil.

— N'en touche pas un mot à madame Jasons, c'est tout.

Elle presse le bouton de l'interphone et demande à son assistante de nous envoyer madame Jasons.

Qui est madame Jasons? Je tente le coup, espérant que la directrice P. me donnera un indice.

— Madame Jasons est-elle ici pour parler de l'accident?

Madame la directrice P. gigote un peu en se rassoyant derrière son bureau et éteint le téléviseur.

— Non. Nous avions organisé cette réunion avec toi avant que l'accident se produise. Pour être franche, Kaitlin, elle s'inquiète. Tu n'as sollicité aucun rendez-vous avec elle à propos des demandes d'admission à l'université et elles sont dues dans quelques semaines.

Je soupire et m'affale un peu dans ma chaise. Le sujet de l'université surgit peu importe où je me trouve.

— Oh.

— Nous allons démêler tout cela, dit-elle en croisant les mains sur sa large poitrine.

Je remarque que son vernis à ongles rouge est la même couleur que mon sac brillant.

Il y a un coup frappé à la porte, et la directrice P. fait signe à une petite blonde mince aux longs cheveux blond cuivré avec une frange fine et clairsemée d'entrer. Elle nous sourit. Il doit s'agir de madame Jasons.

— Kaitlin, j'espère que tu te sens mieux depuis ton accident, lance gentiment madame Jasons.

— Oui, merci.

Je me déplace d'un air gêné dans ma chaise et elle craque.

— Je suis désolée de te soumettre à cela le premier jour de ton retour, mais c'est plutôt urgent.

Elle laisse tomber une pile de dossiers sur le bureau de la directrice P.

— À ce jour, tu n'as remis aucune demande d'admission pour l'université. Elles sont presque dues, alors j'ai pensé que nous pouvions discuter de celles pour lesquelles tu as exprimé un petit intérêt.

Elle en répartit quelques-unes en éventail devant moi.

— Je serais heureuse de revoir les questions de dissertation si tu le désires. Si je t'accorde un délai de deux semaines, nous aurons le temps de faire des corrections, si nécessaire.

Je me demande si madame Jasons incarne la version de Nadine dans cette réalité. Je fixe la grosse pile et mes yeux deviennent vitreux. J'imagine que la moi dans cette réalité n'est pas certaine non plus de ce qu'elle veut faire à propos de l'université.

— Je vais m'en occuper, mens-je, puis je prends le dossier du dessus.

Université de Boston. Oh ! Cela semble joli. Austin aime Boston... non. Non. Je dois me concentrer ! Ce qui est important, c'est de rentrer à la maison. D'ailleurs, le problème est le même là-bas : je suis trop prise pour m'inquiéter de cela. De toute façon, quand aurais-je le temps de remplir d'autres demandes que celle pour USC que j'ai promise à Nadine ?

Madame Jasons fait claquer sa langue.

— Oui, bien, tu as déjà dit cela et tu n'as rien remis.

Elle me regarde sévèrement, et je suis légèrement terrifiée.

— Je ne veux pas que tes demandes soient en retard, Kaitlin. Tu es la seule de mes étudiantes qui n'a pas terminé ce devoir. Comme tu le sais, Clark Hall détient un record sans précédent pour ses diplômés. Cent pour cent de la classe des élèves de terminale vont à l'université. Je détesterais perdre ce record. Je pense que nous nous sommes montrés plus que patients — elle regarde la directrice Pearson —, mais je serai obligée d'appeler tes parents si tu ne remets pas tes demandes.

Je sens ma peau commencer à picoter. C'est le même problème que je vis dans le monde réel ! Je croise les bras d'un air de défi.

— Je ne veux pas me montrer impolie, Madame Jasons, mais la décision de fréquenter l'université me revient, et à personne d'autre.

— C'est vrai, intervient doucement la directrice Pearson, mais ne veux-tu pas aller à l'université, Kaitlin ?

Je détourne le regard.

— Je ne suis pas certaine.

Elle soupire.

— Je ne veux pas entrer dans ta vie privée, mais j'ai longuement discuté avec tes parents. Ils souhaitent que tu profites de la meilleure éducation que l'argent peut te procurer, et c'est pourquoi ils ont tellement économisé pour vous envoyer à Clark Hall cette année, ton frère et toi. Ils désirent que tu puisses tirer le meilleur parti de toi-même.

— Et ce n'est pas le cas ? me découvré-je à insister. Mais je n'ai pas besoin de fréquenter l'université pour que cela se produise. Les gens peuvent décrocher d'excellents boulots sans cela, vous savez. Si je trouve un métier pour lequel je suis douée et qui ne nécessite pas de diplôme universitaire, actrice, par exemple, pourquoi devrais-je mettre cela de côté pour aller à l'école ?

— Aller à l'université ne sert pas uniquement à trouver une carrière, Kaitlin, explique madame Jasons.

Elle joue avec le stylo en argent dans sa main, l'ouvrant et le refermant d'un clic.

— Cela sert à découvrir qui tu es.

Elle se penche plus près et j'observe tout son visage s'éclairer à mesure qu'elle parle.

— L'université te donne l'occasion d'étudier des sujets que tu ne verrais probablement pas autrement. La philosophie, la mode, la littérature du XIXe siècle, les mythes grecs. Il y a des cours que tu ne peux même pas imaginer ! Puis, bien sûr, il y a l'aspect social. À l'université, tu rencontreras des gens de tous les milieux et de toutes les origines. Tu apprendras des points de vue que tu n'aurais possiblement jamais découverts si tu n'étais pas sortie de ton propre monde.

Elle sourit.

— Tu pourrais bien aussi apprendre quelques petites choses sur toi-même. Tu découvriras peut-être qu'en fin de compte, tu ne désires pas devenir professeur d'histoire. Après quelques semestres de psychologie, tu prendras peut-être conscience que ton domaine, c'est plutôt psychologue dans une école.

Je vois la rougeur gagner ses joues alors qu'elle repousse délicatement sa frange de ses yeux.

— Du moins, c'est ce qui m'est arrivé.

Wow. Je dois admettre que je me suis un peu pâmée d'admiration en entendant ce discours passionné. Si elle ment simplement pour m'inciter à remplir les demandes d'admission, alors elle devrait immédiatement obtenir un rôle dans *AF*.

Cependant, pourquoi mentirait-elle ?

Il se peut que l'université concerne bien autre chose que le simple fait de trouver une carrière. J'ai toujours voulu en savoir plus sur les mythes grecs et la philosophie… et quand j'y songe, ce que j'aimais le plus à Clark Hall il y a une éternité était en fait d'être assise à un bureau, entourée de gens pris par une discussion passionnée. Lorsqu'on est seule à seul avec un tuteur toute sa vie, l'unique débat qu'on a sert à décider si l'on peut remettre un examen-surprise pour réaliser une entrevue téléphonique avec People.

— Un diplôme universitaire ouvre les portes qui autrement resteraient closes, poursuit madame Jasons. Je pense que c'est formidable que tu t'intéresses au métier d'actrice, mais c'est très difficile de percer dans ce milieu. Ne souhaites-tu pas un plan de rechange au cas où cela ne fonctionnerait pas ? C'est ce que te donnerait un diplôme combiné — en théâtre et un autre programme majeur.

Elle tapote encore une fois la pile.

— Voici ce que je te propose. Choisis une demande. Juste une. Fais-le, et je ne téléphonerai pas à tes parents. Si tu passes au travers de la première demande, il se peut que je puisse te convaincre d'en compléter d'autres.

Elle sourit largement.

— Au moins, je peux essayer.

Je fixe les dossiers.

— D'accord, acquiescé-je.

Je sors à l'aveugle une demande du milieu de la pile. Quand je baisse les yeux dessus, mes yeux s'écarquillent.

Université Southern California.

C'est l'école que Nadine veut que je fréquente ! Et le dossier est exactement le même que celui que m'a remis Nadine ! Comme c'est étrange !

— C'est une bonne école, Kaitlin.

Madame Jasons hoche la tête en guise d'approbation.

— Elle serait chanceuse de t'avoir. Tu n'auras aucune difficulté avec cette demande ou la dissertation.

— S'agit-il de : « Est-ce que la vie vous change ou est-ce vous qui changez votre vie ? » demandé-je en retenant mon souffle.

Madame Jasons semble étonnée.

— Bien, oui, comment le savais-tu ?

La cloche sonne, et la directrice Pearson me regarde.

— Nous devrions vraiment te laisser partir en classe, Kaitlin. Je vais informer tes professeurs des trois premières périodes que je t'ai retenue.

Je prends le dossier USC et regarde madame Jasons.

— Nous restons en contact, dit-elle. Viens me voir si tu as besoin d'aide, mais je suis certaine que ce ne sera pas le cas. Donnons-nous comme objectif de tout réviser la semaine prochaine, d'accord ?

Je hoche la tête.

Quand je quitte les bureaux et me dirige vers le couloir bondé, je me sens plus légère, je ne sais pourquoi. La demande d'admission pour USC est rangée dans mon sac, et je pose ma main dessus à travers mes béquilles.

Je ne mentais pas à propos de la remplir pour madame Jasons. Dans le vrai monde, je n'ai complété aucune demande, mais tout à coup, je veux m'y mettre. Je ne sais peut-être pas comment je réussirais à filmer une émission qui nécessite des journées de tournage de seize heures et à aller à l'université, mais je veux tenter le coup. Nadine serait ravie de m'entendre dire cela.

Pour la première fois depuis mon arrivée ici, je me sens… excitée. Je ne sais pas si c'est d'avoir écouté ce discours dans *AF* à propos de l'avenir ou les paroles d'encouragement enthousiastes de madame Jasons, mais il se trouve que je suis convaincue qu'il y a une raison à ma présence ici pour l'instant. Même les regards mauvais jetés dans ma direction par mon entourage ne peuvent me décourager. Cette demande pour USC doit être un signe indiquant que je partirai d'ici. Il le faut. Je ne reçois jamais de signe. Ce serait plutôt moi qui…

— AÏE !

J'étais tellement occupée à me parler dans ma tête que j'ai oublié de regarder où j'allais. Maintenant, j'ai accidentellement planté ma béquille dans le pied de quelqu'un.

— Je suis si désolée. Es-tu…

Je lève les yeux pour demander pardon et j'inspire brusquement.

— AUSTIN.

Austin. Mon Austin se tient droit devant moi.

DOUZE : *Les apparences sont trompeuses*

Austin se tient droit devant moi, et mon pied indemne est collé au trottoir à cause d'un mélange de panique, de terreur et de pure excitation alimentée par l'adrénaline.

Je ne sais pas comment réagir. Mon instinct me souffle d'éclater en pleurs, de lancer mes bras autour de lui et de m'exclamer en sanglotant : « Dieu merci, tu vas bien ! » en le répétant encore et encore, accompagné de « Je suis si désolée, SI désolée. » Je veux que cet Austin et son double quelque part dans l'autre univers sachent cela, encore plus que je veux partir d'ici. Mais piquer une crise comme celle-là serait un peu trop théâtrale, même pour une actrice comme moi.

— Euh, pourrais-tu retirer ta béquille de mon pied valide ? demande Austin sans mettre de gants.

— Oh, ouais ! Désolée.

Je ne peux pas m'arrêter de le fixer du regard. Il y a tellement de pensées qui défilent dans mon esprit, comme celle qui me conseille d'embrasser Austin aussi passionnément que je le peux et de ne pas le lâcher. Toutefois, ce serait vraiment inapproprié.

Merde.

— C'est mieux, dit-il après que j'ai levé ma béquille, puis il sourit.

Il sourit !

— Je me demandais quand j'allais te voir, ajoute-t-il comme si nous étions amis.

Sommes-nous amis, ici ?

— Je voulais te parler avant que toute cette histoire prenne une tournure incontrôlable, tu sais ?

Je ne suis pas très attentive à ses propos, car tout ce à quoi je peux penser, c'est qu'après une semaine à imaginer ce moment, Austin est juste ici ! Debout devant moi ! J'admire chaque centimètre de lui depuis sa tête blonde jusqu'à ses orteils — d'accord, son plâtre. Aïe. Tout son pied gauche est plâtré, et il marche avec des béquilles, tout comme moi. C'est moi qui lui ai fait cela. Je suis la cause du plâtre d'Austin, autant ici que dans le monde véritable, probablement, et la culpabilité ne partira pas, peu importe combien de fois je demande pardon. Le reste d'Austin semble bien, heureusement. Ses cheveux sont exactement les mêmes — longue frange, mèches légèrement ondulées —, et son visage a ce rayonnement de celui qui a reçu la caresse du soleil pendant ses longues heures passées sur un terrain de jeu boueux. Je ne reconnais pas sa tenue, mais je l'aime bien. Il porte un pull rouge Abercrombie et un pantalon de nylon marine qui est roulé sur sa jambe gauche.

— Je... je... Est-ce que tu vas bien ? demandé-je avec nervosité.

— Si tu considères que porter un plâtre, c'est bien aller, répond-il en montrant sa jambe avec un petit haussement d'épaules.

Cependant, à sa façon de le dire, cela ne paraît pas méchant. Simplement factuel. Cette conversation se déroule mieux que je ne l'aurais cru.

— Je suis tellement désolée, lâché-je. Je ne sais pas ce qui s'est passé !

Littéralement.

— Une minute, nous roulions en voiture et la suivante le monde s'est retourné sens dessus dessous. La dernière chose que je voulais était de te blesser.

Il me lance un regard étrange.

— Que quiconque soit blessé, clarifié-je.

— Je sais.

Il expire brusquement.

— Tu n'arrêtais pas de dire ça pendant qu'on nous mettait dans l'ambulance. Pourquoi voudrais-tu me renverser ? Nous sommes amis, en quelque sorte.

Nous sommes amis ! C'est un bon signe et pourtant, nous sommes seulement amis. Hum !

Austin soupire.

— Du moins, nous étions amis.

Ah. Nous y voici. Il me laisse tomber en tant qu'ami pour l'avoir renversé en voiture.

Il fait courir ses doigts à travers sa tignasse blonde et détourne les yeux une seconde.

— Je veux que nous soyons amis, mais c'est difficile. Je te l'ai déjà dit. C'est dur.

Je hoche la tête, même si j'ignore de quoi il parle, et il me lance un regard coupable.

— Ne me regarde pas ainsi.

— Comme quoi ? demandé-je, étonnée.

— Comme si tu étais déçue, répond-il. Je sais que j'ai des problèmes, mais toi aussi, tu sais.

Oh, je sais.

— Tu es devenue obsédée par l'idée d'être aussi populaire que moi, me rappelle Austin.

— Ah oui ?

Peut-être ne me laisse-t-il pas tomber. Peut-être... qu'il s'agit d'une conversation que lui et moi avons commencée avant que je le renverse ?

— Ouais, rétorque Austin. Tu ne fais pas partie du groupe des étudiants populaires ici, et cela fait en sorte qu'il nous est difficile de passer du temps ensemble, mais tu endosses quand même ce goût de la popularité. Toutes vos conversations à toi et Liz tournent autour de la manière d'aller à des fêtes d'Hollywood et de fréquenter des vedettes comme Lauren Cobb et Ava Hayden. Tu me dis de ne pas me laisser embobiner à faire ce qui est populaire, de ne pas laisser les gens de Clark Hall diriger ma vie, mais tu fais la même chose toi-même. Je ne te comprends pas, Kaitlin Burke.

Euh… mettons les choses au clair : Austin et moi ne sortons assurément pas ensemble, mais il pourrait y avoir quelque chose entre nous que nous ne pouvons ni l'un ni l'autre concrétiser parce qu'il est immensément populaire et moi non (sans parler du fait qu'il a une petite amie). Et je le refroidis avec ma fascination à devenir quelqu'un à Hollywood.

Wow. Ma relation avec Austin dans ce monde est tellement différente de celle à la maison.

— Je ne me comprends pas non plus, parfois, lui dis-je, ce qui est la vérité. Oublie tout le reste pendant une minute. L'important est que je suis désolée. Pour tout.

— Je sais cela.

Voilà le sourire que j'aime ! Soupir.

— Est-ce que cela signifie que tu n'es pas fâché contre moi ? demandé-je avec espoir.

Austin s'appuie sur une béquille.

— Je l'étais, je voulais l'être, mais je ne peux pas rester en colère contre toi.

Bon, qu'est-ce que ça veut dire ? Quel était notre historique avant l'accident ? Nous discutions en secret de notre désir de sortir ensemble, mais il craignait l'opinion de ses amis ? J'aimerais connaître la vérité, mais mon cœur bat si fort que je pense qu'Austin peut l'entendre.

— Mais si ce n'était pas de toi, je serais en route pour une partie contre Southside dans une heure, ajoute Austin.

Je baisse les yeux sur mes pieds — celui dans un plâtre et l'autre chaussé d'une ballerine.

— Je n'arrive pas à croire que tu ne peux pas jouer. Ont-ils dit pour combien de temps ?

— Au mieux, deux mois, au pire, pas avant l'automne prochain, si même quelqu'un veut de moi pour jouer dans son équipe universitaire alors qu'on ne peut pas me voir ce printemps.

Il grimace.

— Et toi ? Combien de temps garderas-tu ce…

— N'as-tu pas causé assez de dommages, Traces de pneu ?

Venu de nulle part, un gars surgit à côté d'Austin et il m'enfonce violemment le doigt dans l'épaule.

Je le regarde et réalise que c'est le meilleur copain et coéquipier de crosse d'Austin, Rob Murray.

— Murray ! m'exclamé-je avec excitation avant de pouvoir me retenir, ce que j'aurais dû faire parce que le regard qu'il me lance donne un air amical aux Terminateurs de *T3*.

— Qui appelles-tu Murray ? demande-t-il en se penchant sur mon visage d'une manière plutôt menaçante.

Je ne l'ai jamais entendu aussi en colère auparavant et je chancelle un peu en arrière. Austin tend la main pour m'aider, mais il interrompt son geste.

— Seuls mes amis m'appellent Murray, et tu n'es pas mon amie, Traces de pneu. Tu aurais pu nous tuer l'autre jour ! Tu ferais bien de surveiller tes arrières. Après ce que tu as fait à mon pote ici — il hoche la tête vers Austin —, tu es au top de notre Liste des poisseux.

— Qu'est-ce que la Liste des poisseux ? m'enquiers-je, même si je pense ne pas souhaiter connaître la réponse.

La Liste des poisseux me semble une très mauvaise chose, et à la manière dont l'habituel merveilleux sourire de Murray est férocement tordu, je suis certaine d'avoir raison.

— Pourquoi te donnes-tu la peine de lui parler, mec? demande Murray à Austin d'un ton bourru.

— Je ne lui parle pas, répond Austin à mon étonnement. Je lui disais seulement où elle peut se fourrer sa béquille.

Il rit d'un air gêné et lève sa main pour recevoir la tape d'encouragement de son ami.

Wow. Austin a tellement peur d'être impopulaire qu'il ferait n'importe quoi pour éviter d'être lui-même chassé du groupe de l'heure.

— Chouette.

Murray hoche la tête en guise d'approbation, puis il me lance un autre regard furieux.

— A., je ne peux même pas la regarder, mec. Je dégage. On se voit en histoire. Ou pas.

— Pas.

Austin rit pendant que Murray s'éloigne. Il jette un œil autour de lui avant de m'adresser de nouveau la parole, et son visage est peiné.

— Je suis désolé. Tu dois comprendre, particulièrement maintenant, nous ne pouvons pas être vus ensemble. Je devrais y aller.

Il pose sa béquille droite devant ma béquille gauche, mais je suis trop rapide. Je lui bloque la voie.

— Attends, insisté-je. Est-ce que tu essaies de me dire que nous sommes des amis clandestins?

Austin pousse un genre de soupir et baisse la tête, un autre comportement que je ne lui ai jamais vu. Mais alors, je ne lui ai jamais coûté sa saison de crosse non plus.

— Kaitlin, tu sais comment fonctionnent les choses ici. J'ai une réputation à protéger.

Le véritable Austin m'a confié qu'avant notre rencontre à Clark Hall, il n'avait pas toujours été un gars aussi formidable. Il se débattait entre agir comme il le fallait et conserver sa popularité. Si Austin le clone a fréquenté Lori tout le temps où nous sommes sortis ensemble dans le vrai monde, alors l'attrait de la popularité est d'autant plus fort. Malgré tout, il doit vouloir changer, un peu, s'il est ami avec une « perdante » comme moi. Je n'aime peut-être pas cela ici (j'espère), mais pendant que j'y suis, je dois l'aider.

— De quoi t'inquiètes-tu le plus ? demandé-je. De ta réputation ou de ta position dans un an d'ici ? Tu ne verras même plus ces gens à ce moment-là ! Tu seras de retour sur ce terrain de jeu avant de t'en rendre compte et tu peux encore époustoufler les éclaireurs de l'Université de Boston. Entre-temps, ne pouvons-nous pas cesser tous les deux de nous soucier de ce qui est populaire ? Je ne crois pas que le véritable toi accorde tant d'importance à la réputation.

Beurk. On croirait entendre sa mère. Je fixe le trottoir parce que c'est moins effrayant. Le béton c'est beau, même couvert de gomme à mâcher. Ces gens n'ont-ils jamais entendu parler de poubelles ?

— Comment es-tu au courant pour l'Université de Boston ? demande Austin. Je n'ai révélé à personne que UB est l'un de mes premiers choix.

Zut. Je dois faire attention à ne pas dévoiler des secrets que m'ont confiés de véritables personnes. Cela me fait penser au SECRET D'HOLLYWOOD NUMÉRO DOUZE : Parfois, il y a des fuites intentionnelles à propos d'un rebondissement majeur d'une émission de télévision. George mourant dans *Dre Grey, leçons d'anatomie*. Charlie revenant pour la saison finale de *Perdus*. Ce type de secret est trop gros pour ne pas être annoncé avant la diffusion de l'épisode, alors le réseau est assez futé pour prendre l'affaire en main et battre les feuilles de chou à leur propre jeu. Les créateurs et les producteurs n'iront probablement pas jusqu'à divulguer publiquement exactement ce qui va se passer, mais ils vous titilleront en disant que « quelque chose de monumental va changer la vie de tous les personnages ». Un véritable rebondissement majeur, bien sûr, est un moment précis dans l'intrigue qu'aucun employé de la télévision sain d'esprit ne révélerait à dessein. Mais une petite entrée en matière pour vous allumer, c'est acceptable. Parfois, il s'agit d'une façon de remercier les admirateurs qui sont tellement obsédés par leur émission préférée qu'ils ne peuvent patienter une milliseconde de plus pour connaître la suite.

C'est ce que je viens de faire avec Austin, une petite entrée en matière pour l'allumer. C'était un fait que le véritable moi connaissait, mais à l'évidence, Kaitlin le clone et le reste du monde, non.

— Je ne me souviens pas d'en avoir parlé, mais si tu le sais, j'imagine que je l'ai fait, dit Austin avant de sourire de nouveau, juste un peu. Je dois vraiment partir maintenant.

— S'il te plaît, ne t'en va pas, lancé-je avant de pouvoir m'en empêcher.

Je sais qu'il n'est pas mon Austin, mais c'est tout de même Austin, et je me sens mieux juste en étant en sa présence.

— Kaitlin…

Il prononce mon nom comme si cela le faisait souffrir. Toutefois, c'est la dernière chose qu'il me dit avant que je sois renversée sur le côté par sa petite amie, Lori Peters. Dans le vrai monde, il a rompu avec elle il y a longtemps, tout de suite après m'avoir rencontrée.

— Mon Dieu ! N'as-tu pas déjà fait assez de mal à mon homme, Traces de pneu ? dit Lori. Austin, pourquoi lui parles-tu ?

— Je ne lui parle pas.

Austin hausse les épaules.

— J'étais seulement en route pour te trouver.

Lori me décoche un petit sourire satisfait.

Beurk.

L'univers alternatif a été tout aussi bon pour Lori que le vrai. Elle est aussi belle que jamais, malheureusement. De parfaits cheveux blond platine et lisses, les mensurations de Barbie, la grande taille et les vêtements renversants. Elle porte une robe noire Dolce & Gabbana avec des bottes au genou Jimmy Choo.

Mon Dieu, mes fringues me manquent vraiment.

— Laisse. Le. Tranquille. Tu lui as coûté la prochaine saison printanière de crosse et à notre école, l'occasion d'être cinq fois champions !

Lori pointe un long ongle rose sur mon visage.

— Je sais cela, répliqué-je. Je suis venue ici pour présenter mes excuses.

Dès que Lori ouvre la bouche, les gens commencent à se rassembler autour de nous, comme s'ils regardaient un enregistrement d'*Ellen*. Je parie qu'ils ont été à l'affût toute la journée dans l'espoir que quelqu'un me mette ainsi en pièces. Austin semble aussi mal à l'aise que moi, mais il la laisse me crier dessus.

— Il se fout de tes excuses, poursuit Lori en croisant les bras d'un air de défi. Cela ne change pas les choses. Il ne peut toujours pas jouer à la crosse, et tu es toujours une perdante.

Elle me sourit méchamment.

— Austin, à partir de maintenant, Traces de pneu est numéro un sur notre Liste des poisseux.

— Dis-moi quelque chose que je ne sais pas, lancé-je sèchement.

Je ne peux pas supporter l'une ou l'autre version de cette fille.

— Lori, partons, intervient Austin sans me regarder. Elle n'en vaut pas la peine.

Même si je sais qu'Austin ne le pense pas, l'entendre le dire me blesse quand même.

— Tu as raison. Elle ne vaut pas le coup, renifle Lori avant de soulever un sac à dos Gucci sur son épaule droite osseuse. C'est une rien du tout.

Lori commence à guider Austin pour l'éloigner.

Quelqu'un s'étrangle de rire, et je craque. Personne ne me parle comme ça — qu'il s'agisse de la vraie moi ou de mon clone. Austin n'a peut-être pas le courage d'exprimer ses sentiments, mais moi, si.

— Je ne suis pas une rien du tout, dis-je à Lori d'une voix forte. J'ai une vie, une très bonne vie qui n'inclut pas une fille de ton espèce. Tu es une rien du tout, Mademoiselle la chef des meneuses de claque. Tu ne peux même pas obtenir une bourse en claque à UCLA.

Ha ! C'est gratifiant de savoir des choses. Liz m'a appris cela le week-end dernier.

La mâchoire de Lori se décroche.

— Comment sais-tu cela ? Personne ne le sait, je veux dire, je n'ai même pas... elle ment, bégaie-t-elle, mais Austin me fixe d'un regard curieux.

Je me concentre sur lui.

— Tu es quelqu'un, Austin, insisté-je. Et tu vaux mieux que ces gens. Ne t'abaisse pas au niveau de Lori.

Lori le regarde avec fureur.

— De quoi parle-t-elle ?

— J'ignore de quoi elle jacasse.

Il détourne les yeux.

— Partons d'ici.

— Oui, allons-y, acquiesce Lori avant de me lancer un regard mauvais.

Elle enroule son bras dans le dos d'Austin, me fixant d'une manière menaçante en s'en allant, et elle attrape son sac de coursier marine.

— Nous nous cassons, déclare-t-elle à la foule grandissante. Elle est sur la Liste des poisseux, numéro un ! Ne l'oubliez pas, groupe !

Où est mon ange gardien ? Dans les films, chaque fois qu'une personne est plongée dans le coma ou piégée dans une réalité alternative, il est censé y avoir un guide pour aider à arranger les choses. Où est ma Glinda la bonne fée ?

— Mon Dieu, tu as empiré les choses, entends-je.

C'est Liz, l'air formidable dans son bandeau Burberry, un chandail rouge ajusté et une jupe Gucci brun clair avec des talons bas Tory Burch.

— Je sais que nous ne pouvons pas supporter la bande de Lori, mais es-tu obligée de rendre les choses intolérables pendant les heures d'école ?

— Merci pour ton soutien, grommelé-je, puis j'avance d'un grand pas avec mes béquilles pour la devancer.

— Je n'arrive pas à croire que tu as essayé de parler à Austin, lance Liz en me rattrapant pour continuer à mes côtés. Nous en avons discuté — il ne va jamais avouer qu'il t'aime bien, Kaitlin. Tu devrais passer à autre chose.

Je stoppe net.

— Austin m'aime vraiment, alors ?

Pourquoi cela me rend-il si heureuse ? Ce n'est pas comme s'il s'agissait du vrai Austin.

Liz me lance un regard.

— Tu le penses. Et, oui, on le dirait bien, mais voyons ! Ce gars est trop faible pour tenir tête à ses amis, particulièrement maintenant.

Elle lance un bras autour de moi.

— D'ailleurs, pourquoi voudrais-tu perdre ton temps avec un étudiant de lycée quand tu pourrais fréquenter quelqu'un comme Drew Thomas ?

— Beurk, Drew Thomas ?

Je panique. Liz parle de mon ex-petit ami égocentrique et partenaire dans *Adorables jeunes assassins*. Il m'a pratiquement coûté ma relation avec Austin il y a un moment de cela.

— Je ne sortirais jamais avec Drew!

Liz rit.

— De quoi parles-tu? Tu flirtais à outrance avec lui il y a deux semaines à la fête Motorola! Tu aurais avantage à t'activer là-dessus. Tu as dit toi-même qu'il faut qu'il t'amène à une première avant qu'il passe à la prochaine fille populaire.

Oh, dégoûtant!

— Je pense que je vais vomir.

— Oh, arrête!

Liz regarde sa montre Movado, puis la fourche dans le sentier de pavés ronds devant nous. Chaque sentier pédestre mène à un manoir de briques différent.

— La quatrième est presque terminée, alors pourquoi ne la séchons-nous pas tout simplement pour nous diriger tout de suite vers la cafétéria? Nous devons lire les potins de la semaine afin de savoir avec qui nous tenir ensuite.

Je ne dois pas avoir l'air trop enchantée parce que Liz ajoute :

— Avantage additionnel à déjeuner tôt : tu pourras sûrement éviter de devenir la cible numero uno de la Liste des poisseux si nous mangeons maintenant.

— J'embarque.

La pensée d'être assise en classe n'est pas tellement attirante en ce moment de toute façon.

Liz commence à envoyer des messages textes pendant que nous marchons. Bien, elle marche et je clopine avec mon lourd sac rouge — ai-je réellement besoin de transporter autant de livres pour les cours?

— J'ai tellement à faire avant jeudi soir. J'aurais vraiment besoin d'une nouvelle robe pour la fête — je veux dire les fêtes — et de mignonnes chaussures et peut-être d'un bronzage à l'aérographe. Tu devrais fouiller dans mon placard et choisir un vêtement de marque.

Son téléphone bipe et Liz pousse un cri perçant.

— C'est Lauren !

Elle lève fièrement le message texte.

— Elle nous invite à l'après-fête. Tu viens ?

— Ne commence-t-elle pas à 3 h ? demandé-je, sachant comment fonctionnent ces fêtes. Ma mère ne me laissera jamais assister à une fête aussi tard dans la nuit.

Voici une fois où c'est payant d'avoir maman le clone. Elle se soucie bien davantage de mon repos.

— Dis simplement que tu dors chez moi. S'il te plaît ? supplie Liz. Ne m'oblige pas à y aller seule. Nous devons impressionner ces filles ou bien elles ne nous inviteront plus. Je sais que c'est tard et que tu as une longue journée vendredi avec ton stage, mais tu pourras faire une sieste ou je ne sais quoi. S'il te plaît ?

Vendredi ! C'est donc ce jour-là que je fais mon stage au studio.

— Je ne me rappelais plus que je devais travailler vendredi. À quelle heure est-ce que je dois être là déjà ?

Liz me regarde.

— À 14 h, comme toujours. Tu as le droit de manquer la neuvième puisqu'il s'agit d'une période d'études. As-tu oublié de prendre tes médicaments aujourd'hui ?

Je hoche gravement la tête.

— C'est vrai que je me sens un peu embrouillée.

— Tu m'accompagnes à cette fête, insiste Liz. Tu as besoin de sortir. J'informe les filles que tu en es avant que tu puisses dire non.

Elle tape trop vite pour que je puisse l'arrêter.

— Voilà ! Je presse sur envoyer. À présent, tu dois venir sinon Lauren et Ava nous laisseront tomber. Tu ne désires pas te retrouver sur leur Liste des poisseux à elles aussi, n'est-ce pas ?

Je me mords la lèvre inférieure.

— Liz, qu'est-ce exactement que la Liste des poisseux ?

Liz gémit en tenant ouverte la porte du manoir, qui a été transformé en cafétéria et école culinaire de Clark Hall. Le niveau de bruit est vraiment élevé, et je vois que le vaste espace pour manger est rempli de tables d'adolescents.

— Si tu ne t'en souviens pas, je ne vais certainement pas te le dire, déclare Liz. C'est trop déprimant à expliquer. Tu ne quitteras plus jamais ta chambre.

Liz pénètre dans la salle et se dirige droit vers la file des repas.

L'endroit est bondé, et je regarde avec envie le mur de portes françaises menant aux tables extérieures où nous avions l'habitude de nous asseoir. J'espère que nous y allons. Cette pièce est bruyante, et je peux d'ores et déjà percevoir les murmures des gens à mon sujet. Liz a déjà pris un plateau et avance dans la file, attrapant une salade mesclun et commandant un panini.

— Liz ! Attends ! J'aurais bien besoin d'aide.

Elle ne m'entend pas. Bien. Je peux y arriver. Je baisse les yeux sur la pile de plateaux orange fané devant moi et essaie de trouver une façon d'en prendre un et de manœuvrer mes béquilles. Je me penche en avant et saisis un plateau, mais je ne peux pas vraiment marcher comme ça. Je regarde Liz, espérant lui envoyer un message télépathique pour qu'elle se retourne, mais à la place, elle répond à son cellulaire.

— Besoin d'aide ? demande une fille derrière moi.

C'est Beth et à côté d'elle, Allison. Sauvée ! Beth et Allison étaient de merveilleuses amies pour moi quand je fréquentais Clark Hall, et Liz les adore. Je jette nerveusement un regard aux filles, m'attendant à moitié à ce qu'elles soient aussi changées que tout le monde dans cet univers alternatif, mais heureusement, elles semblent pareilles. Beth est toujours minuscule, avec la peau foncée et des cheveux noirs bouclés, et Allison a toujours des cheveux bruns et elle est très grande, ce qui est parfait pour une future ballerine. Ni l'une ni l'autre ne s'est fait refaire les seins, gonfler les lèvres ou exagérément bronzer ! Elles me sourient avec timidité.

— Beth ! Ali ! m'exclamé-je ; elles semblent reculer d'un pas. Je veux dire, merci. Ce serait formidable. Liz ne m'a pas entendue l'appeler.

Je clopine devant elles.

— Que désires-tu, Kaitlin ? demande Beth, ajustant ses verres cerclés de fer noir avant de prendre mon plateau.

— Un sandwich au bœuf rôti et un Coke diète seraient parfaits. Merci beaucoup. Comment ça va, les filles ?

— Est-ce que tu vas bien ?

Ali paraît inquiète, et elle nous lance un regard bizarre à moi et à Beth.

— Beaucoup mieux, merci, dis-je. Et vous deux ? Qu'est-ce que vous avez fait de bon ?

Après que Beth a pris ma nourriture, nous bavardons un peu en nous déplaçant dans la file. Nous sommes tellement absorbées par notre conversation sur *Glee* (juste une autre émission que j'ai découverte maintenant que je n'ai plus d'obligations à l'extérieur le soir — j'imagine que c'est l'une des bonnes choses à propos de cette réalité, toute cette télévision que je peux intégrer) que je n'entends pas Liz.

— Kates, que fais-tu ? demande-t-elle lentement en me parlant comme si j'étais sur le point d'enfiler un chandail rose sur un pantalon orange.

Elle semble si choquée que je crains qu'elle ne lâche son plateau débordant.

— Que veux-tu dire ?

Je hausse les épaules, laissant glisser mon regard de Beth à Allison, qui commence à gigoter.

— Je me procure mon repas.

Liz a un faible sourire.

— Je vais prendre cela, merci, déclare-t-elle d'une voix super joyeuse, mais alors qu'elle nous arrache, moi et mon plateau, aux filles sans me laisser l'occasion de les remercier, son ton change. Essaies-tu d'empirer les choses ? siffle-t-elle. Que fiches-tu à parler avec elles ?

— Qu'est-ce qui ne va pas avec elles ?

Je jette un nouveau coup d'œil aux filles et les vois s'installer à une table vide au fond de la cafétéria.

— Elles… commence lentement Liz, souriant même si elle est furieuse.

Elle hoche légèrement la tête dans la direction de Beth et Allison.

— Elles sont un suicide social. Parler à Beth et Alexandra te rendra encore plus impopulaire que tu ne l'es en ce moment.

— Allison, pas Alexandra ! dis-je avec incrédulité.

— Peu importe.

Liz hausse les épaules.

— Personne ne leur parle, et si on te surprend à discuter avec elles, alors ton action baissera encore plus.

— Tu n'es pas amie avec Beth et Allison ? demandé-je à voix basse, me retournant pour déterminer ce qui pourrait être si suicidaire d'un point de vue social à propos de ces deux-là en comparaison de Lauren Cobb et Ava Hayden.

Elles ont toutes les deux une belle allure et sont habillées normalement. Allison porte ce joli chandail vert et un pantalon en velours côtelé kaki, et Beth arbore un mignon cardigan gris et un jean en denim foncé.

— Pas depuis la troisième année du primaire, et toi non plus, rétorque Liz avant de se diriger vers les portes doubles menant à l'aire de repas extérieur.

— C'est tellement triste. Elles sont vraiment gentilles.

Je suis Liz à une table dehors où je me souviens avoir vu Lori, celle qui a l'ombrage parfait. Liz commence à rire en s'assoyant.

— Sérieusement, Kates, je pense que tu es peut-être en plein délire. Tu agis d'une manière qui ne te ressemble pas du tout.

Pourquoi te soucies-tu autant de cet endroit de toute façon? C'est le lycée. Nous avons une meilleure vie à l'extérieur de ces murs. Nous devons centrer notre attention là-dessus au lieu de nous pâmer sur Austin Meyers, qui ne t'adressera jamais la parole.

Elle prend une pleine fourchette de la salade sur son plateau.

À présent, je suis vraiment déprimée.

— Je pense que je vais sauter le déjeuner aujourd'hui, dis-je, espérant trouver un endroit calme pour traiter tous les événements de la matinée.

J'attrape mon plateau à travers ma béquille, et mon sandwich et ma boisson commencent à glisser. Je ne serai jamais capable de marcher ainsi.

J'ai à peine redressé mon plateau que j'entends Liz crier :

— Attention!

Mon plateau vole vers ma poitrine, et mon sandwich et ma boisson ouverte coulent sur mon chandail, entraînant le bœuf rôti, la mayonnaise et la laitue. J'ai un mouvement de recul.

— Et c'est comme ça qu'on gère la Liste des poisseux! crie Murray tout en tapant dans la main d'un gars vêtu d'un manteau de crosse.

Lori et sa meilleure amie, Jessie, sont installées à une table derrière lui et elles se lèvent pour l'applaudir. Austin semble plutôt ennuyé, mais le voilà, applaudissant aussi, et je lui lance un regard mauvais avant de détourner les yeux.

Liste des poisseux. Maintenant je comprends.

Brillant.

— J'espère que tu as aimé cet avant-goût, Traces de pneu, ajoute Murray avec un ricanement. Je suis certain que ce ne sera pas la dernière fois.

Avec la dignité qui me reste (ce qui n'est pas beaucoup), je laisse le plateau tomber au sol, fais un pas de côté pour éviter le reste de mon sandwich et rentre à l'intérieur en clopinant, ignorant tous les regards fixés sur moi. Tout ce que je désire maintenant, c'est de trouver les toilettes les plus proches et de m'y enfermer pour pleurer.

Note à moi-même :

1. *Faire une transformation beauté à Matty. Le rendre plus sûr de lui !*
2. *Faire comprendre à Liz comment fonctionne vraiment Hollywood avant qu'elle ne devienne une réplique en miniature de Lauren et Ava.*
3. *Faire comprendre à cette tête de mule d'Austin qu'il vaut mieux que les imbéciles avec qui il traîne à Clark Hall.*
4. *Trouver quelque chose en plastique (manteau de pluie ?) à porter à l'école. Ce pourrait être plus facile à laver si je reste une cible dans la Liste des poisseux.*

UNIVERSITÉ SOUTHERN CALIFORNIA

QUESTION DE LA DISSERTATION : Avez-vous changé votre vie ou votre vie vous a-t-elle changé?
(La dissertation doit contenir au moins deux mille mots, mais pas plus de quatre mille. Veuillez taper votre dissertation avec un double interligne.)

Qui se soucie de la réponse? D'une manière ou d'une autre, ma réponse est la même : JE DÉTESTE ÇA ICI!!!!!!!!!!!!!!!!!!!!!!!!!!!!!!!!!!!

Pourquoi ai-je un jour pu penser que je serais heureuse à Clark Hall? L'endroit est rempli de poseurs et de personnes aspirant à la célébrité — même les professeurs souhaitent devenir des vedettes (je parle de VOUS, Mademoiselle Lyden!). Mes parents ont gaspillé leur argent sur ce trou à rats de McManoir. Je peux totalement dire que j'ai appris NADA dans ce lieu (si l'on excepte la Liste des poisseux, que je connais beaucoup trop bien maintenant). Clark ne nous donne pas une vie, elle nous l'enlève! Regardez Liz — c'est une caricature de son ancien moi. Austin est à un cheveu de devenir le laquais de Lori (ou il l'est peut-être déjà) et mon frère est un film Lifetime en puissance. Cela le tuerait-il d'éteindre son ordinateur?

Et puis, il y a moi : je suis exactement le genre de personne que je détestais avant — un parasite de célébrité. En moins d'un an, je me suis transformée en une Lauren Cobb. Je suis à deux doigts de ma propre émission de téléréalité.

Je ne veux pas être un charognard. Je veux ravoir mon ancienne vie! C'est moi qui devrais marcher sur les tapis rouges, participer aux événements de charité, signer des autographes. C'est ma place. À la place, je suis juste… faible. Peut-être que si maman n'était pas aussi remplie de soleil et de recettes de pennes à la vodka, je deviendrais plus solide!

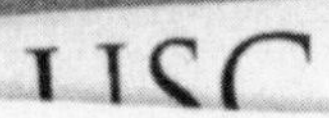

Je me fous de savoir si j'ai changé ma vie ou l'inverse. Tout ce qui m'importe est le fait que je déteste tout de cet endroit ! Je déteste mon édredon rêche, les petits commentaires de monsieur Michaels, mes béquilles, la Liste des poisseux et faire partie de cette famille bizarre !

Article principal
Affaire de famille et mensonges

18 décembre

Peut-on sauver le feuilleton télévisé de soirée de plus populaire ?

Par Gabby Bremston

Des coups dans le dos, des chamailleries, du crêpage de chignon. On dirait un épisode régulier de l'émission la plus chaude de la télévision, *Affaire de famille*, mais cette fois, l'action se déroule hors caméra. Des sources anonymes confirment à *TV Tome* que le feuilleton préféré de l'Amérique est en émoi. « Alexis Holden et Sky Mackenzie ont gâché la télésérie, déclare une source près de la production. Elles remettent constamment leurs répliques en question, se plaignent si leurs scènes sont trop courtes et essaient de faire congédier Melli Ralton et Tom Pullman. » Melli incarne la mère des filles, Paige Buchanan, et Tom est le créateur d'*AF*. Il semble impossible qu'on les laisse partir, mais des sources disent qu'Alexis et Sky ont une telle emprise sur les cadres que le réseau aimerait mieux perdre le créateur de la téléśerie et la doyenne de l'émission plutôt qu'Alexis et Sky. « C'est terrible de voir Melli et Tom faire des courbettes devant les deux adolescentes, se moque une autre source. Ils ne veulent plus faire partie de cette émission, mais ils sont coincés par un contrat à long terme. À présent, Sky et Alexis veulent les voir disparaître ? C'est ridicule. Ces filles ne devraient pas détenir un tel pouvoir. »

Si la querelle ne se règle pas, certains craignent que l'émission soit arrêtée et retravaillée, ce qui signifie que nous resterons sans épisodes pendant un long moment. Si même nous la revoyons. « *Affaire de famille* a été une si grande émission pendant tellement longtemps, dit tristement une source, mais ce n'est plus pareil. Si c'est cela, dorénavant, le travail à *AF*, la plupart d'entre nous ne veulent plus être ici. »

TREIZE : *Prenez garde à vos souhaits*

Aaaah ! J'ai raté le bus ! J'ai clopiné aussi vite que j'ai pu jusqu'à l'arrêt à l'extérieur du campus de Clark Hall après la huitième période pour attraper l'autobus allant au studio pour me rendre à mon stage, et je l'ai manqué de deux minutes. Le prochain ne sera pas là avant une heure.

Je ne peux pas attendre une heure parce qu'alors, je serai en retard au travail et je ne peux pas être en retard la première journée. Bien, techniquement il s'agit de « ma » première journée. Kaitlin le clone y va depuis un mois, et le véritable moi a commencé dans *AF* quand j'avais quatre ans, mais le moi coincé dans cet univers alternatif n'a jamais été stagiaire avant. Mon Dieu, je me donne mal à la tête simplement à essayer de comprendre la logistique de ce scénario !

Je veux réellement faire bonne impression. Une partie de moi espère en secret que lorsque je marcherai sur ce plateau, tout le monde me verra et réalisera que c'est moi qui devrais jouer le rôle de Samantha. Alors, ils chasseront Alexis à coups de pied jusqu'au coin de la rue.

Comme si cela pouvait se produire. Mais au moins, je pense avec positivisme pour changer. Hier soir, j'ai essayé d'écrire encore une fois ma dissertation pour USC, et même si je n'ai rien trouvé, j'ai quand même fait une petite découverte. Après avoir tempêté à propos de combien je déteste cela ici pour la énième fois, j'en suis arrivée à l'effroyable réalisation que je pourrais ne JAMAIS partir d'ici.

Et si j'étais piégée ici pour toujours ? Alors quoi ?

Je ne peux pas me morfondre et me plaindre jusqu'à la fin de mon existence que cette vie-ci ne peut pas favorablement se comparer d'un iota à ma véritable vie. Tant que je suis dans cet endroit, je vais remettre mon existence en ordre. Je vais changer ma vie et tenter de transformer ce monde pour qu'il ressemble le plus possible à l'autre. Première étape : me réapproprier Hollywood, qui, j'ai lentement commencé à le comprendre, me manque plus que je l'aurais cru possible. J'ai besoin d'aller sur le plateau d'*Affaire de famille* et d'y jeter un œil.

Si seulement j'avais un moyen de transport pour me rendre au studio ! Je ne peux pas y aller en joggant avec mes béquilles, maman et papa travaillent tous les deux, et Liz a séché les cours à midi pour aller dans la suite de cadeaux et spa de Lavender Hills Lotion avec Lauren et Ava. J'adorais Rodney avant, mais sa cote vient de grimper au plafond en ce qui me concerne. Lorsque je rentrerai à la maison, il va recevoir une augmentation de salaire.

Il me faut une bagnole. Vite. Je commence à me creuser la cervelle à la recherche de personnes à qui téléphoner, mais c'est difficile quand ce monde est si différent de l'ancien.

Et comme un cadeau du ciel, un klaxon résonne.

— As-tu besoin que je t'emmène ?

Austin se gare au bord du trottoir dans la voiture de sa mère, et le moteur tourne bruyamment au ralenti. Il a baissé la vitre du côté du passager et il me fixe avec impatience, comme si je devais courir vers la voiture et sauter dedans, remerciant mes bonnes étoiles que le gars le plus populaire à Clark Hall m'offre de me reconduire.

Pourquoi Austin proposerait-il de me raccompagner après la manière dont il m'a traitée cette semaine ? Premier point. Et le deuxième point est tout aussi capital :

— Comment réussis-tu à conduire avec un plâtre ?

Austin sourit largement.

— Jambe gauche. Je n'en ai pas besoin pour conduire, tu t'en souviens ?

Ah. Compris. De retour au premier point, alors.

— Donc, j'imagine que c'est OK d'offrir de me reconduire à présent que tes amis ne sont plus là, hein ? le questionné-je, me sentant susceptible. Ne devrais-tu pas alerter la brigade de la Liste des poisseux afin qu'elle puisse me pourchasser avec la surprise du jour au poulet citronné ?

Austin embraye en première vitesse.

— Oublie ça.

Soupir. Me montrer vache n'est pas une façon de gagner Austin à ma cause. Je dois ravaler ma fierté.

— Attends. Oublie ce que j'ai dit. J'ai bien besoin d'une voiture.

Austin presse sur le bouton de déverrouillage, et je vois sa bouche tressaillir légèrement.

— Dis : s'il te plaît.

Mes paupières se plissent.

— Tu te moques de moi ?

— Bon. Monte.

Il se penche sur la banquette avant et ouvre la portière du côté passager d'une poussée.

Je me glisse sur le siège à côté d'Austin, lançant mes béquilles à l'arrière avec les siennes. Je tiens mon sac rouge près de moi et j'évite le contact visuel. J'essaie de ne pas flipper.

Cette odeur.

Le simple fait de mettre ma ceinture de sécurité et de respirer ce chaleureux désodorisant au biscuit à la vanille me donne le vertige. Cette voiture sent la maison. J'y ai passé tellement d'heures : en allant à Disneyland, à des rendez-vous galants, à la plage à Malibu pour admirer le coucher du soleil. Je touche le tableau de bord sans réfléchir et fais courir mes doigts dessus.

— Quelle destination ? s'enquiert Austin.

— C'est plutôt loin, admets-je, puis je sors de mon sac rouge l'horaire de l'autobus que maman m'a remis.

Elle m'a regardée comme si j'étais folle quand je lui ai demandé comment le lire ce matin.

— Tu peux me déposer à l'arrêt du Santa Monica Boulevard. Il devrait y avoir un bus dans quinze minutes.

Je jette un œil à l'horloge du tableau de bord.

— Ne dois-tu pas assister à la neuvième période ?

Il me lance un regard sérieux, qui est plutôt mignon. Bien sûr qu'il est mignon. C'est Austin.

— Comme s'ils allaient me faire échouer. Tout ce qui leur importe, c'est que je me débarrasse de ces béquilles et que je me retrouve sur le terrain de jeu. J'ai dit que j'avais un rendez-vous chez le médecin.

Soupir. Changer Austin sera plus difficile que prévu.

— N'as-tu pas, euh, Anglais en neuvième période ?

Il hoche la tête.

— Je pensais que tu aimais l'Anglais.

— C'est vrai, mais…

Il hésite.

— Écoute, je suis ici et je ne retourne pas à l'école, alors veux-tu que je te conduise ou non ?

Sa voix sonne un peu bourru.

— Je n'ai nulle part où aller puisque je n'ai pas de pratique, je ne suis donc pas pressé.

— Burbank, réponds-je avec réticence parce que j'ai vraiment besoin de m'y rendre. J'ai un stage les vendredis à *Affaire de famille*.

Austin chausse ses lunettes de soleil noires style aviateur. Il ne s'agit pas des Ray-Ban que je lui ai offertes, mais elles sont belles quand même.

— L'émission de filles. Compris. Laissons tomber le discours d'encouragement pour l'Anglais pour t'amener à Burbank.

Il s'éloigne lentement du trottoir.

Je devrais contester ce commentaire à propos de l'émission de filles, mais il me reconduit, et c'est bon d'être assise dans cette voiture. Austin allume la radio. Une chanson du tonnerre de style Coldplay comble le silence, et il commence à parcourir la courte distance vers l'autoroute à une vitesse de croisière.

— Tu sais, je ne sèche pas souvent les cours, déclare-t-il, comme si c'était resté tout le temps dans son esprit.

Il ne me regarde pas.

— Je sais, réponds-je, car Austin ne le ferait pas. Tu vaux mieux que cela.

— Pourquoi dis-tu toujours cela ? demande-t-il d'un air las. Je mérite mieux. Je devrais être plus avisé. Je dois faire mieux, je suis meilleur que ces gars.

Il me lance un autre regard dur.

— Tu peux bien parler. Ce n'est pas comme si toi-même, tu avais si bien réussi à Clark.

Touché.

— C'est pourquoi je procède à une révision complète de moi-même.

Je souris.

— Kaitlin 2.0 est pleinement opérationnelle. Dans une semaine, tu ne me reconnaîtras plus.

— Ne change pas trop, rétorque-t-il, évitant de demeurer le sujet de conversation. J'aime la fille que j'ai rencontrée le premier jour d'école.

Il sourit, et je me surprends à rougir. Nous nous arrêtons à un feu rouge, et Austin commence à fourrager dans le compartiment de rangement au centre, puis il jette un œil sur le tableau de bord, se penchant par-dessus moi pour l'atteindre. J'aspire une bouffée de son odeur caractéristique — un bon savon et un après-rasage — et je me sens un peu dans les vapes.

— Que cherches-tu ? demandé-je pour me distraire.

— Le GPS. Je croyais que ma mère le rangeait ici.

Il vérifie sous son siège, puis derrière son siège, puis il regarde de nouveau dans le compartiment central et fronce les sourcils.

— J'ai pensé que nous pourrions y programmer l'adresse afin de nous y rendre directement, mais je ne le vois pas. Es-tu bonne avec les directions ? Lori est incapable de trouver son chemin pour sortir d'un terrain de football. Nous n'arriverions jamais là-bas si elle était assise à ta place.

— C'est une bonne chose qu'elle ne soit pas assise ici, alors, réponds-je avec raideur à la mention de sa petite amie.

Toutefois, en y pensant, je ne suis pas certaine de savoir comment m'y rendre non plus. Cela fait un moment, et c'est toujours Rodney qui conduisait. Nous avons besoin de ce GPS. Je suis plutôt convaincue de me rappeler un commentaire d'Austin sur le fait que sa mère range son GPS dans l'endroit le plus illogique possible — le coffre — parce qu'elle a peur de se le faire voler, mais quel est le but d'en posséder un si on ne peut pas l'atteindre quand on en a besoin ? Cependant, je ne peux pas lui dire cela. Il pensera que je suis une folle qui le traque. Je garde le silence et espère qu'il s'en souviendra.

— Je vais juste me garer et téléphoner à ma mère.

Il compose, et j'entends son appel passer dans la boîte vocale.

— Pas de réponse. Je devrai peut-être te laisser à cet arrêt de car, en fin de compte. Désolé.

Je ne retourne pas à l'arrêt de bus maintenant. Je vais être trois bus en retard ! Zut ! Je vais m'en occuper moi-même. Je me penche en arrière et me tortille sur une jambe raide jusqu'à la moitié de la banquette arrière.

— Que fais-tu?

Je glisse mes fesses vers l'arrière, puis je tends la main pour saisir la lanière au milieu du dossier du siège arrière, celui qui cache une console miniature. Une fois baissée, je peux voir la petite porte ouvrant sur le coffre. Je tourne la poignée, passe le bras au travers et sors le GPS.

— Voilà.

Austin me fixe en silence.

— Comment savais-tu où il se trouvait?

Comment expliquer cela? Je détourne les yeux — je déteste mentir.

— Ma mère range le sien à cet endroit.

— Ouais.

Austin hoche la tête et branche le GPS. Il ne semble pas convaincu, mais il ne dit rien non plus.

— J'imagine que nous allons à Burbank, alors.

Il garde les yeux sur la route — le vrai Austin est un conducteur sérieux lui aussi — mais son visage s'est enfin détendu. C'est comme si nous étions assez loin de Clark Hall pour que les traits du véritable Austin se révèlent possiblement.

— Dis-moi la vérité sur le GPS. Tu me traques, c'est ça?

Je suis un peu insultée. Je ne traque pas! Larry le menteur agit ainsi.

— Pas du tout!

Il commence à rire.

— C'est plutôt mignon, d'une manière un peu effrayante, dit-il. Tu peux admettre que tu m'aimes bien.

— C'est faux, insisté-je.

Mais c'est vrai. En quelque sorte.

— Oui, c'est vrai, reprend Austin, l'air légèrement arrogant, ce qui ne fait que me rendre furieuse.

Autant pour le véritable Austin montrant son visage.

— Tu ne te soucierais pas autant que j'aille en classe autrement.

Encore deux sorties d'autoroute, et pour la première fois de tous les temps, la rampe de sortie ne semble pas congestionnée. Je regarde le visage suffisant d'Austin et mon niveau d'agacement monte.

— Bien, peut-être que tu m'aimes bien toi aussi, lâché-je, mais tu as trop peur de le dire.

Le sourire s'efface du visage d'Austin.

— Tu aimes être avec moi, mais tu t'inquiètes de ta réputation alors tu me parles seulement lorsque personne ne nous observe. Tu es gentil avec moi — encore une fois, quand personne n'écoute. N'importe quel gars qui aurait été frappé par une voiture d'apprenti conducteur ne parlerait pas à la fille qui aurait ruiné sa saison de crosse à moins qu'il ne l'aime bien. Sans parler du fait que tu savais à quel arrêt de car j'attendais, Monsieur le traqueur.

Je suis lancée.

— Je souhaite juste que tu réalises qu'il n'est pas nécessaire d'être un pauvre type pour être populaire.

Le visage d'Austin se tord légèrement, et la voiture s'arrête dans un crissement.

— C'est ton arrêt.

Les grandes grilles décoratives en fer forgé ouvrant sur le studio sont directement devant nous. Austin regarde droit devant lui.

— J'imagine que je vais descendre ici, dis-je, ma voix beaucoup plus douce qu'un instant auparavant. Merci de m'avoir reconduite.

Je m'apprête à fermer la portière quand j'entends Austin.

— Je suis peut-être le traqueur, dit-il avec incertitude, et j'ai l'impression que mon cœur a besoin d'un défibrillateur. Mais savoir cela ne rendra pas les choses plus faciles. Tu donnes l'impression que c'est si simple, mais j'essaie.

Il me regarde, l'air d'attendre quelque chose, et ma seule envie est de le prendre dans mes bras, mais je sais que cela n'aidera pas. À la place, je lève mon sac scintillant sur mon épaule et attrape mes béquilles.

— Essaie plus fort, dis-je doucement avant de refermer la portière.

Je ne me donne pas la peine de regarder en arrière.

Mon assurance se dégonfle vite après cela. C'est parce que le studio d'enregistrement d'*Affaire de famille* ne ressemble en rien à mon studio d'enregistrement d'*Affaire de famille*, en commençant par les grandes peintures d'Alexis Holden accueillant les visiteurs dans le hall d'entrée. Alexis gagnant un Emmy ! Des scènes d'Alexis nageant avec les dauphins !

Beurk. Beurk. Beurk.

Je réussis peut-être un peu à me faire comprendre d'Austin, mais comment vais-je pouvoir changer quoi que ce soit dans une importante émission de télévision ?

— Kaitlin ?

Une femme que je ne reconnais pas est assise derrière le bureau de la réceptionniste avec un grand casque à écouteurs sur la tête et elle me fixe. Où est Pam, notre réceptionniste habituelle ?

— Ils t'attendent dans la salle de coiffure et de maquillage. Peux-tu réussir à t'y rendre avec tes béquilles ?

— Tout à fait.

Tant que la salle de coiffure et maquillage est située au même endroit que lorsque j'étais dans *AF*, ça devrait aller.

— Un mot d'avertissement : elle est dans une forme RARE aujourd'hui, même pour elle, me prévient la femme en me lançant un regard. Essaie de ne pas t'approcher d'elle. J'ai entendu dire que Tom lui-même se cache dans son bureau.

Parle-t-elle d'Alexis ? Cela ne semble pas trop prometteur.

Je me dirige dans le couloir vers la coiffure et le maquillage, et mon pas ralentit jusqu'à devenir traînant. Je ne peux pas m'empêcher d'avoir la larme à l'œil et me sentir nostalgique en me déplaçant dans le studio d'enregistrement. Je veux absorber chaque photo sur les murs, chaque visage qui passe devant moi. Je veux me souvenir de l'odeur de peinture fraîche sur le plateau (ils peignaient toujours un décor ou un autre), les sons, les fils… tout. Ma présence ici fait en sorte qu'*Affaire de famille* me manque d'une manière que je n'ai pas ressentie depuis un moment, mais c'est plus que cela.

Le travail me manque.

Cela fait des semaines (je pense : c'est difficile à dire quand on vit dans une dimension alternative) depuis que j'ai mis les pieds dans un studio d'enregistrement, et je sens mon cœur se serrer en voyant des choses familières, comme les minuscules étoiles sur les portes des loges et le chariot du traiteur qu'on roule. *Petites prises* me manque. Lire des scénarios, procéder à des essayages de costumes, déjeuner avec Matty et Sky à la cafétéria, me procurer des oursons à la gelée du cuistot, tout cela me manque. Je…

Ma vie très compliquée et surchargée d'Hollywood me manque.

Si ma cheville n'était pas brisée, je me donnerais un coup de pied pour avoir été assez idiote pour souhaiter qu'elle disparaisse. Je veux la ravoir. Tout, défauts et tout, juste pour avoir la chance de me glisser encore une fois dans un costume et me plonger dans un sentiment qui n'est pas le mien.

Je prends une profonde respiration et m'écarte du chemin d'un AP alors qu'il me dépasse en courant avec une boîte pleine d'étranges articles électriques. J'ai deux choix en ce moment : je pourrais éclater en sanglots et pleurer à propos du tour cruel du destin que représente ma nouvelle vie, ou je pourrais effectuer le travail pour lequel je suis venue.

Après tout, je suis tout de même dans un studio d'enregistrement. Le studio d'*AF*. Oui, je veux rentrer à la maison, mais si je dois être ailleurs, j'ai ici un endroit fabuleux. Dans mon monde, le plateau d'*AF* n'existe plus, mais le voici en pleine action, et tout le monde ici a l'air heureux et…

Bien, en fait, en y pensant, personne que j'ai croisé n'a l'air heureux. Si j'observe les visages soucieux des AP, des gens de l'éclairage, des travailleurs syndiqués et des assistantes passant en courant, personne n'a l'air le moindrement joyeux. Ils semblent stressés et un peu paniqués, et… est-ce que quelqu'un crie ? Cela vient de la salle de coiffure et maquillage. Je fige à l'extérieur de la porte quand je vois qui est à la source de ce grabuge.

— MON DIEU, PAUL ! Tu appelles cela une demi-queue de cheval ? Ce n'est pas une demi-queue de cheval ! Je pourrais réaliser une demi-queue de cheval mieux que cela en dormant !

Mon ancien coiffeur à *AF*, Paul, est celui qui subit l'engueulade. Il est toujours impeccablement habillé et il a de beaux cheveux foncés bouclés, mais sa grande silhouette est affaissée en avant et son visage est vide pendant qu'elle le taille en pièces.

— Je t'ai dit comment je réagirais si cela se produisait une autre fois, non ?

C'est Alexis, exactement comme dans mon souvenir, et elle pointe un doigt sur la poitrine de Paul. Ses longs cheveux rouge feu sont tirés en arrière en ce qui me semble une demi-queue de cheval correcte, et ses yeux verts se plissent. Elle est tellement grande, elle le surplombe dans ses bottes à talons aiguilles noirs au genou Gucci. Sa silhouette de mannequin est superbe dans une robe noire sans bretelles.

— Je me fous de ce que Tom dit, tu n'es pas capable de coiffer. Je le dis depuis un an ! On doit te remplacer. Max Simon te bat haut la main.

Shelly, mon ancienne artiste-maquilleuse, s'étrangle de rire.

— Max se bat pour toi, Alexis.

— Shel, dit Paul du ton anémié.

— Non, Paul. Laisse-la me congédier aussi ! éclate Shelly. Ce serait une bénédiction ! Je ne peux plus supporter de venir ici. Je ne rendrai pas des comptes à une fille de dix-huit ans.

Shelly lance un regard furibond à Alexis.

— Tu veux Max parce qu'il fait partie de ton entourage. En ce qui concerne les cheveux, personne n'est meilleur que Paul.

Alexis a l'air de fulminer.

— Tu as de la chance que ta façon d'appliquer mon mascara et mon bronzage à l'aérographe m'obsède, ou tu te retrouverais toi aussi dehors sur ton gros cul.

Ma mâchoire se décroche. Je ne peux pas croire qu'Alexis a traité Shelly de grosse ! Oui, elle est grassouillette, mais cela ne regarde pas Alexis. Alexis le clone est dix fois plus odieuse que l'était la véritable Alexis, et je pense que j'en connais la raison. Ici, elle règne, exactement comme on le disait dans l'article d'*Hollywood Nation* que j'ai lu. Si Sky et moi n'avions pas battu Alexis à son propre jeu et ne l'avions pas fait congédier d'*AF* à une époque, elle aurait pu tout gâcher pour nous tous. Si Alexis était restée aussi chérie qu'elle l'avait été dans les médias — qui n'avaient aucune idée à quel point elle était vindicative et méchante —, elle aurait pu devenir le tyran qu'elle est ici et maintenant.

Je frissonne si violemment que je lâche ma béquille droite. Elle atterrit avec un bruit sec sur le plancher de bois, et Alexis se retourne brusquement, prête à mordre. Puis, elle m'aperçoit.

— Oooh, la fille de la Fondation Fais-un-vœu, c'est ça ? dit Alexis en glissant vers moi et en prenant ma béquille sur le sol avant que je puisse répondre. Laisse-moi ramasser cela pour toi chérie et permets-moi de signer ton plâtre. Aimerais-tu cela ? J'ai un tas d'autres choses pour toi dans ma loge. Je peux demander à quelqu'un de te porter jusque-là pour les récupérer.

Alexis dédicace ma béquille avant que je puisse l'en empêcher. Je suis tellement abasourdie, je ne peux pas parler. Elle regarde autour d'elle.

— Où est le journaliste pour ton article ? Et le photographe ?

Ses épaules s'affaissent.

— Veux-tu dire que nous venons de rater ce moment ? Maintenant, nous devrons recommencer !

Paul et Shelly éclatent de rire.

— C'est Kaitlin Burke, Alexis. Tu te rappelles ? C'est l'une des stagiaires du studio.

Alexis roule les yeux.

— J'ai gaspillé cette attention sur toi ? BEURK. Redonne-moi cette béquille.

Pas question.

— Je ne pense pas. J'en ai besoin, tu sais, pour marcher.

— Bon.

Alexis fait courir une main dans son épaisse chevelure.

— Mais si tu te goures encore une fois comme ça, tu quittes le studio. Je n'ai pas besoin d'être humiliée par une… par une… qu'est-ce qu'elle est, déjà ?

— Stagiaire, finis-je pour elle, souriant aimablement.

— Contente-toi de t'écarter de mon chemin.

Alexis me pousse et marche en faisant clic-clac dans le couloir.

— Paul ? crie-t-elle derrière son épaule. Tu peux rester, du moins pour l'instant.

— Comme je suis chanceux, grommelle Paul dans sa barbe, puis il me sourit. Désolée pour ça, Kates.

Il me connaît ! Et je ne suis qu'une humble stagiaire.

— Tu sais comment peut se comporter le dragon rouge.

Il arque les sourcils.

— Dommage qu'elle ne nous déteste pas suffisamment pour nous congédier.

Il soupire.

— Cependant, tu avais presque une porte de sortie, là. Tu aurais dû en profiter.

Je veux être licenciée ? À quel point *AF* est-il devenu pénible ?

— Tu ferais mieux de te rendre sur le plateau et d'apporter ceci.

Shelly me tend un élégant vaporisateur d'eau.

— Tu sais comment elle réagit quand elle n'a pas son vaporisateur d'eau minérale dans les coulisses. C'est ton travail aujourd'hui. Je dois rester ici et réaliser le maquillage pour la fille de la Fondation Fais-un-vœu. Alexis s'inquiète qu'elle ait l'air trop pâle et malade sans autobronzant.

Shelly me lance un regard.

— Comment cette fille exerce un tel pouvoir ici, je l'ignore.

Sans voix, je reprends le chemin du couloir et me dirige directement vers le studio d'enregistrement. À ce stade, les gens courent à gauche et à droite et crient des ordres.

— Alexis a besoin de Smartwater ! Elle n'en a que trois bouteilles.

— Alexis veut Melli sur le plateau pronto afin qu'elle puisse changer des répliques avec elle !

— Où est Tom ? Alexis a des questions sur son dialogue !

— La fille de Fais-un-vœu est-elle arrivée ? Alexis ne veut pas qu'elle lui gâche sa pause déjeuner.

Alexis. Alexis. Alexis ! Mon Dieu, où se situe Sky dans tout cela ? Je n'ai jamais entendu dire qu'elle soit tenue autant à l'écart.

Peut-être que mon fantasme de retravailler dans *AF* n'est pas si bon, après tout. Pourquoi quelqu'un voudrait-il bosser ici ?

La lumière au-dessus de la porte du studio d'enregistrement n'est pas allumée — on ne peut pas y aller quand ils sont en train de filmer —, mais je dois attendre qu'un chef accessoiriste m'ouvre la porte, puis j'entre mollement. J'ai le souffle coupé.

Là, au centre de ce grand hangar, il y a mon ancien salon à la télévision ! Pour un étranger, ce serait bizarre de voir trois murs de placoplâtre retenus à l'extérieur par des madriers, mais pour moi, il s'agit du salon des Buchanan. Directement à côté se trouve le plateau pour la cuisine, la chambre à coucher des filles (qui sert également de chambre à coucher à nos parents) et la véranda fermée par une moustiquaire. Derrière chaque plateau, on peut voir des morceaux de pièces posés contre des murs, attendant leur tour de prendre vie. Si vous marchiez autour des murs extérieurs du plateau, vous ne sauriez pas du tout où vous êtes. Vous verriez une tonne de fils collés au sol avec du ruban adhésif et des murs peints en noir ne menant nulle part, mais si vous tourniez le coin et montiez sur l'un des plateaux, vous auriez l'impression de vous trouver dans une vraie maison. La demeure des Buchanan après le feu. Le foyer, les sofas et l'ottomane en cuir, le portrait de famille… AAH ! Ma photo de famille ! Cependant, bien sûr, là où je devrais me tenir, à côté de Sky en tant que Samantha, il y a Alexis.

Mon cœur se serre. Ne pleure pas. Ne pleure pas. Ceci n'est pas vrai. C'est impossible !

— Où est mon eau minérale ? aboie Alexis.

J'avance aussi vite que je peux autour des fils sur le plancher, mais c'est difficile avec des béquilles. Les gens sont tellement pris de frénésie qu'ils ne remarquent pas que j'ai de la difficulté. Je sens une main sur mon bras.

— Laisse-moi t'aider, Kaitlin.

— Rodney !

Je lance mes bras autour de son grand corps.

— Mon Dieu, tu m'as manqué. Comment vas-tu ?

Rodney se contente de me regarder.

— Bien, j'imagine, pour quelqu'un qui est coincé comme garde du corps d'Alexis.

LE GARDE DU CORPS D'ALEXIS ?

NOOOOON !

— Tu te sens bien, Kaitlin ? demande-t-il en ajustant ses lunettes de soleil noires qui sont poussées en arrière sur son crâne chauve.

— Bien, réponds-je à la hâte. Je, euh, je t'ai raté la semaine dernière et je voulais te saluer.

— Puis-je t'aider à rejoindre Alexis ? Tu sais comment elle est quand on la fait attendre.

Pendant que Rodney parle, j'aperçois sa dent en or. Elle est toujours là. Toutefois, il y a quelque chose de différent. L'absence de son sourire. Et il est beaucoup moins bruyant lorsqu'il s'exprime.

— Oui, ce serait formidable.

Rodney passe son bras autour du mien à travers l'une de mes béquilles, et nous nous frayons lentement un chemin jusqu'à Alexis, évitant les câbles. Alexis est occupée à se limer les ongles, alors elle ne me voit pas.

— Rod. Où est mon vernis à ongles rose ? veut-elle savoir. Es-tu allé le prendre dans ma loge ?

— Pas encore, Alexis.

— Bien, qu'attends-tu ? Tu dois t'en occuper, puis aller prendre mes vêtements chez le nettoyeur, chercher ces Jimmy Choo que j'ai mis de côté chez Fred Segal, et j'ai besoin que tu ailles faire préparer ma prescription de Zantac. Mon Dieu que tu es inutile ! lui dit-elle, et il tressaille. Je devrais me débarrasser de toi aussi. De vous tous !

Elle pointe les gens fourmillant autour du plateau.

— N'as-tu pas une assistante pour ces trucs ?

Les mots s'échappent de mes lèvres avant que je puisse les retenir. Personne ne s'adresse de cette manière à mon Rodney. PERSONNE.

— Encore toi.

Elle parle d'un ton brusque et souffle sur ses ongles pour les sécher.

— Où est mon eau minérale, stagiaire? J'ai besoin d'être vaporisée, genre, tout de suite.

J'ai envie de lui lancer violemment la bouteille, mais je reste calme et vaporise son visage.

— Ne t'éloigne pas de plus d'un mètre de moi en tout temps, me rappelle Alexis, agitant les mains. Je vais crier « VAPORISE ! » quand j'aurai besoin de toi. Compris?

— Compris, grommelé-je.

J'aimerais bien la vaporiser jusqu'à ce qu'elle disparaisse d'ici.

— Il est 15 h 30, Alexis, l'informe un AP à voix basse.

— SKY ! SKY ! aboie Alexis. MELLI ! OÙ ÊTES-VOUS ? OÙ EST TOM ? TOOOOMMM ! VIENS ICI ! JE PARS À 17 H 30, QUE CETTE SCÈNE SOIT BOUCLÉE OU NON !

Je laisse presque tomber mes béquilles quand j'aperçois Tom et Melli arriver en courant de directions opposées. Tom est encore corpulent, avec ses épais verres noirs et son crâne luisant. Il a l'air plus hagard que je ne l'ai jamais vu et je l'ai vu vraiment fourbu, comme la fois où nous avons tourné un épisode en direct. Melli est toujours belle, avec de longs cheveux noirs et la plus minuscule taille du monde, mais elle a des cernes sous les yeux que même le meilleur cache-cerne ne peut dissimuler.

— Où étiez-vous? les interroge Alexis. N'ai-je pas dit 15 h 15 ?

— J'essayais de faire les devoirs avec mon fils dans ma loge, répond Melli avec raideur. J'aimerais mieux le faire à la maison, mais je n'ai apparemment aucune voie sur la question.

Alexis soupire.

— Je te l'ai dit. Je ne vais pas te faire tuer. Mon agent a fait ses calculs, et les sondages disent qu'on préfère que Samantha ait une mère. Fais avec.

Melli donne l'impression d'être prête à rejouer la scène où elle a tenté d'étrangler notre tante Krystal avant qu'elles ne tombent toutes les deux dans la piscine, complètement habillées dans leurs robes de soirée. À la place, elle regarde du côté de Tom, et il se gratte la tête encore et encore comme s'il souffrait d'un tic nerveux. Je ne peux pas croire ce que je vois. Qu'est-ce qu'Alexis a fait à cet endroit ? Pas étonnant que tout le monde déteste être ici. Je déteste être ici et je n'aurais jamais cru me sentir ainsi un jour.

— Où est Sky ? gronde Alexis ; personne ne répond.

— Je pense qu'elle dort pour faire passer quelque chose, déclare quelqu'un.

— Cette fille est une catastrophe ambulante.

Alexis roule les yeux.

— Réveillez-la et amenez-la ici tout de suite.

Il ne faut que cinq minutes avant qu'une personne accompagne Sky dans le studio d'enregistrement en la portant presque. Je dis en la portant parce qu'on dirait qu'elle peut à peine tenir sur ses jambes et… bordel de Dieu !

Alexis a raison : Sky est une catastrophe ambulante ! Une véritable catastrophe ambulante ! Ses cheveux noirs sont pleins de nœuds, sa peau bronzée est cireuse et elle arbore d'énormes cernes sous les yeux. Elle est plus mince que jamais et pas d'une manière positive. On dirait qu'elle pourrait casser en deux, et sa mini robe rouge ajustée à taille coulissée pend sur son corps.

— Sky ?

Je pose une main sur elle.

— Sky ? Est-ce que ça va ? Qu'est-ce qui cloche avec elle ? demandé-je aux autres désespérément, mais Sky me chasse en agitant la main, grommelant le mot « bien » encore et encore.

Alexis hausse les épaules.

— Elle est sortie toute la nuit encore une fois. Grosse affaire. Donnez-lui un Red Bull. Plutôt deux, et elle sera fonctionnelle. SKY ! crie-t-elle dans son oreille. C'EST LE TEMPS DE

TRAVAILLER, SINON IL N'Y AURA PAS DE FÊTE DE PREMIÈRE CE SOIR!

Les paupières de Sky papillonnent en s'ouvrant plus grandes.

— Je ne peux pas rater la première. Je suis ici!

Elle regarde autour d'elle.

— Peu importe où c'est.

Elle fronce les sourcils et ensuite, on dirait qu'une ampoule s'allume dans son esprit.

— Qu'est-ce que je suis conne! C'est le boulot, n'est-ce pas? Quelle est ma réplique?

— Que quelqu'un apprenne à Sky sa réplique, dit Alexis aux autres en examinant ses cheveux dans la glace que lui tient un AP. J'ai besoin qu'elle soit en forme et fonctionnelle pour la projection de *Victoire de l'esprit sur la matière* ce soir. C'est avec Angie, Brad et Jen, et le film passera seulement deux semaines, et il est totalement hors de question que je le rate. Nous devons filmer afin que Sky et moi puissions monter dans l'avion.

Une projection de deux semaines. Ouais, sûr. Particulièrement si le triangle amoureux le plus célèbre au monde joue dedans. SECRET D'HOLLYWOOD NUMÉRO TREIZE : La ville du cinéma déborde de combines parce que les combines rapportent beaucoup d'argent. L'une de ses préférés : les ententes limitées. Nous parlons d'émissions de télévision qui ne sont diffusées que pendant huit épisodes avant une longue pause estivale ou hivernale ou de films qui restent au cinéma seulement deux semaines. Quel est l'objectif, demandez-vous? Inciter les gens à ouvrir leurs téléviseurs ou à se rendre dans les cinémas afin de ne pas rater cette exclusivité, cette chance d'une vie de vivre un moment historique! Évidemment, une fois que l'émission ou le film a amassé les gros dollars, il est très probable que le studio manque à sa promesse d'un bref contrat. Regardez Michael Jackson avec *This Is It* ou le concert *Hannah Montana* de Miley Cyrus. Quand la vente des billets a atteint des sommets — surprise, surprise —, les périodes de projection dans les cinémas ont été prolongées. À Hollywood, l'argent est encore le prix le plus convoité.

— SKY!

Alexis claque des doigts, ses bracelets tintant méchamment, quand elle voit Sky se laisser choir dans les coussins d'un sofa et fermer les yeux.

— Bois ton Red Bull et allons-y.

— Ne lui parle pas comme ça, la réprimande Melli, ses yeux sombres jetant des éclairs. C'est ta faute si elle a cette allure. La traînant dehors toutes les nuits, insistant pour qu'elle assiste à toutes les fêtes de la planète si elle veut garder son travail. Si tu avais de véritables amis, Alexis, tu n'aurais pas besoin d'obliger Sky à aller où que ce soit.

Alexis agite un doigt.

— Fais attention à ton ton, Melli. Je détesterais que le studio apprenne que tu m'as crié dessus.

— Je suis fatiguée de cela.

Melli pique une crise.

— Une seconde, tu menaces de me garder et la seconde suivante, tu menaces de me congédier. Regarde ce que Sky est devenue. Elle ne peut même pas lever la tête !

Sky semble à peine consciente que les gens parlent d'elle.

Alexis hausse les épaules.

— Certaines d'entre nous sont incapables de faire la fête aussi bien que d'autres. Que puis-je te dire ? J'ai besoin qu'elle assiste à ces événements et qu'elle y reste pour m'assurer que je suis bien représentée lorsque je rentre tôt à la maison pour me refaire une beauté en dormant. N'est-ce pas, Sky ?

— Oui, répond Sky, l'air épuisée.

— Filmons, voulez-vous ?

La voix de Tom est tendue.

Tout le monde se rend sur le plateau et prend place. Quand Sky se lève et marche de façon mal assurée vers sa marque, je pense que je vais éclater en sanglots. Alexis gâche tout ce que j'ai déjà aimé à propos d'*AF* ! Alexis obtient peut-être de bonnes cotes d'écoute pour *AF*, mais je vois pourquoi les journaux à potins croient que l'émission traverse une mauvaise passe. Personne ne veut travailler avec elle. Les gens donnent l'impression qu'Alexis les retient en otages. Cela suffit à me donner envie de vomir mon déjeuner.

Quand j'étais dans *AF*, tout le monde aimait y être. Moi, j'aimais y être. Et lorsqu'elle a pris fin, j'ai longtemps eu de la peine. Probablement trop longtemps. Au lieu d'apprécier tout le temps que j'avais eu sur le plateau, je n'ai pas arrêté de souhaiter en avoir eu plus. J'ai comparé tout ce que j'ai entrepris à *AF*, de sorte que cela m'a empêché de passer à autre chose comme je l'aurais dû. En voyant ce qui s'est passé ici, je réalise comment le fait d'avoir continué l'émission aurait pu ruiner *Affaire de famille*. Nous sommes partis sur une note positive. Je n'aurais jamais voulu travailler dans *AF* si elle était comme ce qu'Alexis a créé. J'ai envie de lancer mon vaporisateur d'eau minérale sur le sol et de commencer à crier comme une enfant gâtée. Je ne me soucie plus de moi — je m'inquiète pour ma famille *AF*. Quelqu'un doit remettre Alexis à sa place et lui montrer comment se comporte une véritable vedette d'Hollywood.

— J'ai dit, allons-y ! insiste Alexis en tapant des mains bruyamment. Go, go ! Le temps de tournage diminue. ALLÔ, TOM ? Pouvons-nous commencer ?

Je bouillonne de colère, mais je ne vais pas ouvrir la bouche. Je ne veux pas être chassée du plateau. Ils ont plus besoin de moi ici que je l'avais réalisé. J'observe l'équipe technique. Personne ne veut regarder Alexis. Ils jettent des regards sur l'éclairage ou les fils sur le plancher, ou ils roulent les yeux en se regardant. Alexis a tout gâché pour eux. Je n'ai jamais rencontré une actrice aussi égoïste, et pourtant, j'ai connu de sacrés numéros.

— ET ACTION ! crie Tom en s'assoyant derrière un écran et en mettant son casque d'écouteurs.

— Ce n'est pas tous les jours qu'on accède au club des meilleurs élèves, dit Melli (alias Paige) à Sky (alias Sara).

Melli paraît si calme et détendue, un grand contraste avec son humeur d'il y a quelques secondes. Elle a toujours possédé beaucoup de maîtrise de soi, même dans les moments de stress.

— Comment tu as trouvé le temps d'étudier entre tous tes rendez-vous, je ne le saurai jamais.

Sky rit.

— Certains de ces rendez-vous étaient avec des premiers de classe, maman. Ils se sont avéré d'excellents partenaires d'études de plus d'une façon.

Wow, même fatiguée à mort, Sky est encore bonne. Je me souviens bien de cette scène. Lorsque nous l'avons filmée, c'était pour la première année de lycée des filles, et tout l'épisode tournait autour d'un scandale de tricherie à l'école.

— Beau travail, frangine, dit Alexis, l'air guindée. Qui aurait cru que tu étais capable de, hum, euh, tu étais, hum… ARGH ! RÉPLIQUE !

J'entends quelques personnes grogner.

Comment Alexis peut-elle avoir oublié sa réplique ?

Tom lit le texte.

— Alexis, c'est : nous savions que tu avais la capacité d'être davantage qu'une meneuse de claque.

— Je le savais, dit Alexis à l'équipe technique en leur lançant un regard assassin. On roule.

Alexis réussit cette fois, puis elle bloque encore deux répliques plus loin.

— Elle est affreuse, entends-je d'une AP à côté de moi, qui murmurait à son voisin. Pourquoi le public l'aime-t-il encore ?

Entre ses ratages, Alexis crie. Elle fait sentir Sky encore plus petite qu'elle ne l'est déjà, insiste pour que Melli rate un appel de son enfant, et menace de congédier Tom et la moitié de l'équipe technique. Mes ongles s'enfoncent dans le vaporisateur d'eau minérale. Alexis n'éprouve pas de gratitude pour le succès dont elle jouit. Un million de filles tueraient pour son travail, et la voici traitant tout le monde comme s'ils étaient la gomme à mâcher sous ses talons pointus. Alexis ne devrait pas tenir ce rôle, ce chèque de paie ni cette célébrité. Qu'il s'agisse du vrai monde ou non, un jour son karma la rattrapera. Elle ne conservera pas toujours cette carrière si elle ne commence pas à l'apprécier davantage.

La même chose s'applique à moi.

Je le jure, si je peux ravoir mon ancienne vie à Hollywood, je ne m'en plaindrai plus. Personne ne veut entendre une célébrité gémir que son incroyable vie est difficile. Je serai reconnaissante pour le bon et le mauvais qui vient avec le fait de mener une carrière à l'âge de dix-huit ans. Ma vie est diablement fabuleuse, et les parties qui doivent être revues ? Bien, je peux y mettre bon ordre si j'ai enfin le courage de m'y attaquer.

— Sam, que veux-tu dire, tu as vu mademoiselle Carmichael changer les réponses sur l'examen de Lexie ? s'enquiert Melli.

C'est ma réplique — celle d'Alexis — et elle bégaie encore une fois.

— J'étais debout… J'étais debout… Je, hum, euh…

Oh, assez !

Je marche sur le plateau d'un bon pas, lève ma béquille devant Alexis pour la retenir et prononce la réplique comme elle est censée être dite. Melli et Sky me fixent avec des yeux ronds.

— J'étais debout dans le couloir en train de l'observer, maman, leur dis-je, sentant pleinement la peine de mon ancien personnage. Elle n'arrêtait pas de changer toutes les mauvaises réponses pour les bonnes. Elle lui a accordé un A alors qu'elle aurait dû recevoir un D. Je l'ai vu de mes propres yeux, et pourtant, je n'ai rien fait. Je suis restée là à la regarder et je savais que c'était mal. Que dois-je faire à présent, maman ? Je ne pourrai pas continuer à me regarder en face si je la laisse s'en sortir.

Voilà. C'est dans la boîte !

Tout le plateau est silencieux. Sonné serait un mot plus approprié. J'entends quelqu'un dire :

— Elle est bonne. Mille fois meilleure qu'Alexis.

Je ne peux pas m'empêcher de sourire largement et je vois le petit sourire satisfait de Melli. Puis, quelqu'un me pousse. Rodney tend la main pour m'attraper, mais Alexis tape sur son bras pour l'éloigner.

— TOI.

Alexis pointe un doigt tremblant sur moi.

— Comment oses-tu ? Jouer pour la galerie comme ça, essayant de me faire paraître idiote… c'est… c'est…

— Tu es idiote, grommelle Sky dans sa barbe.

Alexis regarde autour de la salle comme une folle, et est-ce que je rêve ou bien les gens semblent y prendre plaisir ?

— TU ES CONGÉDIÉE ! me crie-t-elle, contente d'elle-même.

Je vaporise son visage d'eau minérale, envoyant gicler la brume de manière à lui tremper le visage, et son maquillage coule. Puis, je lâche la bouteille à ses pieds.

— Non Alexis, dis-je calmement. *Tu* es congédiée.

Alexis rit et croise ses bras osseux.

— Jamais.

— Oui, c'est tout comme.

J'attrape mes béquilles. Je commence à me frayer un chemin à travers la foule et Rodney me décoche un clin d'œil.

— C'est là que tu as tort, Alexis.

Je souris de satisfaction.

— Tu l'ignores encore, c'est tout.

Note à moi-même :
Sois reconnaissante de ce que tu as et arrête de te plaindre de ce que tu n'as pas.
Rencontre Liz à 19 h pour la première chez Boa.

QUATORZE : *Trouble-fête*

J'entends un coup frappé à la porte de ma chambre à coucher et je retire les écouteurs bouton de mon iPod.

— Entrez !

Maman est debout dans l'embrasure de la porte, l'air très grave. Malgré cela, je dois résister à l'envie d'éclater de rire. Elle porte un tablier de chef. Un tablier ! Sur le devant, il est écrit : « Les Irlandaises sont les meilleures cuisinières du monde ! »

Maman est l'une des meilleures cuisinières du monde ? Mon Dieu, si ma véritable mère pouvait être témoin de cela, elle aurait besoin d'un soin du visage à l'oxygène chez Medi Spa, c'est certain. Maman tient deux choses : une cuillère en bois dans une main et un morceau de papier dans l'autre. Je ne peux pas voir ce qu'il y a d'écrit dessus, mais il a été tapé à l'ordinateur, et la plupart des lettres sont majuscules.

— Kaitlin, j'étais sur le site de Food Network pour revérifier une recette de goulasch de Rachael Ray quand j'ai pesé sur un bouton, et ceci est apparu sur l'écran.

Sa voix est quelque peu tendue.

— Tu sais que je ne suis pas très calée en technologie, mais je crois que cela t'appartient.

— Merci ! Tu peux le laisser juste là.

Je glisse en bas de mon lit et clopine vers le placard sur un pied. Je ne peux pas supporter d'utiliser mes béquilles pour marcher seulement quelques mètres. Je dois encore trouver dans ce placard un vêtement qui convient pour aller au Boa Steakhouse ce soir. Ils organisent une fête pour la première du plus récent film de Tom Cruise, et j'y vais avec Liz, qui y va avec Lauren et Ava.

Beurk.

La seule pensée de papoter — sans parler de papotage lèche-bottes — avec cet horrible duo suffit à me donner envie de vomir violemment mon dîner du cuistot. Même si Alexis m'a bannie, l'équipe technique était tellement fière de moi qu'on m'a amenée discrètement jusqu'au chariot du traiteur (Alexis ne le visite jamais puisqu'elle ne mange pas). C'était tellement agréable de manger des trucs du cuistot sur le plateau aujourd'hui. Une sensation familière. Du poulet élevé en plein air sur un lit de verdure avec un à-côté d'oursons en gelée est tout simplement imbattable.

Liz dit que sortir ce soir sera encore mieux. J'en doute, mais je dois quand même y aller. Liz a besoin de moi pour l'aider à comprendre que Lauren et Ava ne sont pas les parfaites acolytes de la fête. Liz peut très bien s'en tirer toute seule sans se laisser piéger par la célébrité et l'excès qui ont eu raison de tant de personnes avant elle. Du moins, je l'espère. Matty montre déjà des signes d'amélioration. Hier, je l'ai incité à porter un jean et un polo en classe au lieu d'un survêtement, et je suis à ça de l'amener à joindre le comité du gala d'hiver. Je lui ai dit que c'est tellement plus génial que la fausse danse virtuelle de fin d'année en ligne de laquelle il parle.

Maman est toujours dans l'embrasure, tenant le papier et me fixant.

— Est-ce que ça va ? m'enquiers-je.

— Pas vraiment.

Elle s'assoit sur le bord de mon lit et lisse les bosses dans mon édredon. Cette mère est une Martha Stewart en miniature. Elle lave toujours les planchers, époussette les meubles et dit constamment qu'une gouvernante, « c'est tellement inutile ». Anita, notre gouvernante dans la vraie vie, rirait bien de celle-là, mais je pense en fait que le changement chez maman est agréable. Cette mère n'hésite pas à arrêter ses activités pour m'aider avec mes devoirs, regarder une émission télévisée avec moi ou être le second joueur dans l'un des jeux d'ordinateur de Matty qu'elle ne comprend pas. Elle adore aller faire des courses, mais elle se fout du designer sur l'étiquette. Elle mange de la pizza sans éponger l'huile dessus. Elle ne mentionne pas des célébrités à chaque deux phrases. Elle insiste pour que la famille s'assoie ensemble pour dîner chaque soir (ce qui, je l'admets, est plutôt plaisant) et papa est tout aussi présent. L'autre jour, il m'a demandé de venir le rejoindre au travail pour le dessert juste pour que nous puissions rattraper du temps ensemble. (Il a dû travailler tard toute la semaine chez le concessionnaire.) J'aime passer des moments avec chacun d'eux, même si je me sens un peu coupable. La vérité est que si ma vraie famille était à moitié aussi gentille que ma famille clone, j'aurais vraiment tout dans la vie.

Maman me tend le papier pour que je le prenne et elle me regarde avec tristesse.

— Quand as-tu écrit cela?

Oh oh. Maman le clone a imprimé ma minable tentative d'écrire la stupide dissertation d'admission à l'université, qui commence par la phrase tout en majuscules : « JE DÉTESTE ÊTRE ICI ! » De là, je continue en disant que ma vie est un cauchemar. Oups.

— J'étais en colère à propos de quelque chose à l'école quand je l'ai écrit.

Maman hoche la tête.

— C'est ce que je constate.

Elle baisse les yeux sur l'édredon et trace avec ses doigts un des motifs floraux.

— Je ne réalisais pas que nous te rendions si malheureuse en t'envoyant à Clark Hall, Kaitlin. Je pensais que tu pouvais tout me dire, mais tu as gardé secrets tes sentiments au sujet de ton école et de ta famille.

Sa lèvre inférieure commence à trembler.

— Je sais que papa et moi ne réussissons pas aussi bien que le père de Liz et que tu aimerais avoir sa vie, mais j'ignorais que notre style de vie d'inconnus te rendait si misérable.

— Ce n'est pas le cas.

Je ne sais pas si je dois la prendre dans mes bras ou rester à ma place, tirant sur les fils d'une robe chandail noire que je viens de trouver enfouie au fond du placard de Kaitlin le clone. Elle a une encolure souple et un tricot croisé à la taille, ce qui est vraiment seyant. Si j'assortis ce vêtement à mes bottes à talons hauts, ce pourrait former une tenue du tonnerre.

— Apparemment oui, rétorque doucement maman. Tu es malheureuse depuis ton premier jour à Clark Hall. J'imagine que ton transfert était une erreur. Clark Hall t'a donné l'impression que tu méritais une vie différente. Tu es allée à toutes ces fêtes avec Liz et tu es restée dehors à toute heure avec des gens comme Jay-Z et Rihanna. J'aurais dû réaliser que notre petit monde ne se comparerait pas à ce qu'Hollywood a à offrir.

Je baisse la tête un peu, prise de culpabilité. On dirait que Kaitlin le clone a été une fautrice de troubles.

— Mais tu sais quoi, Kaitlin ? J'aime notre vie, me dit maman, son visage s'éclairant. J'ai assez de temps pour mon travail et ma famille. J'ai l'impression d'avoir un certain équilibre. Tout comme ton père. Il adore travailler chez ce concessionnaire et un jour il deviendra propriétaire. Je le sais. Cela a toujours été son rêve.

Mes oreilles se redressent.

— Je ne savais pas cela.

Maman hoche la tête.

— Quand je l'ai rencontré, c'est la première chose qu'il m'a dite.

Elle glousse.

— Il était tellement nerveux, il n'a parlé que de voitures ! Il n'en a jamais assez, ce qui explique pourquoi il utilise toujours ces étranges expressions de mécanique. Je suis certaine que tu les trouves stupides, mais j'ai toujours aimé cela chez lui.

De fait, moi aussi. Mon véritable papa semble tellement perdu dernièrement. Il n'a pas d'emploi à proprement parler, et maman ne veut pas lui permettre de donner un coup de main pour la gestion de ma carrière et celle de Matty. Je parie qu'il adorerait retravailler chez un concessionnaire, même s'il n'était que le gars qui vous accueille à la porte. Maman ne le laisserait jamais faire, par contre.

— Mais toi, Kaitlin, je ne te comprends pas.

Maman pose une main sur son visage.

— Nous avons toujours su que tu ferais quelque chose de formidable, mais nous désirions que tu découvres toi-même ce que ce sera, sans intervention de notre part. Tu sais que je ne suis pas le genre de mère à me montrer indiscrète ou à dicter ses volontés.

Ne rie pas. Ne rie pas. Ne rie pas.

— Je veux que tu te trouves toi-même, mais pour être franche — elle refoule ses larmes —, je ne sais pas si j'aime la personne que tu es devenue.

— Maman.

Aïe. Ça fait mal. Même s'il ne s'agit pas de moi, je ne veux pas la voir si déçue.

— Cette lettre n'est pas vraie. J'étais seulement en colère et je me défoulais. Ces deux dernières semaines ont été dures. Et regarde, lui fais-je remarquer, au moins, je commençais un brouillon pour la dissertation d'admission à l'université.

Les yeux de maman sont larmoyants.

— Donc, tu veux aller à l'université ?

Je repense à ma conversation avec madame Jasons et je souris.

— Je pense bien.

Maman se penche vers moi, ses yeux verts pleins d'une excitation nouvelle.

— C'est bon à entendre. Je pense que tu adorerais cela.

Elle est assise au bord du lit.

— As-tu le moindrement songé à l'endroit où tu aimerais aller ?

— Pas vraiment, admets-je, puis je marche vers elle, tenant toujours la robe noire dans mes mains.

Je m'installe à côté d'elle, hésitant à me confier à propos de quelque chose que ma véritable mère désapprouverait.

— J'ai regardé la demande pour USC, et ils offrent beaucoup de bons programmes. Le campus semble joli, en photo du moins.

— Nous devrions peut-être prendre rendez-vous et la visiter, suggère maman, se prenant d'enthousiasme. Nous pourrions aussi rencontrer un conseiller, et tu pourrais échanger avec lui sur les différentes matières principales. Ou bien nous pourrions trouver une personne étudiant à USC qui accepterait de s'asseoir avec nous et d'en discuter ?

Elle débite les suggestions si vite, je sens ma tête s'alourdir et mon cœur angoisser un peu. C'est trop à la fois. Je viens à peine de décider que je veux insérer l'université dans ma vie. Je n'ai pas besoin pour l'instant d'une visite de week-end. Malgré tout, par habitude, je dis :

— D'accord.

Maman me lance un regard, et ensuite, son sourcil droit s'arque légèrement. Wow ! Exactement comme ma vraie mère !

— Tu n'es pas prête pour un tour éclair, n'est-ce pas ?

Je secoue la tête.

— Alors, dis-le-moi, insiste-t-elle, agitant un peu mes bras quand elle tend les mains pour m'attraper et me rapprocher d'elle. Je veux être ouverte avec toi, tu sais cela.

Elle m'étreint avec force et je la laisse me caresser les cheveux. C'est très apaisant.

— Je suis désolée si je m'acharne trop, Kaitlin. Je désire seulement ce qu'il y a de mieux pour toi et Matty. J'imagine que parfois, j'oublie que vous avez vos propres opinions et vos rêves personnels aussi.

Elle rit.

— Et voilà la maman typique. Nous ne cessons jamais de materner.

Voilà peut-être l'erreur que commet ma véritable mère — nous étouffer au lieu de nous materner. Elle me l'a pratiquement admis l'autre soir lorsque nous étions à la réunion avec Seth et Laney. Elle souhaite ce qu'il y a de mieux pour moi, mais son idée de ce qui est mieux pour ma personne diffère de la mienne.

Ce que je veux, comprends-je avec tellement de force que j'aimerais pouvoir le dire immédiatement même si cela ne faisait aucun sens, c'est le retour de ma mère. Quelqu'un d'autre peut diriger ma carrière, mais je désire une mère qui peut tenir ce genre de conversation avec moi.

— J'aime que tu me maternes.

Je suis sincère. Vraiment.

Maman et moi restons assises ainsi un moment en gardant le silence jusqu'à ce que mon téléphone sonne ; je constate qu'il s'agit de Liz. Elle m'attend dehors.

Pendant tout le trajet en voiture, je réfléchis à ma discussion avec maman, et quand ce n'est pas le cas, je songe au fait que je suis à quelques minutes de sortir avec Lauren et Ava. Autant j'aimerais bien voir ce film de Tom Cruise dont je n'ai jamais entendu parler (il s'agit peut-être d'une version exclusive à Kaitlin le clone ?), autant je me passerais bien de voir LAVA. J'aurais souhaité pouvoir regarder le film Cruise à la maison dans mon lit confortable.

Parfois, c'est payant d'être aussi puissant que Tom Cruise ou le président, parce que vous pouvez procéder exactement ainsi.

SECRET D'HOLLYWOOD NUMÉRO QUATORZE : Il y a seulement quelques élus qui peuvent appeler un dirigeant de studio et lui demander de leur envoyer une copie de film actuellement dans les cinémas ou qui n'est même pas encore sorti. Pensez Cruise, Spielberg, le prince William ou la première dame. Si vous vous donnez toute cette peine, vous n'écoutez probablement pas le film sur un écran plat de télévision dans votre salon. Non, ces gens ont en fait des salles de projection dans leurs maisons avec des sièges de cinéma et un gros projecteur. (Papa en a toujours voulu un.) Cependant, comme Cendrillon au coup de minuit, un film destiné au grand écran doit retourner à sa place légitime (alias le studio). Pour le revoir, vous devrez sortir la perruque et les lunettes noires et aller au cinéma comme tout le monde.

— N'est-ce pas excitant ? demande Liz en m'attrapant le bras, et nous passons illico la corde de velours pour entrer chez Boa Steakhouse à West Hollywood. J'espère que Lauren et Ava nous ont gardé des sièges à leur table réservée.

Elle ajuste son bandeau de tête mauve branché. Je l'ai convaincue de le porter avec sa nouvelle robe noire Prada pour ajouter une touche colorée. La véritable Liz ne se contenterait jamais d'une tenue complètement noire.

— Penses-tu qu'elles se souviennent que nous venons ? s'inquiète Liz. Je leur ai envoyé trois messages texte aujourd'hui pour le confirmer, mais je n'ai reçu aucune réponse.

— Nous n'avons pas besoin d'elles pour nous amuser, insisté-je en regardant autour de moi.

Je ne suis venue chez Boa Steakhouse qu'une fois pour dîner avec Seth, mais la nourriture est telle qu'on s'attendrait d'un endroit proposant des morceaux de viande imposants et des pommes de terre (avec d'autres trucs inhabituels, comme la saucisse de bœuf Kobe en beignet sur leur menu). Boa est très feng shui — moderne et raffiné — avec des murs de marbre et de blocs de verre, des luminaires cylindriques, un cellier en acier inoxydable pleine hauteur et trois branches nues éparpillées dans le paysage entre les tables.

La foule est tout aussi géniale que le lieu. Tout le monde de moins de vingt-cinq ans que je connais est ici, y compris certaines de mes amies dans la vraie vie comme Gina. Je ne peux pas m'empêcher de la saluer lorsqu'elle passe, mais elle se contente de me sourire poliment et de poursuivre son chemin.

— Elle a eu une énorme dispute avec Ava il y a quelques semaines, me confie Liz quand Gina est hors de portée de voix. Tu te rappelles quand elle s'est mise en colère contre Ava pour avoir flirté avec Pierce ? Ava a dit que ce n'était pas comme s'ils étaient mariés ni rien.

— Et toi, à quel point serais-tu furieuse si Ava draguait ton petit ami ? demandé-je.

Elle hausse les épaules.

— J'imagine que je devrais d'abord en avoir un.

— Qu'en est-il de Josh, ce mignon garçon dans ta classe de kickboxing ? glissé-je avec espoir.

Le visage de Liz se ferme immédiatement.

— Josh ? Il ne m'aidera pas à être admise où que ce soit !

Elle secoue la tête, les anneaux en or à ses oreilles étincelant sous la lumière.

— J'ai besoin de quelqu'un qui peut me mettre davantage en évidence et non me couler. C'est ce que dit Ava.

Je ne peux retenir une plainte.

— Je te l'ai dit ! Nous n'avons pas besoin d'elle. Nous pouvons fréquenter ces événements sans devenir obsédées par toutes ces gratuités et ces ambitieux.

Je vois bien qu'elle m'écoute seulement à moitié en fouillant la salle du regard.

— Regarde ! Elles occupent une table là-bas.

— Trouvons notre propre table, supplié-je, et Liz m'observe comme si je venais à nouveau de me cogner la tête. Nous pourrons attirer notre propre cercle ! Les gens vont nous adorer.

Liz baisse les yeux et fixe ses nouveaux talons Gucci en peau de serpent.

— J'ai entendu parler du truc du studio aujourd'hui.

— Ah oui ?

Mes yeux s'arrondissent. Oups.

— Papa a reçu un appel, déclare Liz. Il va essayer d'arranger les choses. À quoi as-tu pensé ? Nous étions à ça de nous retrouver dans l'œil d'Alexis. À présent, nous allons être bannies à vie.

— Et alors ?

Je prends la mouche.

— Nous n'avons pas besoin de gens comme Alexis ou Lori Peters qui croient qu'elles valent mieux que tout le monde. Si nous nous laissons happer par ce monde et faisons tout ce qu'on nous dit, nous pourrions finir comme… Sky Mackenzie.

Je tressaille en prononçant son nom.

— Toutes ces fêtes ont à peu près ruiné ses chances de poursuivre une carrière après *Affaire de famille*.

Liz roule les yeux.

— Maintenant, on croirait entendre mon père ! Qu'est-ce qu'il y a de si mal à s'intégrer ? Regarde cette foule ! lance Liz, parcourant du regard la pièce remplie de personnes bien vêtues, chacune plus mince qu'un fil. Ils ont tout ! Est-ce si mal de vouloir la même chose ? Tu semblais d'accord avec moi il y a quelques semaines, mais depuis l'accident, tu te prends pour une sainte, prêchant la rectitude morale et affirmant que nos amis d'Hollywood sont des perdants.

Elle pose ses mains sur ses oreilles.

— Je ne peux plus le supporter !

Je suis tellement abasourdie par sa crise, je ne sais pas quoi dire. Heureusement, une serveuse passe avec un plateau de boissons et nous offre un smoothie rose sans alcool qu'ils ont baptisé Smooth Cruise Control et qui contient du jus de mangue et de papaye. J'en prends un et joue avec l'amusante paille mauve, faisant tourbillonner les cristaux de glace encore et encore. Nous nous fixons toutes les deux, et je cligne des paupières pour éviter de pleurer.

— Je suis désolée, dit Liz avec impassibilité, sans me regarder. Je n'aurais pas dû te piquer une crise. C'est juste… tu agis de manière tellement étrange dernièrement.

— Je sais, dis-je d'une voix rauque.

— Je veux ravoir l'ancienne Kaitlin, ajoute Liz.

— Moi aussi, acquiescé-je.

Je pense que nous songeons à deux Kaitlin différentes, mais peu importe.

D'accord, je vais pleurer maintenant.

— Nous devrions peut-être pendre une pause, suggère Liz avant de partir en trombe. Puisque tu désires réserver ta propre table, prends celle-ci. Je vais aller saluer les filles — et je ne veux pas de sermon parce que je le fais.

Elle possède la fougue de ma Liz, sans aucun doute, mais elle l'utilise à mauvais escient.

Je reste là à chasser par la pensée les larmes qui, je le sais, menacent de glisser d'une seconde à l'autre. Je ne peux pas vivre dans un monde où ma meilleure amie croit que je suis un cauchemar et où Sky a l'air de la Sky que j'ai vue. Je ne peux pas être dans un endroit où une fille aussi affreuse qu'Alexis Holden a la mainmise sur tout un studio de personnes bonnes et honnêtes que j'aime. Je ne peux pas vivre avec cet Austin. Je sais que j'essaie de redresser la situation, mais plus je passe de temps ici, moins j'éprouve de certitude envers quoi que ce soit.

— Kaitlin ?

Je lève les yeux. Austin se tient juste devant moi, portant une chemise bleue froissée sortie de son pantalon en velours côtelé brun.

— Ça va ?

— Que fais-tu ici ? murmuré-je en m'essuyant les yeux.

Mon Dieu, j'espère qu'il ne m'a pas vue pleurer.

Austin me lance un regard étrange.

— Euh… tu nous as invités. Moi et Lori.

Je dois paraître confuse, car il continue de jacasser.

— Lori a dit que tu voulais t'excuser pour l'accident et pour lui avoir donné l'impression que tu m'aimais bien alors que ce n'est pas le cas.

Il dit la dernière partie d'une voix bizarre avant de s'asseoir sur une chaise devant moi.

— Est-ce la vérité ? Qu'est-ce que c'était, toutes ces choses que tu m'as dites dans la voiture, l'autre jour, alors ? Est-ce que tu en rajoutais seulement pour profiter d'une balade en voiture jusqu'à Burbank ?

— Non, dis-je, cherchant mes mots et me troublant. Oui, j'ai de l'affection pour toi.

J'hésite.

— C'est juste… c'est compliqué.

Austin fait courir ses mains dans ses cheveux.

— Tu es mi-figue, mi-raisin. Une minute, je pense que tu veux être avec moi et la minute suivante, tu dis à Lori que tu ne peux pas me supporter.

— Je n'ai jamais dit cela, insisté-je. Et même si je désirais être avec toi. Tu es avec Lori. Tu n'es pas prêt à lutter pour cela. Tu t'es montré clair à ce sujet.

Austin se penche vers moi et ignore mes déclarations.

— Une seconde, je pense que nous pouvons être amis et la minute suivante, tu appelles ma petite amie dans mon dos.

Pourquoi voudrais-tu arranger les choses avec quelqu'un que tu ne peux pas supporter?

Les yeux bleus d'Austin s'arrondissent.

— À moins que tu ne te serves de moi pour grimper les échelons de la popularité.

— Liz doit avoir monté ce coup! lui dis-je, puis les larmes commencent à couler. Je ne savais même pas que vous veniez, toi et Lori! Cela n'a rien à voir avec moi.

— Bien sûr.

Il secoue la tête.

— J'ai peut-être eu tort à ton sujet. Tu es exactement comme les autres. À un de ces jours, Kaitlin.

Quand il se lève et se détourne, il se cogne directement sur Lori. Elle a un regard pour mon visage baigné de larmes et pour celui en colère d'Austin, et elle éclate.

— Qu'est-ce que c'est que ça? demande Lori en croisant les bras.

Ses cheveux blonds luisants sont gonflés et bouclés, et elle porte une robe lilas de la nouvelle collection Marc Jacobs. Elle a l'air parfaite. Soupir.

— Ce n'est rien, grommelle Austin. Partons d'ici. Je ne veux pas d'excuses de sa part. Je ne les croirais pas.

— Bien, moi, j'en veux.

Les yeux de Lori se plissent.

— Et une promesse que tu resteras loin de mon petit ami. Si tu l'aperçois dans le couloir, tu pars dans l'autre sens. Si on te l'assigne comme partenaire dans le laboratoire de science, tu trouves un fabuleux prétexte pour t'en sortir. Je ne veux pas que tu respires le même air que lui, compris?

— Lori, commence Austin, l'air interloqué.

— Quoi, Austin? m'enquiers-je en levant le menton haut. As-tu vraiment ta propre opinion à contribuer à cette conversation? Je suis tout ouïe!

— De quoi jacasse-t-elle ? demande Lori.

— De rien.

Austin lui attrape le bras et la tire loin de moi.

— Viens, Lori, allons chercher quelque chose à manger.

Tout à coup, j'ai l'envie de hurler si fort que l'animateur arrêterait de faire tourner sa musique. Liz, Austin… cela ne se passe pas aussi bien que j'avais pensé. Tout le monde autour de moi rit et mange des hors-d'œuvre et s'amuse. Tout le monde, sauf moi.

— COMMENT OSES-TU PARLER À MA CLIENTE SANS ME CONSULTER D'ABORD !

Hé, je connais cette voix !

— LA PROCHAINE FOIS QUE TU ME FAIS CE COUP-LÀ, JE VAIS TÉLÉPHONER À *PAGE SIX* ET TE FAIRE VIRER SI VITE QUE TU N'AURAS MÊME PAS LE TEMPS D'EMPORTER UN CRAYON NUMÉRO 2 AVEC TOI !

C'est Laney ! Elle est assise seule dans un box à moins d'un mètre de moi. Son assiette est vide et elle a un grand verre d'une boisson claire devant elle, mais comme d'habitude, elle tire son plaisir de réprimander quelqu'un par téléphone cellulaire. Elle est identique à elle-même — des cheveux blonds lissés au fer, un corps souple et deux appareils Bluetooth collés aux oreilles. Je suis tellement excitée, je pourrais partir en courant pour l'étreindre. Mais je ne le fais pas. Je parie que cette Laney-ci n'aime pas les câlins non plus. À la place, je l'écoute continuer à crier après quelqu'un. C'est comme de la musique à mes oreilles. Laney est exactement la même dans la version de Kaitlin le clone. Jusqu'à présent, elle est la seule.

Je devais la fixer depuis un moment parce qu'elle lève les yeux et me lance un regard appréciateur.

— La fête de Reese, c'est ça ? Tu as gagné le concours de Guitar Hero ?

Hiii ! Laney s'adresse à moi !

— Je ne pense pas.

— Je dois te connaître d'ailleurs.

Elle retire ses oreillettes Bluetooth comme des diamants et les laisse tomber dans le gros sac déposé à côté d'elle. Elle porte un pull croisé blanc et un pantalon noir à jambes larges avec de très hauts talons. Elle tapote le siège à côté d'elle.

— Es-tu actrice?

— Non.

Aïe. Ça fait mal. Je m'assois.

— Je m'appelle Kaitlin Burke. Je suis ici avec quelques amis, mais je n'ai, euh, jamais joué avant. Bien que je pense pouvoir mieux réussir que Shayla Stevens.

Mon Dieu, j'espère que Laney ne la représente pas.

Elle gémit à la mention de la partenaire de Tom Cruise dans le film de ce soir.

— N'était-elle pas la pire de toutes? Je sais qu'ils aiment jumeler Tommy avec de belles inconnues, mais n'auraient-ils pas pu trouver quelqu'un qui pouvait au moins articuler clairement?

— Ce n'est pas comme si les répliques étaient si compliquées. À quel point est-ce difficile? « Vite! Ils nous rattrapent! »

J'utilise un accent russe, meilleur que celui de Shayla, et je regarde désespérément autour de moi, oscillant et remuant la tête comme si les méchants se cachaient derrière chaque table.

— « Nous devons trouver un refuge sûr jusqu'à ce que cette fumée se dissipe. Sinon, je ne pense pas que nous serons là pour le spectacle du cirque demain. »

Jouer me manque. Beaucoup.

— Impressionnant.

Laney m'évalue.

— C'était très bon. Tu es aussi beaucoup plus jolie que Shayla. Tu as une excellente ossature, une peau merveilleuse et une belle sonorité. Formidable nom, aussi.

— Merci, dis-je, contente de briller sous le regard admiratif de Laney. Es-tu agente de distribution?

C'est amusant !

Laney se redresse.

— Mon Dieu, non ! Je suis agente de publicité et j'ai beaucoup de clients ici ce soir. Tommy est mon homme. As-tu aimé le film ?

J'hésite.

— Oui.

C'était bien, j'imagine, mais Cruise incarnant un clown de cirque ? Je ne le vois pas.

— Mais ? insiste Laney.

Elle peut lire le visage d'une personne comme un livre ouvert.

Et puis zut ! Ce n'est pas comme si j'allais la revoir.

— J'ai aimé la prémisse, mais Tom est une trop grande vedette pour interpréter un phénomène de cirque. L'histoire aurait bien fonctionné s'il avait fait quelque chose de différent, comme être propriétaire d'un parc d'attractions style Disney au lieu d'une compagnie de cirque. Et Hulk Hugan jouant la femme à barbe ?

Je secoue la tête.

— Gerard Butler n'était pas libre ? Il aurait été parfait.

— C'est ce que j'ai pensé !

Laney est sidérée. Elle boit une gorgée de sa boisson.

— J'ai aussi insisté pour qu'ils engagent Angelina pour ce film.

Je hoche la tête.

— Elle aurait été meilleure dans le rôle de Shayla. Quelqu'un de l'âge de Shayla aurait fait un excellent comparse, mais je n'ai pas pensé que funambule, c'était son truc.

— Je suis d'accord, chuchote Laney. Tu es certaine de ne pas être dans le milieu ? J'aurais pu jurer t'avoir vue dans une publicité pour Tide.

J'en ai tourné plusieurs, mais je ne peux pas le dire.

— Je suis attentive aux nouvelles du métier et sur la distribution des rôles. *Variety* est ma lecture de chevet.

— Tu es brillante.

Laney donne de petits coups secs sur la table avec ses longs ongles rouge sombre.

— Toi et moi devrions tenir une réunion. Tu n'es pas représentée, n'est-ce pas ?

Elle me regarde vivement. Laney déteste les menteurs.

Kaitlin le clone tenant une réunion ? Mon Dieu, si je pouvais jouer ici, ce serait bien mieux que de trouver mon chemin vers le Sprinkles le plus près pour acheter une douzaine de cupcakes.

— Non, réponds-je en tentant de dissimuler mon enthousiasme. As-tu une carte ?

Laney en sort une d'un élégant porte-cartes noir. Dans le vrai monde, elle utilise un Louis Vuitton, un cadeau de moi pour son anniversaire.

— Donne-moi aussi tes coordonnées, dit-elle alors que ses oreillettes Bluetooth recommencent à sonner. Je vais te téléphoner demain. As-tu déjà mangé chez STK ? Je vais t'y amener cette semaine. Je veux te présenter à quelques gérants qui seraient fous de toi. Fais-moi confiance.

J'adore STK ! Laney et moi y allons en secret sans maman. Maman ne me permet jamais de commander de la friture, mais Laney, si. Elle dit que j'ai un bon métabolisme.

— Bien sûr, accepté-je.

Kaitlin le clone a une réunion ! Kaitlin le clone pourrait avoir une agente publicitaire ! Kaitlin le clone pourrait même avoir un gérant !

Je suis tellement de bonne humeur, je dis au revoir à Laney et décide de chercher Liz pour arranger les choses avec elle.

Je la découvre de l'autre côté du restaurant, entourée de sa cour composée d'Austin, Lori, Ava et Lauren. Ava porte du satin rose et son chien Calou, minuscule boule de poil vêtu d'un haut assorti en satin rose. Les cheveux blonds d'Ava sont tirés en arrière et des boucles bondissent quand elle rit. Les cheveux bruns de Lauren sont coiffés de la même manière. Elle porte une robe-chasuble qui, si LAVA les clones ressemblent un tant soit peu à leurs doubles dans le vrai monde, a été volée, j'en suis certaine. Les deux ont l'habitude de voler dans les magasins, même si elles peuvent sans problèmes payer leurs fringues. Les filles sont suspendues à chaque parole de Liz, et elle est trop absorbée par son histoire pour réaliser que je me tiens à quelques mètres d'elle. J'imagine que l'endroit est assez bondé et sombre pour ne pas remarquer une personne de plus rôdant autour.

— Appelez l'aile psychiatrique, immédiatement, parce que Kaitlin a besoin d'être maîtrisée, entends-je, et je stoppe net. Elle a vraiment dû se cogner la tête dans cet accident, car depuis, elle se prend pour mère Teresa.

Liz fait semblant de prier.

— Je dois redresser les torts de mes amis.

— Hilarant !

Ava rit et Calou jappe pour marquer son approbation. Elle lui offre à manger un petit filet mignon sur un morceau de pain grillé.

— Sérieusement, Lizzie, pourquoi te donnes-tu la peine de traîner avec elle ? Je savais qu'elle n'était pas amusante.

— Non, je veux dire, Kaitlin est amusante ; elle l'était, du moins.

Liz joue avec ses anneaux aux oreilles presque comme si elle était en transe.

— Chaque fois que nous assistions à ces événements, elle allait toujours bavarder avec la vedette la plus populaire de l'heure. Elle est tellement charismatique. Cela explique peut-être pourquoi j'ai ignoré cette ridicule campagne de transformation qu'elle semble mener.

— Tu pourrais faire tellement mieux, ajoute Lauren.

— Je ne l'ai jamais aimée, intervient Lori, qui semble enchantée de se retrouver entourée de vedettes de série D. Elle traque toujours mon petit ami. Ça donne la chair de poule.

— Elle ne donne pas la chair de poule. C'est juste que tu ne la connais pas.

Austin me surprend en disant cela. Elles le dévisagent, et il baisse les yeux sur la table et joue avec une brochette de poulet qu'il n'a pas mangée.

— Allez-y mollo avec Kaitlin. Elle a passé quelques dures semaines dernièrement.

— Y aller mollo avec elle ? Regarde ce qu'elle t'a fait !

Lori siffle et sa tête tourne si violemment que ses cheveux bouclés ressemblent aux serpents de Médusa.

— Écoute, Liz, je sais que c'est toi qui nous a invités et non Kaitlin. Malgré tout, oublie cette histoire de pardon. Ton amie est folle. Je pense que je veux m'informer à propos d'une ordonnance restrictive pour A.

Ava s'étrangle de rire avant de s'emparer d'une autre boisson rose d'une serveuse qui passe et qui doit s'arrêter net pour éviter de renverser son plateau.

— Chérie, c'est tellement facile à obtenir. J'en ai plusieurs moi-même.

— Tu veux dire qu'il y en a plusieurs contre toi, clarifie Lauren.

Elle rentre son ventre déjà plat quand un gars séduisant passe, mais le relâche rapidement lorsqu'il ne lui accorde pas un second regard.

— Ce n'est pas la même chose.

— J'ai peut-être besoin d'une ordonnance restrictive, dit Liz en mâchonnant un petit beignet de crabe. Nous avons été amies toute l'année, alors il me semble que je devrais l'aider, mais à présent, je ne sais plus.

— Tu es une âme tellement généreuse, sympathise Ava, et elle nourrit Calou avec un rouleau au concombre venant de son assiette.

— La dernière chose dont j'ai besoin est de me retrouver avec des béquilles comme toi, Austin, ajoute Liz tout en faisant passer son regard d'Ava à Lauren pour quêter leur approbation. Qui sait qui Kaitlin renversera la prochaine fois?

Ils sont tous tellement occupés à rire, je ne pense pas qu'ils me voient m'avancer à pas lourds et bruyants jusqu'à leur table et leur lancer le reste de mon smoothie au visage à plein régime. Il s'envole, frappant Liz, Lauren et Ava plus que les autres. Je ne peux pas m'empêcher d'être celle qui rit, à présent. Je ne suis pas la seule : on dirait que la bouche d'Austin tressaille quand Lori commence à pleurer dans son épaule à propos de la substance rose visqueuse dans sa chevelure.

Ava est la première à hurler, et les yeux de Liz s'arrondissent d'horreur quand elle comprend qui est responsable de l'attaque.

— Espèce de petit monstre!

Ava essuie l'épaisse substance rose visqueuse de ses yeux.

— Laur, fais-la jeter hors de cette fête. Va chercher la sécurité!

— Ne te donne pas cette peine! déclaré-je sèchement. Je m'en vais.

Liz est pâle. Elle m'attrape la main.

— Kaitlin, je...

— Liz, lance brusquement Ava lorsqu'un serveur lui tend à elle et Lauren des serviettes de table en tissu blanc pour assécher leurs vêtements.

— Oublie ça, dis-je à Liz; elle lâche ma main.

Elle détourne un regard gêné.

— Quand on pense que je t'ai cru mon amie. Et ces deux vedettes de série D que tu veux tellement impressionner?

Je pointe Lauren et Ava.

— Tu ne réalises pas que tu les surpasses de plusieurs têtes. Elles le savent, sinon elles ne te fréquenteraient pas.

— C'est ridicule, rétorque vite Ava, zieutant de côté le personnel de sécurité qui s'approche.

— Kaitlin, je suis désolée, tente Liz.

— Ne le sois pas. Tu crois que j'ai changé ? questionné-je. Tu as changé. La Liz que je connais est intelligente, impertinente et se soucie davantage de ses amis que d'une liste d'invitation.

Je commence à ravaler mes larmes.

— Elle ne s'oblige pas à se mouler dans une parfaite petite boîte pour impressionner les autres. Elle se fait respecter, et c'est exactement ce que je vais faire maintenant. Je me barre.

Austin crie mon nom, mais je ne me retourne pas. Le personnel de sécurité monte la garde à côté d'une Lauren aspergée de smoothie, dont la robe-chasuble Versace semble presque teinte de zébrures formées par le smoothie qui s'accroche au tissu en Lycra. Je suis tellement contente de moi-même que je les dépasse en trombe et me dirige vers la sortie.

S'il y a une chose que je pourrais abandonner dans cet univers alternatif où je suis piégée, ce serait bien Lauren et Ava. Cependant, je ne les laisserai pas me faire du mal — pas ici, pas dans le vrai monde — et je ne leur permettrai pas de blesser mes amis non plus. Il est temps de prendre ma véritable vie en main. Ce ne sera pas facile, mais je suis prête à me battre pour les choses que j'aime, comme les bons projets pour moi en tant qu'actrice. Et de refuser les choses que je ne veux pas (perdre ma mère simplement pour avoir une gérante). C'est moi qui dois être derrière le volant. Nadine avait raison, comme toujours.

Nadine.

NADINE !

ÉVIDEMMENT !

Si quelqu'un peut me sortir d'ici, c'est bien Nadine le clone.

Je lève mon sac rouge brillant sur mon épaule et me fraye un chemin à travers la foule de badauds. Liz tente de me ramener en arrière.

— Ne pouvons-nous pas discuter ? Où vas-tu ?

— À Harvard.

Je me glisse vers les portes et me dirige droit sur le service de voiturier, espérant qu'ils pourront m'appeler un taxi. Malgré ma colère d'il y a quelques minutes, je souris à présent. Je sais ce que je veux et je sais comment le ravoir. Nadine peut arranger ça. Elle peut tout arranger. Je dois simplement la retrouver, et je pense que je sais exactement où chercher.

Note à moi-même :
M'informer du prix d'un billet d'avion pour Boston.
Obtenir de l'argent de poche.
Quitter immédiatement la ville.

QUINZE : *Boston ou c'est fichu*

Je trouve un sac de sport dans le placard de Kaitlin le clone et je le remplis d'un tas de vêtements, de quelques collations à cent calories et de quatre-vingts dollars que j'ai découverts dans la tirelire mal peinte sur ma commode. Je le traîne jusqu'à la chambre de Matty et frappe à sa porte.

J'entends deux verrous sauter — qui a besoin de deux verrous sur sa porte de chambre à coucher ? — avant que Matty apparaisse dans l'embrasure, l'air ébouriffé. Ses cheveux blonds sont hirsutes, il porte un t-shirt ample *Star Wars* LEGO et un pantalon de nylon ainsi que des lunettes cerclées de fer.

— Que veux-tu ? s'insurge-t-il. Je suis au milieu d'une scène de bataille cruciale dans *Guerre des titans* et si je m'éloigne de mon ordinateur plus de quinze secondes, Daryl de Cleveland pourrait gagner.

— Je suis désolée de te déranger, Matty. J'ai besoin de ton aide.

— Je te l'ai dit ; c'est Matthew, me corrige-t-il. Depuis quand m'appelle-t-on Matty ? Je n'ai pas deux ans.

Il marque un point. Le vrai Matty pense que le surnom est « branché ».

— Je suis désolée, Matthew. Je vais faire vite.

Mes yeux parcourent rapidement la pièce sombre et en désordre. Les stores sont baissés, son lit est défait et il y a des cartes des constellations sur les murs, ainsi qu'une photo d'Albert Einstein. Ce jeune devrait avoir « cherche désespérément des amis » inscrit sur le front.

— Puis-je t'emprunter de l'argent ?

Il me regarde avec scepticisme.

— Afin que toi et Liz puissiez assister à une fête quelconque sans moi ? Pas question.

Il s'apprête à refermer la porte.

Je mets ma main afin de l'en empêcher.

— Je ne sors pas avec Liz. C'est quelque chose pour moi.

— Qu'est-ce que tu achètes ? s'enquiert-il avec suspicion.

— Je ne peux pas le dire.

Si je révèle ma destination à Matty, il va probablement craquer sous la pression quand maman et papa commenceront à me chercher et ensuite, il aura des ennuis autant que moi. Je ne peux pas accepter cela.

Il se gratte la tête. Ses cheveux blonds ont sérieusement besoin d'une coiffure structurante. Ils sont trop longs sur les côtés et trop courts sur le dessus.

— Je vais me laisser prendre. Combien ?

Hum… comment puis-je lui dire sans éveiller les soupçons ?

— Huit cents dollars.

J'ai vérifié les vols quittant LAX pour Boston, et un billet de dernière minute coûte environ six cents dollars. Ensuite, il me faut l'argent pour le taxi et le métro et pour un hôtel bas de gamme. Même avec huit cents dollars, c'est très juste, mais comment puis-je demander davantage ?

Matty rit de moi. Même son rire sonne différemment. On dirait celui d'une hyène.

— D'accord, laisse-moi simplement prendre le fric dans mon coffre-fort.

Il me lance un regard profondément méprisant de ses yeux verts similaires aux miens.

— Pourquoi as-tu besoin de tout cet argent de toute façon ?

— Je te l'ai dit. Je ne peux pas le dire.

— Alors, je ne peux pas t'aider.

Il recommence à fermer la porte, mais je lève ma main pour l'arrêter. La porte rebondit sur le plat de ma main, repart dans l'autre sens à la volée et le frappe presque en plein visage.

— C'est une urgence !

J'ai l'air désespérée, je sais.

— Cet argent pourrait changer notre vie à tous !

— Vas-tu à Vegas ? demande Matty, horrifié. Tu es mineure !

— Je ne vais pas à Vegas.

Je croise les bras et essaie d'empêcher mon pied indemne de taper le sol nerveusement.

— Ce n'est rien d'illégal.

Il retourne la proposition dans sa tête.

— Changer ma vie, ça me semble bien, mais je n'ai pas autant de fric. Je peux te donner quelque chose, par contre. Ferme les yeux.

Je commence à protester.

— Fais-le. Et ne triche pas !

Je l'entends farfouiller dans sa chambre, tourner une clé, refermer quelque chose brusquement et ensuite, je sens de l'argent dans ma paume. Je baisse les yeux et constate qu'il m'a offert un billet de cent dollars. C'est un début.

Je saisis son corps mince (pas de muscles sur ce Matty) et l'étreins.

— Merci, Matthew. Tu ne sais pas à quel point ce voyage est important. Souhaite-moi bonne chance, d'accord ?

Je marque une pause.

— Et retiens maman et papa, au moins pendant les quelques heures à venir. Dis que je suis sortie avec Liz ou avec un groupe d'étude.

Il commence à rire.

— OK, dis que je suis à une réunion d'élèves pour encourager l'équipe locale.

Matty sourit largement.

— Ça fonctionnera.

Puis, son visage s'assombrit d'inquiétude.

— Reviendras-tu ?

Euh… en quelque sorte ?

— Oui. Seulement, je serai peut-être absente une nuit. Ou deux.

Les yeux de Matty s'arrondissent.

— Tu dois me faire confiance.

— Je te fais confiance. À cette version de toi et pas à celle d'avant l'accident, clarifie-t-il, jouant avec la clé dans sa main.

Je range l'argent dans mon sac rouge et je le regarde.

— Que veux-tu dire ?

— Tu es plus gentille, c'est tout. Et un peu loufoque.

Il hausse les épaules et traîne ses bottes sur le tapis brun.

— C'est correct, par contre. C'est drôle à observer. Je vais couvrir tes arrières, aujourd'hui, si tu me rends la pareille une autre fois.

Son écran d'ordinateur émet des bips bruyants venant de la messagerie instantanée. Il fixe son portable.

— Si jamais j'ai un endroit correct où me rendre dans le vrai monde.

Haaa… Je saisis son menton et le fixe dans les yeux.

— Tu auras tout plein d'endroits à fréquenter dans le vrai monde, je te le promets. Simplement, tu ne le réalises pas encore, mais ça ira bien pour toi, Matthew Burke. Et tu seras plus populaire que tu ne pourrais jamais l'imaginer. Je t'aime comme ça, même si parfois tu me rends dingue.

Matt rougit.

— Peux-tu m'accorder une dernière faveur ?

— Une autre ? me demande-t-il, incrédule.

— Celle-ci est facile. Dis à maman et papa que je les aime.

Parce que c'est le cas. Vraiment. Cette maman et ce papa sont tellement… quel est le mot que je cherche ?

Heureux.

Ils sont heureux d'être avec nous et de faire partie de nos vies, et ils se vénèrent l'un l'autre au lieu d'idolâtrer la scène sociale qui les entoure. C'est peut-être le fait de vivre à Toluca Lake ou qu'ils ne travaillent pas dans l'industrie, mais ils ne sont pas dévorés par Hollywood et c'est une bonne chose. Papa a besoin de reprendre un boulot avec des voitures. Et maman, bien, je veux ravoir une mère. Et quand je rentrerai à la maison, je dois trouver une façon pour que cela se produise.

Matt est silencieux.

— Tu ne reviens pas, n'est-ce pas ?

J'emmêle un peu plus ses cheveux.

— Tu me reverras. Promis.

— Veux-tu voir les fleurs qui viennent d'arriver pour toi avant de partir ? s'enquiert Matty, et il me contourne pour sortir dans le couloir.

Posé sur la table d'entrée noire, il y a le plus beau des arrangements, débordant de pivoines et de tournesols.

— Elles sont splendides !

Je caresse avec précaution l'un des tournesols avec le pouce.

— De qui sont-elles ?

— Qui crois-tu ? demande-t-il avec ironie. De la meilleure amie de maman, Victoria Beckham.

Je me retourne si vite que j'entraîne un tournesol hors du vase.

— Que viens-tu de dire ?

Matty me regarde étrangement.

— J'ai dit : regarde la carte.

— Non, tu as dit Victoria Beckham, insisté-je, puis je commence à fouiller dans le bouquet à la recherche de la carte.

— Tu redeviens bizarre, me prévient Matty juste comme je trouve ce que je cherche.

La carte vient de Liz et pas de Victoria.

Je suis plus désolée que tu ne pourras jamais l'imaginer.

— Liz

— Je dois entendre des choses.

— Cela ne semble pas si inhabituel ces derniers temps, me dit Matty.

Je l'étreins une autre fois, prends mon sac et descends l'escalier, jetant un ultime regard alentour avant de partir. Puis, je sors pour monter dans un taxi qui m'attend. Je me tourne pour regarder la jolie demeure de style colonial avec ses volets bordeaux et je prie pour que ce soit la dernière fois que je la voie, peu importe à quel point la maison et la famille qui l'habite sont chaleureuses.

* * *

Une heure plus tard, je suis à l'aéroport LAX et j'ai cent dix dollars en poche. Cela m'a coûté soixante-dix dollars pour arriver ici ! Mince, les taxis à Los Angeles coûtent cher. Maintenant, qu'est-ce que je fais ? Il n'y a pas de carte de crédit d'urgence dans mon portefeuille — Allison et Beth semblent en posséder une, mais pas moi — et j'ai besoin d'argent. Vite. Même si je me faisais embaucher au restaurant de hamburgers de l'aéroport local (et je ne peux pas supporter l'odeur de la viande cuite au four à micro-ondes), il me faudrait des semaines pour gagner autant de blé.

— Kaitlin ?

Je me retourne.

— C'EST ELLE !

Liz vole vers moi et elle est… non. C'est impossible. Est-ce Austin ?

Liz se lance dans mes bras.

— Merci mon Dieu, nous t'avons trouvée ! s'extasie-t-elle, puis je sens une bouffée de sa brume pour le corps au lilas.

Je vois sourire quelques personnes dans la file d'enregistrement, qui pensent que nous nous retrouvons après une trop longue absence.

— Je savais que tu serais ici. J'ai dit que tu ne resterais pas les bras ballants. Tu te mets quelque chose en tête et tu dois t'y atteler immédiatement.

Elle me regarde avec ses yeux sombres, pleins d'espoir.

— Du moins, l'ancienne agissait ainsi.

Je la repousse. Je suis encore furieuse. Nouvelle Liz, ancienne Liz, peu importe qui elle est, on s'en fout. Elle n'est pas mon amie.

— Que fichez-vous ici ?

Je tiens mon sac de sport serré et y enfonce mon sac à main rouge scintillant plus profondément. Je ne veux pas qu'ils voient mon cahier de notes. J'ai des tonnes de notes sur les endroits où Nadine pourrait se trouver, des choses qu'elle m'a dites au fil des ans à propos de Boston et des lieux qu'elle fréquenterait si elle y vivait. Je vais suivre chaque piste possible. Si j'arrive à m'y rendre.

— Nous sommes ici pour t'aider, déclare Austin, puis il sourit, de ce sourire qui me fait toujours fondre.

Mon Dieu, il est beau aujourd'hui. Il porte un chandail marine et vert à fermeture éclair sur un t-shirt blanc, avec un jean usé. Même son plâtre est assorti à sa tenue. Oooh, je dois me concentrer. Un clone de béguin et des amis clones, c'est mauvais. Un vrai amoureux et une véritable amie, ça, c'est bon !

— Je n'ai pas besoin d'aide.

Je marche vers la billetterie le plus près, poussant mon sac de sport avec mes béquilles. Dans les faits, je n'ai pas l'argent pour acheter un billet. J'imagine que je ferai semblant et ils finiront par s'en aller.

— Oui, tu en as besoin ! insiste Liz, croisant les bras sur sa poitrine et faisant glisser plusieurs bracelets en or vers ses poignets.

Elle me fixe, déterminée, le visage aussi foncé que son haut mauve Rebecca Taylor. Elle a une amusante écharpe en tissu écossais enroulée autour du cou et elle porte un jean cigarette J Brand avec… sont-ce là les bottes Jimmy Choo que nous avons achetées il y a quelques semaines ? Liz et moi les avons convoitées pendant des semaines avant que maman m'accorde enfin la permission d'en acheter une paire. Nous les avons fait mettre de côté pendant une éternité chez Fred Segal (non qu'ils réservent habituellement des articles, mais j'ai demandé très gentiment).

— Où as-tu eu ça ?

Je pointe ses pieds noirs luisants.

— Chez Freg Segal, avec toi, il y a des semaines. Nous en avons acheté une paire toutes les deux.

Liz tape joyeusement du pied.

— Tu ne t'en souviens pas ? Nous les avons fait mettre de côté pendant une éternité et le gars disait, genre « allez vous les prendre ou non ? », mais tu n'avais pas la permission de ta mère pour les acheter parce que tu lui dois encore de l'argent et puis elle a finalement dit oui.

Mais, cela n'a aucun sens ! Kaitlin le clone n'aurait pas l'argent pour se les procurer.

— Je n'ai pas ces bottes dans mon placard.

— Si, tu les as.

Je secoue la tête impatiemment.

— Non. Dans le cas contraire, je les porterais en ce moment même. Comment aurais-je le fric pour les acheter ?

Liz et Austin se regardent.

— Oublie ça, déclare Liz. Cela n'a pas d'importance. Ce qui est important est que nous sommes ici pour t'aider à te rendre à Boston. C'est ta destination, n'est-ce pas ? Quand tu as dit Harvard, j'ai compris que tu te dirigeais vers le Massachusetts. Soit ça, soit il y a un nouveau club branché à L.A. appelé Harvard que je ne connais pas… et je connais tous les nouveaux lieux à la mode en ville.

Elle arque un sourcil.

— Je ne vais pas demander pourquoi tu te rends dans le Massachusetts. Je veux seulement t'aider.

La file avance à pas de tortue.

— Je n'ai pas besoin de ton aide, dis-je avec entêtement. Pourquoi êtes-vous ici, de toute façon? Vous n'êtes pas mes amis. J'ai entendu tes propos à la fête, Liz. N'essaie même pas de nier. Et toi.

Je pointe Austin.

— Je suis certaine que Lori ignore que tu es ici. Cela te placerait dans la Liste des poisseux, juste à côté de moi.

Les yeux bleus d'Austin plongent dans les miens.

— En fait, elle est au courant, déclare-t-il; je m'efforce de résister à l'envie de le regarder, bouche bée. Je l'ai informée que toi et moi étions amis — ou peut-être davantage, je ne sais pas.

Mon visage commence à rougir.

— Je lui ai dit où j'allais et que je voulais être là pour toi, pour une fois, de la même manière que tu as essayé de m'épauler.

Il sourit largement.

— À l'exception de la fois où tu as tenté de me renverser avec une voiture.

Est-il obligé de me le rappeler sans cesse?

— Tu lui as réellement dit cela?

Austin hoche la tête.

— Oui.

Nous nous regardons fixement.

— J'ai dit à Lauren et Ava que je ne sortais pas ce soir, ni demain, ni ce week-end, ajoute Liz. Elles n'étaient pas contentes, mais je n'ai pas besoin d'être leur accompagnatrice. J'ai mes propres invitations.

Elle soupire.

— D'ailleurs, tu avais raison ; elles ne sont pas si épatantes. Après ton départ, j'ai commencé à les écouter discuter et je n'avais jamais remarqué avant à quel point elles sont cruches ! Et odieuses ! Je ne veux pas leur ressembler, même si c'était le cas ces derniers temps.

Elle attrape ma main.

— Peux-tu me pardonner ?

Je lui serre la main et je sens la multitude de bagues sur ses doigts. Exactement comme la véritable Liz. Comment puis-je répondre non ?

— Oui.

C'est ça, alors. Liz et Austin changent, j'ai une réunion avec Laney Peters, j'ai dit ma façon de penser à Alexis et j'ai eu une conversation à cœur ouvert avec maman pour la première fois de tous les temps, et Matty sort enfin de sa chambre. J'ai commencé à redresser cet univers afin qu'il me donne davantage l'impression d'être le mien.

Toutefois, je ne veux pas me l'approprier. Même si j'ai dix réunions avec Laney et que j'amène Austin à m'inviter à un rendez-vous, ceci n'est quand même pas ma vie. Le jeu me manque, tout comme mes amis et même mon horaire dément. J'aimerais emporter des morceaux de cette existence avec moi — mon temps en famille, ma période de repos — et faire fonctionner cela dans ma vraie vie. Mais, même si c'est impossible, je suis prête à rentrer à la maison.

Liz paraît soulagée.

— Bien. Alors, c'est ça. Nous pouvons rentrer à la maison. Tu n'as plus besoin d'aller à Boston, n'est-ce pas ?

Euh…

— Je suis contente que nous nous soyons réconciliées, mais je dois quand même me rendre à Boston.

— Mais pourquoi? se plaint Liz.

— Je le sens dans mes tripes.

Je tapote mon ventre, caché sous les deux chandails que je porte — un col roulé vert sauge et un autre plus épais, chocolat et à boutons. Je porte un jean cigarette et les plus mignonnes bottes en caoutchouc marine que j'ai pu trouver dans mon étagère à chaussures. Hé, il fait froid et il neige à Boston! Même si les gens me jettent des regards bizarres à l'aéroport, cela sera efficace une fois à destination.

— Ce n'est pas une réponse, déclare Liz, ressemblant davantage à la Liz que je connais. Quelle est la véritable raison qui te pousse à aller là-bas?

— Je…

Je regarde leurs visages curieux. Je ne peux pas leur révéler la vérité. Ils ne me croiraient jamais. Parfois, je n'y crois pas moi-même. Et si Nadine ne peut pas me ramener à la maison, je ne veux pas revenir à Los Angeles et que tout le monde ici croie que ma place se trouve dans une boîte de mes céréales préférées, les Froot Loops.

— Je visite une amie et j'ai besoin d'y aller immédiatement, expliqué-je. Je pense qu'elle peut m'aider à comprendre certaines choses.

— Suivant! Comptoir numéro cinq!

Une préposée de Delta debout à l'avant de la file me fait des signes déments avec les bras, pointant la prochaine préposée libre. Austin attrape mon sac de sport sur le plancher, et Liz marche à côté de moi alors que je me fraye un chemin vers le comptoir. C'est vraiment utile d'avoir quelqu'un avec soi quand on se déplace sur des béquilles.

— Puis-je vous aider? demande la grande femme à la chevelure sombre.

— Oui, j'ai besoin d'un billet pour Boston aujourd'hui, dis-je clairement, essayant de ne pas regarder Liz et Austin du coin de l'œil.

— J'ai un vol décollant dans une heure. Le billet coûte six cent quatre-vingt-quatre dollars.

Hum… pensez-vous qu'elle se contenterait plutôt de cent dix dollars ?

— Kate, que fais-tu ?

Liz me secoue le bras, qui est moite à cause des deux chandails.

— Tu n'as pas ce genre de somme !

— Tu viens de dire que j'avais l'argent pour acheter des Jimmy Choo, répliqué-je.

— Tu ne possèdes pas de Jimmy Choo.

Elle semble intriguée.

— Est-ce que tu parles du fait que tu aimes les miennes ?

Elle baisse les yeux et marque une pause.

— Elles sont plutôt chouettes, non ?

Mais, elle vient juste de dire… je suis tellement embrouillée !

— Mademoiselle ? Voulez-vous ce billet ?

La préposée commence à s'impatienter.

Liz fait claquer sa carte American Express sur le comptoir.

— Elle veut le billet. Elle veut trois billets.

La préposée s'apprête à prendre la carte, et je la lui vole sous le nez.

— Non, dis-je, et je tiens la carte Amex au-dessus de ma tête. Tu n'achètes pas mon billet ! Et vous autres ne m'accompagnez pas. Je dois faire cela toute seule.

Les épaules de Liz s'affaissent.

— Mais pourquoi ? Pourquoi ne pouvons-nous pas venir ?

— Parce que vous ne le désirez pas vraiment, vous pensez seulement que c'est la bonne chose à faire.

— Oui, je le veux.

Liz me fixe avec impatience et pendant un instant, j'ai l'impression que les bruits de l'aéroport ont été aspirés.

— Je veux rétablir la situation entre nous, Kaitlin. Nous sommes des meilleures amies, ou du moins nous l'étions avant que tous ces trucs d'Hollywood se mettent entre nous. Je peux être une bonne amie si tu m'en donnes la chance.

— Laisse-la payer, me presse Austin. N'es-tu pas celle qui répète sans cesse que c'est important pour les amis de s'entraider ?

— Tu sais que tu as besoin d'aide, déclare Liz avec assurance. Tu es simplement têtue ! Je sais que tu n'as pas l'argent pour acheter ce billet. Ni pour te déplacer en ville. Voyons les choses en face.

Elle sourit avec malice.

— Que tu aimes cela ou pas, il te faut mon argent de plastique.

Je viens juste de réaliser à qui cette Liz me fait penser : à Sky. Ma Sky. Et ma Sky, aussi irritante puisse-t-elle être, a habituellement raison.

— Qu'en dis-tu, Kaitlin ?

Austin m'encourage.

Nous sommes tous les quatre (la quatrième étant la préposée) momentanément distraits par des cris et un agaçant son de cliquetis qui ont envahi l'aire de départ. Alexis et son entourage se dirigent vers la zone de sécurité. Les paparazzis sont sur ses talons, ce qui semble l'ennuyer en vain. C'est probablement parce qu'elle a la tête de quelqu'un qui vient de se réveiller et qu'elle porte un survêtement de velours. Hi hi. C'est difficile de se cacher des paparazzis, même si l'on est déguisée. La plupart des vedettes ne se donnent pas cette peine. Les paparazzis les démasqueront de toute façon.

SECRET D'HOLLYWOOD NUMÉRO QUINZE : Il n'est pas facile d'échapper aux paparazzis lorsque vous êtes chauffé à blanc. Et chauffé à blanc, c'est ce que veulent les paparazzis. Si votre nom est Robert ou Kristen et que vous avez joué dans un petit film intitulé *Hésitation*, alors bonne chance. Je ne peux pas vous aider. Mon meilleur conseil serait de vous montrer ennuyeux et d'embaucher un T.P.P. (teneur personnel de parapluie). Vous devez agir de manière barbante. Soyez marié depuis longtemps, déménagez au Texas, restez loin du scandale. Ou disparaissez totalement de l'actualité. Sinon, vous êtes une proie rêvée et tout à fait franchement, de quoi vous plaignez-vous ? Vous avez l'argent, la célébrité et le monde à vos pieds. Reprenez-vous.

Hum. D'où ça sort, ça ? On dirait une chose que me serine Nadine quand je me hasarde sur le territoire de la célébrité gâtée. Et elle a raison. En ce moment, je tuerais pour être traquée par des paparazzis.

— J'ai besoin de toi, admets-je à Liz.

J'essaie de ne pas laisser ma bouche former un sourire. Deux têtes valent mieux qu'une, et si je dois être honnête envers moi-même, je ne veux pas faire cela toute seule. J'ai peur. SI je me rends à Boston et ne trouve pas Nadine, ou si je la retrouve et qu'elle ne veut pas m'aider, alors quoi ?

Je ne veux même pas y songer.

Je regarde Austin.

— Est-ce que tu viens aussi ?

Une partie de moi souhaite que oui. Je le veux toujours avec moi. Même s'il n'est pas celui que je veux qu'il soit. Le simple fait d'être près d'une version d'Austin est enivrant. Cela pourrait aussi m'empêcher de me concentrer.

Austin secoue la tête.

— Je ne peux pas rater les cours. Je souhaite améliorer mes notes. Essayer d'être meilleure à l'école. Peut-être même dans un établissement à Boston, qui sait ?

Il me décoche un clin d'œil.

— Je pense qu'à deux, vous êtes couvertes. Je désirais seulement m'assurer que tu te portais bien. Je vais te voir à ton retour.

Il me touche l'épaule.

— Bonne chance, Kaitlin.

Il disparaît dans la foule de l'aéroport bondé pendant que Liz paie pour nos billets.

J'entends la préposée me demander une photo d'identification et si j'ai des bagages à enregistrer, mais je ne porte pas attention. Je lâche mon sac rouge et file à travers la foule sur une béquille, criant le nom d'Austin. Quand il se retourne, je fonce directement sur lui. J'enroule mes bras autour de son cou, me lève sur mes orteils indemnes et l'embrasse avant qu'il puisse réagir, envoyant toutes nos béquilles valser bruyamment sur le plancher.

— Pour la chance, dis-je.

Et pour l'embrasser une dernière fois, au cas où il n'y aurait pas de prochaine fois.

— Bonne chance, dit-il tout bas. J'espère que tu trouveras ce que tu cherches.

— Moi aussi.

Je me déprends de lui, penaude en me penchant pour ramasser ses béquilles, puis je recule lentement, craignant de me retourner et découvrir qu'il a disparu. Qui sait quand je le reverrai — mon Austin, celui-ci ou aucun Austin.

Je commence à avoir mal à la tête.

— Kaitlin !

Liz crie et sautille au comptoir. La préposée semble irritée.

— Nous avons besoin de ta photo d'identification. TOUT DE SUITE !

Je clopine vers elle sans regarder derrière mon épaule.

Même si j'en ai envie.

SEIZE : *La magicienne*

Je suis trop fatiguée pour regarder ma montre pour voir l'heure à laquelle nous atterrissons à l'aéroport international Logan à Boston. Tout ce que je sais, c'est qu'il est tard. Trop tard pour nous enregistrer dans un bon hôtel comme le Westin. Nous avons dormi dans le motel de l'aéroport, payé comptant, et fermé nos téléphones parce qu'ils n'arrêtaient pas de sonner. Liz a dit qu'elle était extrêmement ankylosée à cause du vol en classe économique, mais elle pense que si elle avait acheté deux billets en première classe, son père aurait bien pu prendre un vol pour Boston afin de l'escorter personnellement à la maison. Je m'écrase si fort sur l'oreiller que j'aurais pu souffrir d'une commotion cérébrale, et avant que je m'en rende compte, le soleil s'était levé, Liz sortait un manteau North Face et moi un parka Gap, et nous nous dirigions à pied au métro pour nous rendre à Cambridge. Harvard est directement au centre de belles rues pavées de briques et de bâtiments historiques, et avec de la chance, Nadine y est aussi.

Il nous faut seulement quelqu'un pour nous le confirmer.

Nous passons deux heures dans le bureau des admissions d'Harvard à essayer de les convaincre de vérifier si oui ou non Nadine est inscrite ici, mais même avec mes plus grands talents d'actrice, je n'ai pas pu faire parler la fille au comptoir. (Apparemment, c'est contre les règlements de fournir à des personnes n'étudiant pas à l'école des informations sur les étudiants.) Liz a essayé de payer un étudiant pour la trouver pour nous, mais il a dit que c'était contre l'éthique. Est-ce que tous ces types d'Harvard doivent être de futurs politiciens ?

Finalement, Liz a été capable de soudoyer un mignon garçon portant un caban marine et un bonnet rayé pour qu'il s'informe sur l'inscription de Nadine.

— Il n'y a personne au nom de Nadine Holbrook enregistré à Harvard — actuellement ou dans le passé, nous apprend-il, couvrant sa bouche avec son manteau pour combattre le froid.

— As-tu vérifié les étudiants qui préparent une licence ? m'enquiers-je en me tortillant pour me réchauffer.

Il devait faire moins cinq degrés ici et je pouvais voir mon souffle en marchant. Le ciel était gris et quelque peu morose, exactement comme je me sentais.

— Et les temps partiels ? Les futurs inscrits ? Elle doit être ici ! Je le sais !

— Merci, dit Liz en m'entraînant plus loin avant que je fasse une scène.

La dernière chose dont nous avons besoin est que les policiers se demandent pourquoi deux lycéennes de dix-huit ans sont si loin de la maison, seules, la semaine avant Noël.

— Comment sais-tu que ton amie Nadine fréquente Harvard ? m'interroge Liz un peu plus tard pendant que nous buvons des cafés moka chez Peet's Coffee & Tea dans Harvard Square.

Je me souviens que Nadine m'a dit qu'elle avait aimé cet endroit lorsqu'elle était venue visiter le campus.

Du moins, la véritable Nadine est venue ici. Mais si j'avais tort à propos de cette Nadine-ci ? Et si elle n'était pas à Boston ? Et si elle était encore à Chicago ou si sa famille avait déménagé ? Et si elle n'existait carrément pas ? Mon esprit part en vrille, mes mains sont froides pour être restées dehors si longtemps et mon cœur veut bondir hors de ma poitrine.

Si Nadine n'existe pas, qu'est-ce que cela signifie pour mon autre vie ? Est-ce que cela veut dire qu'elle n'est pas réelle non plus ? Comment aurais-je pu tout inventer ?

Les célébrités mentent constamment, je sais, mais personne ne fabrique un mensonge aussi gros, du type Madonna. Vous avez entendu parler d'un mensonge de type Madonna, n'est-ce pas ? SECRET D'HOLLYWOOD NUMÉRO SEIZE : Les vedettes mentent. C'est un fait pur et simple. Nous le faisons. Exactement comme vous. Et il y a plusieurs raisons à cela, particulièrement si vous êtes Madonna. Elle a dit à la presse qu'elle ne se mariait pas avec Guy Ritchie. Puis, elle a sauté dans un avion pour aller l'épouser (non que l'union ait duré, mais tout de même). Un mariage secret, on le comprend assez. S'enivrer — ou pire — et se présenter dans un talk-show, et ensuite le nier totalement comme l'ont fait de si nombreuses vedettes de ma connaissance ? Pas vraiment compréhensible. Reconnaissez vos erreurs, dis-je. Mais les vedettes ne le font pas. Plusieurs pensent qu'elles sont victimes de l'univers des journaux à potins. Elles ont le sentiment de se donner entièrement à leur carrière et que certains pans de leur vie devraient tout de même rester privés. Je suis pour cela ; seulement, je ne sais pas si c'est possible.

— Kates ?

Liz s'immisce dans mes pensées.

— As-tu entendu ce que j'ai dit ? Quand as-tu parlé à Nadine la dernière fois ? Es-tu certaine qu'elle vive toujours à Cambridge ?

— Je t'ai entendue.

Je me sens trop déprimée pour tenir une conversation ou lui donner une réponse. Je n'aurais pas pu imaginer ma fabuleuse vie à Hollywood.

Si ?

— Et si elle était rentrée à la maison pour le congé de Noël ?

Liz souffle sur une grosse part de crème fouettée pour la faire tomber de sa boisson sucrée.

— C'est dans une semaine seulement.

Bah ! Sornettes !

— Oui, dis-je sèchement ; Liz paraît interloquée. Désolée. Je suis juste frustrée. Nadine doit être ici ! Comment expliquer pourquoi je suis convaincue de cela ? Quand elle, hum, vivait à L.A., elle parlait continuellement de venir ici et comment elle allait immédiatement s'inscrire.

— Es-tu certaine qu'elle avait l'argent pour les droits d'admission ?

Liz fronce les sourcils.

— Harvard semble plutôt coûteux, même pour moi.

Je regarde fixement par la fenêtre et observe les gens passer devant avec des sacs et des paquets emballés qui sont probablement destinés au congé des fêtes. Je n'ai pas du tout pensé à Noël avant aujourd'hui. Est-ce Noël sous peu à la maison aussi ? Et si je le manquais ? Et si je ne manquais à personne ?

Et si… et si je ne revenais pas ?

— KATES.

La voix de Liz est plus forte à présent.

— Arrête de t'apitoyer sur ton sort, me réprimande-t-elle. Tu trouveras Nadine. J'ignore pourquoi elle est si importante, mais je suis certaine que tu vas la retrouver. Tu ne peux pas abandonner maintenant.

Je me sens un peu émue, et Liz contribue encore plus à mon état.

— Merci. Cela sonnait très « meilleure amie ».

Liz sourit triomphalement.

— Je le savais. Tout comme c'était très « meilleure amie » quand je t'ai prêté ma robe Marc Jacobs préférée il y a quelques semaines pour la fête pour le DVD d'*Affaire de famille* sans même l'avoir d'abord portée, tu te souviens ? Quelle amie te permettrait cela, hein ?

La fête pour le DVD d'*Affaire de famille*? Comment sait-elle cela? Cette fête pour la saison finale a eu lieu dans mon monde, pas ici. Et, en y réfléchissant bien, je n'ai pas porté la robe de Liz.

— Comment es-tu au courant de la fête pour le DVD d'*AF*?

Liz lève les yeux de sa tasse.

— Qu'est-ce qu'*AF*?

— Tu viens juste de dire…

Je m'interromps quand Liz semble perplexe.

— J'ai dit que tu dois continuer à penser aux endroits où pourrait se trouver Nadine, répète Liz. Nous sommes venues jusqu'ici et nous la retrouverons.

Cela ressemble parfaitement à ma Liz d'être aussi têtue.

— Maintenant, réfléchis aux autres choses qu'elle t'a confiées à propos d'Harvard.

— Bien…

Je prends une grosse gorgée de ma boisson.

— Elle veut y aller depuis qu'elle a douze ans. Elle a dit que Boston était l'un des épicentres de la politique, alors elle serait au bon endroit pour son futur travail.

Je souris.

— Elle portait le survêtement d'Harvard qu'elle avait reçu à son quinzième anniversaire si souvent qu'il se désintégrait. Ses parents n'avaient pas l'argent pour régler la totalité de ses droits d'admission, ce qui explique pourquoi elle avait pris un boulot pour couvrir les coûts.

Je ne révèle pas qu'elle travaillait pour moi.

— Nadine voulait gagner de l'argent par elle-même et mettre fin à leur querelle. Elle disait que sa mère aimait mieux la pauvreté que laisser Nadine payer son université, mais son père argumentait qu'ils seraient pauvres s'ils contractaient une deuxième hypothèque pour y arriver.

— Cela ressemble à quelque chose que ma mère dirait.

Liz tape sur la table avec ses longs ongles violets.

— Elle a dit qu'elle aimerait mieux être sans le sou que de vivre dans un manoir vide qui ne profitait pas à papa puisqu'il n'était jamais à la maison.

Liz le dit courageusement, mais je sais que le divorce est un sujet délicat. Sa mère vit dans le Maine à présent, et Liz la voit rarement. L'expression de Liz change.

— Hé. Penses-tu que les parents de Nadine ont divorcé ?

Je secoue la tête.

— Ils sont heureux en ménage.

— Quand as-tu parlé à Nadine pour la dernière fois ? Ils ont peut-être divorcé juste après qu'elle soit venue à Harvard.

Liz bondit hors de sa chaise à présent.

— J'imagine qu'ils auraient pu.

Je mélange ma boisson, encore et encore, observant la crème fouettée fondre et disparaître.

— Mais cela ne change rien. Elle serait quand même ici et elle n'y est pas. Il n'y a pas de Nadine Holbrook à Harvard.

— C'est exact.

Liz jubile presque, et j'ignore pourquoi.

— Il n'y aurait pas de Nadine Holbrook ici, car il n'y a plus de Nadine Holbrook.

J'arrête de mélanger.

— Je ne comprends pas.

— Quand mes parents ont divorcé, ma mère détestait tellement mon père qu'elle a légalement changé son nom à Rosenfield, dit Liz avec animation. J'ai conservé Mendes, parce que je suis plus près de papa, mais à qui la loyauté de Nadine serait-elle allée si la séparation de ses parents avait pris une mauvaise tournure ?

Je lui lance un regard.

— C'est tiré par les cheveux, Liz.

— Réfléchis, Kates, insiste Liz. S'ils ont traversé un divorce difficile, quel nom Nadine aurait-elle gardé ? Quel était le nom de jeune fille de sa mère ? Le sais-tu ?

En fait, oui. Nadine l'utilise pour m'enregistrer dans des hôtels parce que le nom est tellement drôle, personne ne soupçonnerait que c'est moi qui y séjourne.

— C'est Funkhouse.

La simple pensée me fait rire.

— Elle serait devenue Nadine Funkhouse.

— Vous cherchez Nadine Funkhouse ? nous interrompt le gars derrière le comptoir.

Il nettoie les surfaces de service avec un chiffon à l'allure écœurante.

— Elle arrive à 15 h.

Liz et moi, nous nous fixons, sous le choc. Je sens des frissons le long de ma colonne vertébrale.

— Je devrais jouer dans *CSI*.

Liz rayonne.

— J'ai un bon instinct.

Je regarde l'horloge sur le mur. Il est quatorze heures quarante-cinq.

Oh. Mon. Dieu.

Je vais vomir. Pourrait-il vraiment s'agir d'elle ? Elle est maintenant Nadine Funkhouse ? Mais pourquoi ? Comment ? D'accord. Concentre-toi.

— Êtes-vous des amies à elle ? demande le gars en continuant de frotter le comptoir avec ce chiffon crasseux.

— Des cousines, dis-je, puis d'un regard, j'ordonne à Liz de se taire. Des cousines depuis longtemps perdues de vue. Ma mère a dit qu'elle travaillait ici.

Je m'empare de mes béquilles et marche vers le comptoir avec Liz sur mes talons.

— Je veux seulement m'assurer que nous avons la bonne Nadine Funkhouse. Des cheveux roux longuets, menue, tempérament fougueux, adore faire la morale aux gens ?

Il rit.

— C'est bien Funky Funkhouse. Mais ses cheveux ne sont pas longs, plutôt super courts. Je n'arrête pas de la taquiner en lui disant qu'elle ressemble à un gars. Elle répond qu'elle n'a pas les moyens de les laisser allonger et d'utiliser tous ces produits coiffants. Elle doit économiser son argent pour le loyer.

OhmonDieuohmonDieuohmonDieuohmonDieuohmonDieu ohmonDieu ! C'est Nadine !

— D'accord, à présent tu dois vraiment me révéler la raison de notre présence.

Liz a les mains posées sur les hanches, et d'après son expression, je sais qu'elle n'acceptera pas « je ne peux pas » comme réponse.

Ma Liz est quelque part. Dans ce corps.

— Je vais tout expliquer, affirmé-je, même si je ne suis pas certaine d'être sincère. Plus tard.

— Elle devrait arriver d'une seconde à l'autre si vous voulez l'attendre, ajoute le gars.

Je pense que je pourrais m'évanouir juste maintenant. Que vais-je dire ? Comment vais-je la convaincre de m'aider si elle ne me reconnaît pas ? Liz tend la main vers mon coude pour me stabiliser et me guider vers une table proche.

— Est-ce que ça va ? Pourquoi es-tu aussi nerveuse ?

Mais je n'entends rien d'autre. J'entends tinter la minuscule cloche au-dessus de la porte de Peet's Coffee et la porte s'ouvrir. Presque au ralenti, du moins pour moi, Nadine entre.

— Gary, fais vibrer la machine à expresso parce que j'ai besoin d'une double portion avec mon lait sans gras non mousseux, dit-elle au gars derrière le comptoir. J'ai un mal de tête carabiné.

Il s'agit bien ma Nadine. Mis à part les cheveux, c'est tout à fait elle. Elle porte un t-shirt à manches longues noir et un jean usé, et elle tient un tablier Peet's Coffee qu'elle noue d'une main en retirant un manteau en duvet miteux de l'autre. Elle me voit et sourit largement. Pendant un quart de seconde, je pense qu'elle va venir vers moi et m'étreindre. À la place, elle se dirige vers Gary.

Nadine ignore totalement qui je suis.

Elle représentait mon dernier espoir et elle m'a regardée comme si j'étais une étrangère. Nadine n'aidera jamais une complète inconnue à trouver son chemin pour revenir dans un autre plan ou une autre dimension ou encore à se réveiller d'un coma. Je connais Nadine — elle ne croirait jamais aucune de ces choses.

Ou si ?

Gary hoche la tête dans notre direction en remplissant le moulin à café.

— Tes cousines t'attendaient, Funky Funkhouse.

— Mes quoi ?

Nadine nous détaille du regard avec scepticisme.

— Je n'ai pas de cousines.

— Comment peux-tu ne pas avoir de cousines ? s'enquiert Liz du tac au tac.

Liz me chuchote : « Pourquoi encore as-tu dit que nous étions ses cousines ? Pourquoi n'as-tu pas dit qui tu étais ? »

La situation devient risquée.

— Mes parents sont enfants uniques, répond Nadine à Liz, et elle passe son tablier par-dessus sa tête. Pas de cousines. Donc, qui êtes-vous ? Vendez-vous des biscuits pour les Guides ? Des friandises pour amasser des fonds pour votre école ? Dans un cas comme dans l'autre, je ne peux pas vous aider. Ma seule contribution va au Fond Nadine Funkhouse pour son admission à Harvard.

Gary rigole, et ils reportent leur attention vers deux clients qui viennent d'entrer.

— Pourquoi ne te reconnaît-elle pas ? me demande Liz.

— Cela fait longtemps.

J'essaie de gagner du temps.

— Elle a toujours été, hum, peu douée avec les visages.

Je me demande si je peux éloigner Liz d'ici et parler en privé avec Nadine. Je regarde de nouveau Liz. Elle est tellement curieuse, elle ne partira jamais.

— Nous ne voulons pas d'argent.

Je clopine vers Nadine au comptoir.

— Nous désirons seulement discuter avec toi quelques minutes. Nous écrivons une dissertation pour le lycée sur les cafés et l'obligation de travailler pendant les études universitaires, et quelqu'un nous a recommandé de t'interviewer. N'est-ce pas, Liz ?

— Ouais, c'est comme elle dit, acquiesce Liz, et elle se rassoit à notre table pour boire une autre gorgée de café moka.

Nadine me regarde. À quoi ai-je pensé ? Nadine ne va pas croire cela. Nadine est sceptique à propos de tout. Elle remet en question l'autorité, elle est du type A et dit ce qui lui passe par la tête. Elle ne nous écoutera jamais.

— Je prends ma pause à 16 h, déclare Nadine en préparant une mousse légère pour un café au lait.

— Bien, nous allons attendre, répliqué-je joyeusement avant de m'installer à côté de Liz, qui me fixe avec impatience. Je t'en prie, ne me demande pas de tout expliquer maintenant.

Pour une raison que j'ignore, Liz s'en abstient. À la place, elle occupe le temps en bavardant sur des sujets bénins comme les cadeaux de Noël, les films pendant la période des Fêtes et son dernier béguin pour une célébrité (Taylor Lautner — ce qui signifie qu'elle a le même coup de cœur que le reste du monde). Je cesse de l'écouter et songe à Nadine. Que puis-je dire pour qu'elle me croie ? Si elle est ici, j'ai une chance que cela se produise. Si ?

À 16 h tapantes — Nadine est toujours ponctuelle —, elle se glisse sur la chaise devant moi. Elle lance un sac sur la table.

— Des biscuits. J'ai pensé que vous auriez faim. Gary affirme que vous êtes assises ici depuis des heures.

Elle boit une gorgée de café.

— Je n'ai que quinze minutes, alors allez-y.

— Kates ? Veux-tu commencer ? me pousse doucement Liz, et elle pose son menton sur ses coudes comme pour dire : « Ça va être bon. »

J'ignore comment procéder autrement.

— À l'évidence, nous ne sommes pas cousines, dis-je. Cependant, nous nous connaissons. Ma mère et ta mère ont une longue histoire commune. Tu étais ma gardienne quand tu vivais à Chicago.

Nadine semble prête à s'enfuir.

— Où est-ce que je vivais ?

Je connais la réponse à cette question.

— À Northampton, 1918, Park Drive West.

— Quel est ton nom ? s'enquiert Nadine, l'air de douter encore.

— Kaitlin Burke. Nous demeurions au coin de la rue chez vous, tu te souviens ?

Je transpire tellement je suis nerveuse.

— Tu mens, déclare Nadine avant de mordre dans un biscuit. Il y avait une bibliothèque au coin de la rue chez moi.

Elle s'apprête à se lever, et je sais que je la perds. Je n'ai pas le choix. Je dois dire la vérité, toute la folle vérité et rien que la vérité.

— J'ai besoin de ton aide, lancé-je ; Nadine se retourne. J'ai traversé cinq mille kilomètres pour te trouver, et mon amie Liz a payé pour les billets d'avion. Peux-tu, s'il te plaît, m'accorder seulement deux minutes ?

— Elle ne te connaît vraiment pas ? demande Liz avec incrédulité. Alors, comment la connais-tu, toi ?

— Ouais, comment sais-tu qui je suis ?

Nadine croise les bras.

— Je connais tout de toi, expliqué-je. Je sais que tu juges les gens dans les cinq premières minutes d'une rencontre, alors déjà, tu ne me fais pas confiance, mais parfois tes jugements sont erronés. Souviens-toi de Carol Barker. Tu pensais qu'elle allait te coller un F pour ton projet de science en deuxième année du lycée parce qu'elle t'avait regardée de travers, mais ensuite, tu as découvert qu'elle avait mangé un beignet de saucisse au déjeuner et que son estomac se révoltait.

La mâchoire de Nadine se décroche.

— Comment sais-tu cela?

— Ouais, comment sais-tu cela? veut savoir Liz.

— Parce que je te connais, dis-je doucement. Pas ici, pas maintenant, mais je te connais. En fait, nous travaillons ensemble.

Après que j'ai donné à Liz des instructions strictes pour qu'elle ne m'interrompe pas même si elle pense que j'ai besoin d'un billet sans retour pour l'asile, Nadine me laisse parler. Et parler. Je parle pendant toute sa pause, lui racontant tout sur l'accident, ma famille, mes amis, Austin, Sky, *Affaire de famille*, ce qui s'est amélioré et ce qui s'est détérioré. Je parsème la conversation d'anecdotes à propos de Nadine elle-même : des conseils qu'elle m'a offerts au fil des ans, ce qu'elle m'a relaté sur sa vie, pourquoi elle est devenue mon assistante personnelle et, enfin, pourquoi elle est partie.

— J'ai démissionné?

Nadine semble stupéfaite. Je ne sais pas si elle me croit ou si elle se dit simplement que c'est une bonne histoire, mais je réponds encore à ses questions. Liz pense que je suis dingo, je le vois bien, mais je continue à parler.

— Tu as réalisé que tu voulais davantage, expliqué-je ; je tiens une de mes béquilles dans une main pour me soutenir, de plus d'une manière. Tu étais au-delà du stade des corvées comme aller chercher les vêtements chez le nettoyeur, ou ma dose de cupcakes chez la boulangerie Crumbs et écrire mon horaire. Même moi je le savais. Seulement, je t'aimais trop pour te laisser partir. Tu démarres ta propre entreprise de gestion de célébrités, et ta première cliente est Sky Mackenzie.

Liz et Nadine se regardent en gloussant.

— La catastrophe ambulante ? demande Liz.

— Je ne peux pas supporter cette fille, acquiesce Nadine avant de boire une nouvelle gorgée de son café.

— Elle n'est pas comme ça là-bas, insisté-je. Sky a les idées claires. Nous sommes amies, en fait. Bonnes amies, ajouté-je. Et elle est ta première cliente.

— Pourquoi voudrais-je travailler avec des célébrités ?

Nadine donne l'impression d'être désinvolte, ce qu'elle n'est tellement PAS.

— On ne pourrait pas me payer assez pour vivre à Los Angeles. C'est tellement artificiel, et je déteste les journaux à potins et ces gens de TMZ.

— C'est vrai que tu détestes ces choses !

Bien que tu as fini par t'y habituer un peu, mais je n'ajoute pas cela.

— Tu gagnais de l'argent pour aller à Harvard, expliqué-je. Tu savais que tu pourrais économiser rapidement si tu venais à L.A. Tu avais une amie qui faisait le même travail. Caroline, me rappelé-je ; les sourcils de Nadine se soulèvent très légèrement. Elle réussissait bien en tant qu'assistante, alors tu as décidé de t'y rendre pour quelques années, amasser de l'argent et ensuite revenir pour l'école de commerce.

Nadine se lève et prend son café.

— Je ne peux plus en écouter davantage. Ton histoire est fascinante, je te l'accorde. Et tu sembles savoir de quoi tu parles, mais c'est dément ! Les gens ne voyagent pas dans le temps ou par le rêve ou peu importe ce que tu penses avoir fait.

Elle agite les mains, et son café commence à former des vagues sur les bords de son verre en carton.

— Je ne déménagerais jamais à Los Angeles. Jamais. Et passer chercher le nettoyage à sec d'une autre personne ? Impossible. Tu t'adresses à la mauvaise fille, et je ne crois pas que tu trouveras la bonne.

Elle regarde Liz.

— Tu dois l'amener consulter un médecin. Elle a besoin d'aide.

Nadine commence à s'éloigner et Liz m'attrape la main.

— Je crois qu'elle a raison, Kaitlin. Je vais téléphoner à tes parents et nous allons te ramener à la maison, déclare-t-elle d'un ton apaisant.

En fait, on dirait qu'elle est un peu effrayée.

— Ton histoire était incroyable — tellement détaillée —, mais elle n'est pas vraie. Cet accident a peut-être causé un plus grand traumatisme qu'on l'a réalisé.

Liz appelant mes parents, Nadine se détournant de moi ? Non, non, non. Tout va de travers. J'ai besoin de Nadine ! Elle peut m'aider, je le sais.

— Mark Howards ! crié-je.

Nadine s'arrête sans se retourner.

— Tu as déménagé à cause de Mark Howards.

Je baisse la voix.

— Il a été ton premier amour. Il devait aller à Harvard avec toi. Il avait l'argent nécessaire et pas toi. Il t'a assuré qu'il attendrait un an et qu'ensuite, il remplirait une nouvelle demande d'admission avec toi, mais il a menti. Il est parti sans toi, et tu ne le lui as pas pardonné. Tu as rompu. Il est venu une fois à Los Angeles pour demander pardon, mais tu as refusé de le voir et tu n'as fréquenté personne sérieusement depuis. Tu as toujours dit qu'il était ton seul grand regret.

Nadine me fixe du regard.

— Mark et moi avons rompu l'an dernier.

— Il n'est pas allé à Harvard avec toi ? demande Liz, intriguée.

Nadine lui offre un sourire plutôt triste.

— Oui, il est venu. Nous y sommes venus ensemble et ensuite, nous avons quand même rompu. Il est parti ailleurs et je suis encore ici.

Elle regarde autour d'elle et soupire.

— Échafauder des plans de vie avec un gars au lieu d'élaborer des plans de vie pour soi est une énorme erreur. Tout comme venir ici, ajoute-t-elle avant de revenir vers nous.

— Mais tu ne parles que de cela ! lui dis-je. « Quand j'irai à Harvard ; cela ne se produirait jamais à Harvard ; je suis trop intelligente pour entendre quelque chose d'aussi stupide, Kaitlin. »

Nadine rit.

— Je dirais ce genre de phrases.

Elle me regarde avec mélancolie.

— Cependant, si je pouvais parler à ta Nadine — s'il en existe véritablement une —, je lui dirais que l'école de commerce n'est pas ce que j'imaginais. Ni la politique.

Elle plisse le nez comme si elle venait de respirer du lait caillé.

— J'ai travaillé pour une campagne locale l'an dernier et j'ai détesté cela.

Elle hausse les épaules et fait courir une main dans ses courts cheveux roux.

— Toutefois, je ne peux pas abandonner l'école avant la fin. Ma famille a payé un prix trop élevé pour cela. Même si je ne suis pas heureuse. Non que je sache ce qui assurerait mon bonheur, sauf…

Elle me regarde.

— Ta Nadine semble satisfaite d'une manière que je n'ai jamais ressentie en vivant ici. Peut-être que de ne pas obtenir ce qu'elle voulait lui a donné tout ce qu'elle souhaitait d'autre après tout.

— Accorde-moi une seconde. J'essaie de comprendre cette phrase.

Liz semble se concentrer énormément, et Nadine et moi rions. Nadine me prend la main.

— Kaitlin Burke, je pense que tu es folle, mais il est temps pour moi de faire quelque chose de dingue pour une fois.

Elle me lance un regard.

— Tu n'es peut-être pas une actrice, mais tu es assurément dotée de charisme. À tout le moins, tu me divertiras pendant que nous nous occuperons de cela.

— Tu vas m'aider ?

Je ne peux pas le croire. Je ne peux vraiment pas le croire !

Nadine sourit.

— Oui. Activons-nous à te ramener à ta vie hollywoodienne.

DIX-SEPT : *Il ne faut pas rêver*

Je découvre vite que dire qu'on veut rentrer à la maison et y arriver sont deux choses très différentes. Ce n'est pas aussi facile que lorsque Dorothée est retombée dans le Kansas (c'est-à-dire qu'elle s'est réveillée). Je ne peux pas faire claquer mes talons trois fois et revenir. J'essaie d'ouvrir et de refermer à trois reprises la fermeture éclair de mon sac rouge rubis en déclamant : « Je reste auprès de ceux que j'aime » pour ne rien laisser au hasard, mais bien sûr, il ne se passe rien.

Nous mettons toutes les trois des heures à émettre une hypothèse qui pourrait réussir. Et elle doit se concrétiser, car nous manquons de temps. Le père de Liz a trouvé la trace de sa carte de crédit hier, il lui a adressé un message vocal furieux, et il l'a informée que lui et mes parents s'envolaient par le prochain vol pour Boston pour venir nous chercher.

J'ai six heures pour découvrir la solution, sinon je ne rentrerai jamais chez moi.

Liz pense que je suis bonne à enfermer, mais elle croit également que mon histoire créerait un formidable scénario. (« Je pense que je pourrais être réalisatrice ! » dit-elle. Comme c'est ironique.) Donc, elle reste dans les parages. Elle affirme aussi que les amis aident les amis, même s'ils pensent qu'ils ont déraillé. Gentil.

Nous avons déjà tenté quelques petites choses. Nadine m'a traînée chez une chiromancienne, mais elle n'a pas dit le premier mot sur mon autre vie. Tout ce qu'elle a dit, c'est : « Si tu t'en tiens au chemin de vie que tu veux prendre au lieu de suivre la voie que veulent les autres, tu auras une existence longue et prospère. » Bon conseil, mais je dois d'abord ravoir ma vie.

Nous avons également essayé un voyant et un médium.

— Pourquoi aurions-nous besoin d'un médium ? s'enquiert Liz. Elle n'est pas morte !

Nadine a grimacé, ce qui m'a fait paniquer — me faisant penser qu'elle me croyait vraiment morte —, mais le médium, Dieu merci, a uniquement joint ma grand-mère ; cette dernière m'a saluée et demandé de dire à ma mère de « prendre un calmant et d'arrêter d'être aussi obsédée par les Beckham ». Au moins, le médium avait une notion de ma vie alternative ! Le voyant a fait chou blanc. Comme si je me souciais de savoir combien d'enfants j'allais avoir. J'ai seulement dix-huit ans ! Je pense que Liz et Nadine ont de moins en moins foi en moi à mesure que les heures s'écoulent.

À présent, nous voilà en route vers Gail Harding, une hypnotiseuse renommée qui a prononcé une allocution dans l'un des cours de psychologie de Nadine à Harvard. Elle a accepté de me rencontrer ce soir après les heures habituelles de bureau, mais il se peut que Nadine ne lui ait pas raconté toute mon histoire. Si Gail savait que je pensais venir d'une autre dimension, elle aurait probablement brusquement raccroché le téléphone et changé d'adresse courriel.

— Si quelqu'un peut comprendre ce qui se passe avec toi, c'est Gail, explique Nadine, resserrant davantage son écharpe en tissu écossais pour combattre le vent.

C'est venteux ici aujourd'hui — la prévision météo à la télévision ce matin disait qu'un vent venant du nord-est soufflait de façon imprévue — et Boston s'attend à des bourrasques et de la pluie ou de la neige.

— Je l'ai regardée débarrasser mon professeur de psychologie de sa dépendance au tabac en une seule séance, devant toute la classe ! Elle l'a endormi, lui a fait prononcer quelques mots et paf ! Il s'est réveillé guéri. Il n'a plus jamais eu envie de fumer un paquet de cigarettes. L'odeur de la fumée le rend malade.

— Mais nous n'essayons pas de guérir Kaitlin de quoi que ce soit, sauf de sa folie.

Liz marche au même rythme que Nadine. Elle a enfilé son parka North Face, un jean cigarette, ses bottes de pluie Burberry et un épais chandail rouge. Moi, j'ai le chandail évasé vert que je portais hier avec mon jean cigarette non lavé et mes bottes de pluie. Liz voulait aller faire des courses hier, mais elle a dit en plaisantant qu'elle ne pourrait pas transporter tous ces nouveaux vêtements jusqu'à l'avion toute seule quand je m'évanouirais dans l'air après la séance de ce soir.

Ce serait bien, non ?

— Comment le fait de dormir aidera-t-il Kaitlin à rentrer à la maison ? s'enquiert Liz.

— Je l'ignore, répond Nadine, songeuse. Je ne sais toujours pas si je crois un mot de tout ceci ! Je ne possède pas la moindre connaissance sur le voyage interdimensionnel, mais je connais l'hypnose, et elle peut être utile dans beaucoup de domaines — surmonter des peurs irrationnelles, la dépendance au tabac, perdre du poids. Il se peut qu'elle puisse redémarrer le cerveau de Kaitlin dans la bonne réalité, peu importe laquelle.

— Elle va m'endormir et puis quoi ? demandé-je nerveusement. Je m'endors tous les soirs et je m'éveille le lendemain matin, et je suis encore ici. En quoi cela sera-t-il différent cette fois ?

— Je ne sais pas.

Nadine semble exaspérée et elle cesse d'avancer.

— Je suis désolée. Je suis simplement frustrée. Je ne peux pas supporter de ne pas réussir à arranger les choses dès le premier essai.

Je sais.

— J'ignore comment te venir en aide, poursuit-elle, puis elle commence à se ronger les ongles. Tout ce que je sais, c'est que plus je passe de temps avec toi et plus j'entends parler de cette autre vie que tu prétends mener, plus elle me paraît fabuleuse et plus je me sens malheureuse.

Nadine regarde ses bottes.

— Et si nous réussissons vraiment à concrétiser ce plan fou qui est le tien, que nous te ramenons là-bas et que Liz et moi sommes coincées ici, avec les versions moins bonnes des vies que tu affirmes que nous menons ?

— Je n'avais pas pensé à cela.

Liz a l'air sombre elle aussi.

Je leur prends chacune une main et les utilise pour conserver mon équilibre alors qu'une autre grosse bourrasque menace de faire voler mes béquilles.

— Si je rentre, alors vous rentrez aussi. J'ignore ce qui va arriver à cette vie-ci. Tout ce que je sais, c'est que là-bas, à Hollywood, nous sommes toutes très heureuses.

Cela semble calmer Nadine parce qu'elle reprend sa marche et parle de nouveau, de choses comme ses restaurants préférés en ville (On The Border, un excellent Mexicain) et de la librairie Harvard. Le temps de le dire, nous frappons à la porte du bureau de Gail, elle nous invite à entrer et elle nous demande de tout lui expliquer. Quand j'ai terminé, j'obtiens la même réaction que celle de Nadine au début. Le silence. Au moins, Gail écrivait dans un cahier de notes tout au long de mon récit. Le son de son crayon tapotant sur son cartable forme le seul bruit dans la pièce. C'est plutôt irritant et il devient de plus en plus fort. En y pensant, ce cartable me paraît affreusement familier…

Hé, n'est-ce pas la Bible de Nadine ? C'est là qu'elle conserve toutes les informations sur ma vie. Je le reconnaîtrais n'importe où ; il y a des autocollants au dos des groupes musicaux favoris de Nadine et une photo de Tahiti, où Nadine souhaite aller.

— Où avez-vous trouvé ce cartable ?

Je brise le silence.

— Il appartient à Nadine. Bien, à ma Nadine.

Nadine le clone me regarde bizarrement.

— La photo de Tahiti, les autocollants de pare-chocs des groupes musicaux. Dans ce cartable, ma Nadine conserve toutes mes affaires.

— Kaitlin, de quoi parles-tu ?

Liz s'adresse à moi comme si j'avais deux ans.

— Ce cartable n'a rien dessus. Il est d'un bleu foncé ordinaire. Sans vouloir t'offenser.

Gail le lève pour que je le voie, et Liz a raison. Il est nu. Cependant, ce n'était pas le cas une minute avant. J'en suis certaine. Et revoici ce tapotement ! C'est tellement agaçant. Mais Gail ne joue pas avec son crayon. Liz et Nadine ne font pas de bruit non plus. Qu'est-ce qui se passe ?

— Je suis consciente que son histoire semble démente, intervient vite Nadine, mais je me suis dit que si quelqu'un savait comment l'aider, ce serait vous. J'ai lu vos articles sur l'hypnose, et le pouvoir de l'esprit est immense.

— C'est vrai, réplique Gail avec un sourire gentil.

Elle est plus âgée que ma mère d'au moins une décennie et elle ressemble davantage à une grand-mère qu'à un médecin. Elle a des cheveux courts poivre et sel et de doux yeux bleus, et elle porte un tailleur en tweed.

— L'esprit a une drôle de façon de se dévoiler, parfois. Dans le cas de Kaitlin, il semble lui avoir appris une précieuse leçon sur l'amour et le deuil.

Elle m'observe avec gentillesse.

— J'aimerais pouvoir t'aider — et il est possible que je le puisse, mais pas maintenant. Je ne pense pas que tu sois prête.

Le téléphone de Liz commence à vibrer.

— Mince, leur avion a-t-il déjà atterri ?

Elle me regarde.

— Mon père ; je vais le laisser passer dans ma boîte vocale.

— Je suis prête, insisté-je pour Gail. Je veux rentrer à la maison.

Elle secoue la tête.

— Je ne suis pas convaincue que c'est la solution. Tu dois d'abord comprendre ce que tu désires vraiment.

— Je sais ce que je veux.

Je commence à m'exaspérer.

— Je veux rentrer à la maison. Je veux ravoir ma vie.

— Tu répètes toujours cela, mais je ne suis pas certaine que tu le penses.

Gail regarde ses notes.

— À mon avis, si souhaiter revenir à la maison et le vouloir étaient les seules choses qui comptaient, tu serais déjà rentrée. Quelque chose te retient ici. Même si je te soumets à l'hypnose, j'ai peur que cela ne fonctionne pas.

— Donc, vous la croyez ?

Liz paraît surprise.

— Ce que je crois n'a pas d'importance. C'est ce que Kaitlin croit qui en a.

Gail me regarde.

— Si Kaitlin croit que son destin est ailleurs et qu'elle est coincée ici, alors je veux d'abord m'occuper de ce problème.

SECRET D'HOLLYWOOD NUMÉRO DIX-SEPT : C'est étonnant qu'il m'ait fallu si longtemps pour consulter une thérapeute. À Hollywood, toutes mes connaissances suivent une thérapie ; appartiennent à l'église, la synagogue ou le centre de scientologie ; ou elles vont voir un coach de vie, appliquent une thérapie de yoga ou visitent un ashram avant d'atteindre la puberté. Vous souvenez-vous des bracelets kabbale que tout le monde arborait dans le sud de la Californie il y a quelques années ? Tous les acteurs et actrices que je connaissais en portaient un. À Hollywood, nous cherchons constamment le nouveau gros truc en vogue qui nous aidera à nous sentir pleinement satisfaits. En tant qu'acteurs, nous essayons toujours d'être quelqu'un d'autre. Des choses comme la thérapie nous servent à apprendre à être nous-mêmes. Parfois.

Gail me regarde avec gentillesse.

— Qu'est-ce qui te retient, Kaitlin ?

— Je l'ignore.

Je me sens impatiente à présent. À l'évidence, Gail pense qu'elle peut m'aider, mais elle ne le veut pas.

— Si je le savais, je ne serais pas ici, non ?

— Peut-être que si, peut-être pas.

Gail recommence à tapoter avec son crayon. Le son résonne dans mes oreilles. Ou il s'agit peut-être de mon téléphone cellulaire. Je ne me souviens pas l'avoir allumé.

— Mon téléphone sonne aussi, dit Liz, et elle regarde l'écran. C'est Austin. Veux-tu lui parler ?

Oui, non. Je ne sais pas ! Je suis tellement embrouillée. Je me couvre les oreilles pour bloquer le son. Il prend de l'ampleur.

— Hé, A. Ouais, je suis à côté d'elle, entends-je. Elle ne parle pas encore. Nous avons tout essayé.

Qu'est-ce que ça veut dire ?

— Kaitlin, tente de nouveau Gail ; je perçois le hurlement du vent dehors, semblable à celui du loup. Autant je souhaite que tu rentres à la maison, autant je pense qu'une partie de toi désire rester ici. Pourquoi ?

— Je ne sais pas ! hurlé-je.

— Ils ne savent pas pourquoi elle est comme cela. Elle devrait être réveillée maintenant, déclare Liz dans le téléphone.

— Je suis réveillée ! dis-je à Liz ; elle sursaute. De quoi parles-tu ?

— De quoi parles-tu ? demande Liz. Mon père m'envoie encore un message. Kates, le connaissant, il a un satellite « surperformant » qui me suit, et il sera ici d'une minute à l'autre. Tu ferais mieux de trouver rapidement comment retourner à la maison.

— J'essaie !

Je panique. J'ai envie de pleurer. Ma tête tourne. Les événements prennent une tournure qu'on ne peut maîtriser. Je déteste quand cela se produit ! Je déteste quand la vie devient aussi écrasante et que j'ai l'impression de me noyer et de ne plus jamais pouvoir diriger ma propre vie.

— Kaitlin, réfléchis à ta vie, dit la voix de Nadine. Tu affirmes que tu l'adores. Tu adores être actrice, tu adores ta nouvelle émission de télévision, tu adores tes amis, ton amoureux et même Sky Mackenzie. Cependant, tu as aussi déclaré que tu aimerais te scinder en deux, n'est-ce pas ?

Je caresse du pouce le cuir de la chaise sur laquelle je suis assise.

— En quelque sorte.

Nadine se penche en avant avec excitation, heureuse d'avoir découvert une piste.

— Je pense que si tu le pouvais, tu voudrais deux vies ; une qui comprend le métier d'actrice et une seconde qui te permet de vivre loin des caméras comme ici. Ai-je raison ?

Je ne dis rien. Je me contente de fixer le diplôme de Gail sur le mur. Euh, elle est allée à Cedars-Sinaï ? Je ne savais pas que c'était à la fois une école de médecine et un hôpital.

— Je ne sais pas si je veux deux vies. Je veux seulement un équilibre, dis-je sans conviction.

— Parle-lui, entends-je de nouveau Liz. Dis-lui que ça va. Que toi, tu te portes bien.

Toutefois, Liz ne parle pas au téléphone. Qu'est-ce qui se passe ici ?

— Maintenant, nous progressons. Quelles parties de cette vie-ci amènerais-tu avec toi si tu le pouvais? me demande Gail.

Je cligne des yeux pour chasser les larmes.

— J'aime mes parents, dis-je d'une voix enrouée. J'aime notre demeure paisible. Il n'y a aucun Blackerry qui sonne à n'importe quelle heure de la nuit, ni de pow-wow avec des agents pour des contrats ou de la publicité à 23 h alors que je souhaite aller me coucher. Ma mère est saine et dans mon monde…

Ma voix s'estompe.

— Elle ne l'est pas. Elle pense que si elle ne dirige pas ma carrière, alors celle-ci s'effondrera, mais…

— Mais?

Gail se penche en avant, toujours en gribouillant.

— Mais je n'en suis pas sûre.

Je regarde Nadine encore une fois.

— Parfois, quand il n'y a que toi et moi, j'ai l'impression de pouvoir tout réussir. Je me sens assez vieille pour prendre les bonnes décisions. Je ne dis pas que je n'en discuterais pas avec elle, mais il y a tellement de choses que je ferais ou ne ferais pas si elle me laissait exprimer mon opinion. Maman me rend tellement dingue parfois que j'ai juste envie de m'enfuir! C'est comme cela que je me suis retrouvée à Clark Hall la première fois. J'étais si accablée par les paparazzis, les feuilles de chou et ma mère que je souhaitais disparaître.

— Disparaître, répète Nadine. Un peu comme tu le fais maintenant.

— Mais c'est différent, la contredis-je. Je ne veux pas être ici.

— Peut-être que tu veux être ici, intervient Gail. Il se peut que tu ne veuilles pas affronter ton avenir. Peut-être que ce qui te retient réellement, c'est toi.

Je n'ai jamais vu cela sous cet angle auparavant.

— Alors, qu'est-ce que je fais?

Gail me touche la main.

— Tu apprends à te détendre. Désirer davantage qu'une carrière constitue un réflexe naturel chez toi, mais peut-être pas chez tes parents. Parfois, on doit enseigner aux gens de nouveaux tours, Kaitlin. Leur montrer qu'il y a plus d'une façon d'accomplir les choses à part leur manière habituelle. Ce n'est pas facile, mais c'est possible.

— J'ai toujours cru que la solution à mes problèmes était de maintenir une séparation claire entre mon travail et ma vie familiale, mais il se peut que j'aie mal considéré la question.

Je regarde Nadine en renfort.

— J'aurais peut-être dû chercher un moyen de faire coexister mes deux mondes en paix.

Je réfléchis à cela pendant ce qui me paraît des heures, même s'il ne s'est probablement écoulé que quelques minutes. Que me faudrait-il pour vivre avec bonheur dans mon monde ? C'est comme la question de la dissertation : « Avez-vous changé votre vie ou votre vie vous a-t-elle changé ? » Gail a peut-être raison : je suis ici parce que jusqu'ici, ma vie m'a changée. À la place, il est peut-être temps pour moi de la changer.

— Je pense savoir comment réussir, reprends-je enfin.

— Parle-lui. Dis-lui que tu l'aimes, demande encore Liz.

— Elle ne m'entend pas, n'est-ce pas ?

Est-ce Austin ? Cela ne peut pas être Austin.

— Kaitlin, je ne te quitterai pas, d'accord ?

— Nadine, as-tu dit quelque chose ?

Elle secoue la tête, et je perçois à nouveau ce bip agaçant.

— Kaitlin, si tu détiens véritablement la réponse, cela marchera.

Gail abaisse le fauteuil en cuir sur lequel je suis installée. Il est à côté des fenêtres, et je peux entendre le vent faire vibrer les cadres. J'essaie de me détendre, mais j'ai l'impression d'être piquée par des objets.

— Ferme les yeux et écoute ma voix.

Je me gratte les avant-bras dans un effort pour me débarrasser de ce qui tire ma peau, mais je ne trouve rien.

— J'écoute, murmuré-je.

— Ne parle pas, écoute seulement. Je veux que tu songes à ta vie… celle qui est loin d'ici… pense à tout ce qui t'est arrivé au cours des dernières années et à ce que tu as appris. Qu'est-ce qui a changé, qui est resté pareil ? Pense à ce que tu veux que ta vie soit là-bas et réfléchis à la maison que tu désires. Peux-tu faire cela ?

Je hoche la tête.

— Bien. Garde les yeux fermés et répète : « Je reste auprès de ceux que j'aime. »

Je suis vraiment Dorothée !

— Je reste auprès de ceux que j'aime, chuchoté-je avec mes yeux bien fermés. Je reste auprès de ceux que j'aime.

Ma maison. Ma vie. Los Angeles. Les pensées surgissent dans mon esprit comme des images. Je vois Austin, Liz, *Petites prises*, Sky et Rodney venant me chercher au studio. Je vois ma vie dans *Affaire de famille*, Matty, maman, papa et Nadine. Et étrangement, je vois d'autres choses également. Des choses qui ne devraient pas être là. Comme ma maison ici à Toluca Lake et maman assise à la table de la cuisine pour le dîner. (Il n'y a pas de cartons de mets pour emporter dessus.) J'aperçois des piles de demandes d'admission et je vois l'édifice de l'Université Southern California. J'imagine Austin et moi marchant main dans la main sur le campus.

Et ensuite, je me vois moi-même. Celle que je veux être. Une fille qui n'est pas enlisée dans ce qu'elle n'a pas ou ce qui ne va pas. Quelqu'un qui sait ce qui va bien dans sa vie. Je vois ce que j'aime à propos du métier d'actrice et à quel point je souhaite continuer à le pratiquer et comment personne, peu importe à quel point je l'aime, ne peut m'empêcher de prendre mon destin en main.

Et ensuite, tout devient noir.

DIX-HUIT : *Bienvenue à la maison*

— Oh mon Dieu ! s'exclame Liz. Ouvre-t-elle les yeux ?

— Regardez ! Ils papillonnent. Appelez le médecin.

Maintenant, c'est la voix de maman que je perçois et celles d'autres personnes aussi.

— Kaitlin ? Nous entends-tu ? Nous sommes juste ici.

C'est Nadine.

Les voix de tout le monde sont amplifiées mille fois, et j'ai l'impression de me trouver dans un genre de tunnel aérodynamique. Des talons claquant sur le plancher ressemblent au tonnerre.

Ma main droite est chaude.

— Burke ? Tu vas bien, Burke. Nous avons eu un accident, mais nous allons bien. Enfin, ce sera le cas lorsque tu te réveilleras.

Je reconnaîtrais cette voix n'importe où.

— Austin ? demandé-je d'une voix rauque, puis je m'efforce d'ouvrir les paupières, même si elles semblent lourdes.

— Elle est réveillée !

Il paraît si soulagé en caressant mes cheveux.

— Tu nous as flanqué toute une frousse, Mademoiselle la reine de la fête.

C'est bien Austin. Mon Austin. Cela ne peut signifier qu'une chose.

Je suis de retour !

Je me sens si fatiguée, mais je regarde autour de moi pour m'assurer que je ne suis pas encore dans le bureau de Gail. Liz, maman, papa, Matty, Nadine, Rodney, Laney et Seth m'observent, et ils sourient. Si Laney, Seth et Rodney sont ici aussi, alors je suis vraiment à ma place.

— Je suis à la maison.

Je m'étouffe et je sens les larmes dégouliner sur mes joues.

— Je suis à la maison, pas vrai ? Où vivons-nous ? murmuré-je, serrant la main d'Austin.

Liz glousse.

— Dans la meilleure ville du monde : Los Angeles.

— Et que fais-je pour gagner ma vie ? m'enquiers-je.

— Mon Dieu, elle doit vraiment s'être fortement cogné la tête, entends-je venant de Sky.

Sky est ici aussi !

— K., tu joues avec moi dans *Petites prises*, répond Sky très lentement, comme si j'étais incapable de comprendre l'anglais. Tu n'es pas une actrice aussi douée que moi, mais je porte le poids de l'émission sur mes épaules pour nous deux.

« Je suis actrice ! OUI ! » ai-je envie de crier, mais ma gorge est douloureuse.

C'était un rêve. Ma vie sans Hollywood n'était rien d'autre qu'une invention de mon imagination.

Tout cela n'était qu'un rêve. Et pourtant… Je me sens différente, d'une certaine manière. Plus reconnaissante, assurément, mais peut-être plus sage, aussi.

— Lui ont-ils prescrit du Vicodin ? s'enquiert Laney. Je deviens loufoque quand ils me donnent cela.

— Nan, le Vicodin la rendrait plus active, rétorque Sky. J'en ai eu lorsque j'ai fait redresser mon septum.

— C'est-à-dire la fois où elle s'est fait refaire le nez, traduit Liz.

— Sky ? Est-ce que ça va ? demandé-je en tendant la main vers la sienne. Tu ne bois pas, n'est-ce pas ? Et tu ne traînes pas avec Alexis ?

— Non et non !

Sky retire vivement sa main.

— Promets-le-moi, Sky, insisté-je même si ma voix n'est pas plus forte qu'un murmure. Je t'aime trop pour te voir te détruire.

— De quoi parle-t-elle ? demande Sky autour d'elle. Je pense que cette commotion cérébrale a fait perdre la mémoire à K.

— Chérie, nous allons aller chercher le médecin, dit maman d'un ton apaisant, ce qui est d'autant plus déroutant parce qu'à présent, on croirait entendre maman le clone.

Aïe. Ma tête fait mal.

— Ça va aller.

Elle ravale ses larmes et s'assoit à côté d'Austin, et elle me caresse aussi les cheveux.

— Nous étions si inquiets à ton sujet. Quand nous avons reçu l'appel nous annonçant que tu étais blessée, juste après la grosse querelle que nous venions d'avoir, j'ai… j'ai…

Elle éclate en sanglots.

— Ma douce, ça va, dit papa. Elle va bien. Kate-Kate, te souviens-tu des événements ?

— Pas vraiment, admets-je. Tout cela me semble plutôt embrouillé. J'ai souvenir des paparazzis nous pourchassant et du chauffeur qui les provoquait, mais tout cela a commencé parce que je les ai engueulés. C'est ma faute.

Je repose ma tête sur l'oreiller, confuse.

— Non, c'est faux, Kates, me dit Rodney, et je remarque qu'il porte quelques bandages à son bras. Je n'aurais pas dû te permettre de me donner congé le matin. Le jour de ton anniversaire, rien de moins. J'aurais dû savoir que quelque chose tournerait mal. C'est pourquoi je suis revenu. Lorsque j'ai vu ces chasseurs de clichés te pourchasser, je les ai suivis.

— Rod a été le premier à atteindre la voiture après l'accident, m'apprend Austin. Il t'a sortie de là.

Je regarde Rod.

— Tu es toujours là quand j'ai besoin de toi.

Aaah… il semble ému. Je vais arrêter là. Rodney déteste pleurer en public. Il garde ses séances de pleurs pour *Brothers and Sisters* (chut !).

— Je vais bien, grâce à toi.

Je m'empare de la main d'Austin.

— Je suis simplement heureuse d'être ici. Que nous soyons tous ici et que tout le monde aille bien.

Je souris à Austin et baisse les yeux sur la main qui tient la mienne.

Austin a un plâtre sur son poignet droit.

— Une entorse seulement.

Austin lève son poignet droit et j'ai une meilleure vue — de mon regard embrumé —, et j'aperçois les bandages. Tout est un peu embrouillé.

— Les médecins disent qu'ils le retireront dans deux semaines. Amplement le temps de me remettre pour la saison printanière.

Donc, il ne s'est pas brisé la jambe comme Austin le clone dans mon rêve. Je suis quand même bouleversée qu'il ait été blessé, mais heureusement, je n'ai pas gâché ses chances d'une bourse de crosse. Je me sens tellement soulagée.

— C'est toi qui nous as inquiétés, ajoute Austin. Tu as dû subir une opération chirurgicale et tout est parti en vrille à partir de là.

— Que s'est-il passé ? demandé-je nerveusement.

— Tu t'es cassé la cheville et tu as dû être placée sous anesthésie afin qu'on la répare, explique Nadine. Ils ont eu de la difficulté à te réveiller. Ils ont craint que tu n'aies une commotion cérébrale qui n'aurait pas été détectée et ils ont dit qu'il s'était passé quelque chose avec ton niveau d'oxygène.

— Je pense qu'on appelle ça la désaturation, précise Liz en jouant avec les bouts de l'écharpe violette enroulée autour de ses cheveux foncés et bouclés. Le médecin a recommandé de te parler, alors nous n'avons pas arrêté de te raconter des histoires.

— Ils t'ont — nous t'avons — observée au cours des dernières heures, déclare Austin.

— As-tu mentionné les nouvelles bottes Marc Jacobs? demandé-je, le souffle court.

La bouche de Liz, soulignée de brillant à lèvres mauve, s'ouvre grande.

— Tu m'as entendue, n'est-ce pas? Je savais que le magasinage était la clé de ton réveil!

— Tu devras te servir de tes béquilles pendant quelques semaines, m'informe maman, mais tu te remettras bien. Nous avons téléphoné au studio pour leur raconter les événements, et ils vont interrompre la production pendant une ou deux semaines, jusqu'à ce que tu te sentes mieux.

— Alors, dépêche-toi, plaisante Sky.

— C'est juste bon d'être à la maison, dis-je en refermant les yeux.

Dois dormir.

— Que veux-tu dire, à la maison?

Papa rigole.

— Je serais loin de qualifier cet environnement d'élégant.

— Là où vous êtes, cela me suffit, murmuré-je avant d'entendre des bruits de pas.

— Il y a beaucoup trop de gens dans cette chambre, se plaint une infirmière. Certains d'entre vous vont devoir partir.

— Désolé, infirmière Gail, dit Seth.

Gail? C'est drôle. C'était le nom de l'hypnotiseuse dans mon rêve.

— Kates, nous allons partir, me dit Seth. Tu dois te reposer, mais Laney et moi allons venir voir comment tu te portes demain.

Ils ont été congédiés. Je me souviens que maman a renvoyé Laney et Seth. J'ouvre des yeux inquiets, faisant glisser anxieusement mon regard entre lui et maman.

— Mais…

Seth décoche un clin d'œil à maman, qui sourit.

— Pas de souci. Nous avons dit à ta mère qu'elle ne pouvait pas nous licencier quand elle était sous pression. Nous sommes toujours sur ta liste de service.

Merci mon Dieu.

— Concentre-toi uniquement sur ta guérison, me dit Laney. Je vais m'occuper des médias et discuter de toutes les bonnes choses avec ta mère.

— Oui, fais cela, Laney, intervient maman, la voix un peu instable. Nous donnerons l'exclusivité de ceci à un magazine. *Today* ou *GMA*, selon toi ?

— Meg.

Le ton de papa est un avertissement.

— J'essaie seulement de la faire se sentir mieux.

Maman croise les bras sur sa poitrine et joue avec le collier de perles qu'elle porte.

— En parlant de cela, ajoute-t-elle, tu pourras t'adonner beaucoup plus au magasinage à partir de demain.

Ses yeux brillent vivement.

— J'ai convaincu Seth d'apporter tes contrats de films demain.

— Maman…

Tout à coup, je me sens encore faible. La maman dans mes rêves n'aborderait jamais le sujet du travail alors que je suis branchée sur intraveineuse.

— Pouvons-nous nous en occuper plus tard ?

— Plus tard ? Pendant que je confirmais la page couverture de *Teen Vogue* pour Matty, j'ai recueilli d'immenses nouvelles à partager. Ne veux-tu pas les entendre ?

Maman arque les sourcils, mais je ne mords pas.

— *Teen Vogue* ?

Matty paraît excité.

— Maman, c'est du tonnerre.

— Je sais, tout comme cette nouvelle.

Maman est incapable de se retenir.

— Si tu étais prête à signer demain pour les deux films, tu recevrais un énorme boni, Kaitlin. ÉNORME.

SECRET D'HOLLYWOOD NUMÉRO DIX-HUIT : Généralement, quand on signe une entente pour jouer dans un film, le chèque de paie forme le salaire. Cependant, à l'occasion, on obtient des bonis ou certains avantages si le film réussi extraordinairement bien — même s'il n'a pas encore été produit. Parfois, les studios sont tellement impatients de vous voir apposer votre signature sur la ligne pointillée (habituellement pour une suite) qu'ils peuvent offrir une voiture ou un quelconque autre cadeau tapageur comme incitatif. Mon amie Gina a reçu une Range Rover quand ils ont voulu la réserver pour *L'enfer sur roues 2* : sainte terreur. D'autres fois, l'entente comprend la remise d'un pourcentage des profits. Ne vous enthousiasmez pas trop à propos du boni — il faut beaucoup de fric pour qu'un film entre dans ses frais de production, de marketing et de promotion avant qu'on ne touche ses cinq pour cent des profits (ce qui a tendance à être un maximum).

Maman semble satisfaite, mais en dix minutes, je me suis sentie remplie de joie, puis abattue. J'ai beaucoup de choses à dire, mais ce n'est pas le moment.

— Pouvons-nous discuter demain ? La journée a été longue.

Beaucoup plus longue qu'aucun de vous ne le réalise.

— Mais... insiste maman.

— Meg.

Le ton de papa est sévère, comme la fois où je suis rentrée deux heures après mon couvre-feu.

— D'accord.

Maman touche ma jambe par-dessus la couverture rêche de l'hôpital.

— Tu as raison. Nous en avons eu assez pour une journée. Seulement, je ne peux pas m'arrêter de penser à des façons d'aider mes enfants.

Nadine fait une grimace dans le dos de ma mère.

— Repose-toi un peu, ma chérie.

Papa me décoche un clin d'œil.

— Reste à l'arrêt tant que tu le désires, Kate-Kate. Je vais la garder au neutre.

Quand ils sont partis, je regarde Austin, Liz, Sky et Nadine, qui sont toujours avec moi. Si je ne dis rien, je vais éclater.

— Vous ne pouvez pas partir encore. Je dois vous raconter ce qui m'est arrivé.

Nadine regarde Sky et Liz.

— Tout d'abord, nous souhaitons te présenter nos excuses.

— Nous n'aurions pas dû te tendre une embuscade le jour de ton anniversaire.

Liz prend la place de maman au bord de mon lit. Elle lisse sa robe débardeur à taille basse Marc Jacobs, qu'elle portait ce matin au petit déjeuner.

Je ne peux pas croire que c'était ce matin seulement. J'ai l'impression que c'était dans une autre vie.

Sky roule les yeux.

— Nous aurions dû nous rappeler que tu as de la difficulté à accepter le changement.

— Plus maintenant, dis-je pensivement. Et si quelqu'un doit demander pardon, c'est moi. Je suis vraiment contente à propos de ta nouvelle carrière, Nadine.

Je regarde Sky d'un air sévère.

— Tu as la meilleure pour diriger ta vie à présent. Ne gâche pas ça.

— Je sais que ce n'est ni l'endroit, ni le moment, mais songe à te joindre à nous, intervient Nadine, les yeux brillants. Je ne crois pas pouvoir faire cela sans toi. Je me sentirais mal.

— Ce n'est pas mal, insisté-je. C'est ton destin. Pas l'école de commerce d'Harvard. Crois-moi.

Nadine sourit.

— Qu'est-ce qui t'a fait penser à Harvard ?

— J'ai réfléchi à des tas de choses, comme le fait que les journaux à potins vont faire leurs choux gras des propos affreux que j'ai tenus devant les paparazzis.

Je fixe les stores dans la chambre. Ils auraient bien besoin d'être époussetés.

— Cela ne te ressemblait tellement pas, K.

Sky fait claquer sa langue.

— La presse va dire que tu es ingrate.

— Je l'ai peut-être été, admets-je. Mais plus maintenant. Je suis reconnaissante pour tout ce que j'ai — même pour l'accident.

— C'est bien la chose pour laquelle je ne serais jamais reconnaissante.

Liz secoue la tête.

— Je suis assez d'accord avec Liz, dit lentement Austin. Cet accident était beaucoup plus effrayant que n'importe quelle tournée de tapis rouge. C'était…

— Terrifiant, offré-je.

— Terrifiant, répète-t-il. Mais je vais bien, et il semble que toi aussi.

— Oui, vraiment.

Ma voix s'étrangle de nouveau.

— Je suis tellement heureuse d'être à la maison. Je veux dire, réveillée. Je veux dire ici. S'il t'était arrivé quelque chose, Austin. Je…

— Si, si, si.

Sky soupire.

— Le monde est rempli de « si », et on ne peut rien y changer. C'est trop tard. Ce qui est fait est fait, et tu vas bien. A. va bien.

Seulement, ne refais plus jamais cela, d'accord ? Tu nous as complètement fait flipper.

Derrière Sky, Liz joue les pantomimes. Elle se frotte les yeux en faisant semblant de pleurer. Sky pleurait ? Pour moi ? Wow, notre relation a réellement changé.

Austin me caresse le visage.

— Tu devrais te reposer.

— Je ne veux pas me reposer.

Je me démène pour m'asseoir de nouveau.

— Il y a tellement de choses que je souhaite accomplir à présent que j'en ai l'occasion.

Nadine me fixe de manière étrange. Je vérifie d'un regard que ma porte est bien fermée et que je suis allongée dans une chambre privée, ce qui est heureusement le cas. Aucune camarade de chambre grincheuse, cette fois.

— Pourquoi agis-tu de façon aussi bizarre ?

Sky gémit.

— Explique-toi !

— D'accord ! Je respire profondément. Par où commencer ? Pendant que j'étais dans les vapes, j'ai fait le plus étrange des rêves…

Je leur raconte tout, du début à la fin, sans omettre aucun détail. Je parle pendant si longtemps que l'infirmière Gail entre deux fois pour prendre ma température. Elle me rappelle également que les visites prennent fin à 20 h et qu'il est presque 19 h. Mais je ne peux pas m'arrêter. Plus je relate mon histoire, plus je deviens excitée, même si lorsque je la vivais, j'étais en constant état de panique. Quand j'ai terminé, ils sont tous sans voix.

— C'est le rêve le plus complexe que j'aie jamais entendu, s'émerveille Nadine. Et la façon dont tu as décrit Harvard et Peet's, c'est comme si tu y étais vraiment ! Es-tu déjà allée à Boston ?

Je secoue la tête.

— Jamais. J'imagine que je me suis simplement rappelée tout ce que tu m'avais dit.

— Bien, je n'aime pas ce que tu m'as dit, pleurniche Liz. J'ai l'air pathétique.

— Au moins, tu n'es pas une catastrophe ambulante avec la gueule de bois, grommelle Sky. C'est agréable de savoir que tu penses que je m'effondrerais sans toi.

— Je me suis racheté, à la fin, alors je me sens bien.

Austin fait un clin d'œil.

— Intéressant, ton propos sur l'Université Southern California, par contre. Donc, tu songeais vraiment à y aller ?

— Oui, et je vais assurément remplir la demande d'admission.

Nadine sourit largement.

— Je sers réellement à quelque chose ici, plaisante-t-elle, mais je sais que c'est vrai.

— Alors, maintenant quoi ? veut savoir Liz. Vas-tu informer ta mère à propos de ce rêve ?

— Elle n'écouterait jamais. Mais, il se peut que ce ne soit pas nécessaire. À ce propos, du moins.

— Ta mère portant un tablier ? Te bordant le soir ? Te conduisant à l'école et travaillant dans un cabinet de dentiste ? répète Liz, sa bouche affichant le sourire du chat qui a avalé la souris. Je paierais pour t'entendre parler à ta mère de la mère dans ton rêve.

— Je pense que c'est plutôt génial, ce qui t'est arrivé, déclare Sky en jouant avec une mèche de ses longs cheveux ébène. J'aimerais vivre une chose semblable.

— Non, tu ne le souhaites pas, lui dis-je. C'était effrayant, et tout ce que je voulais, c'était rentrer à la maison.

— Peut-être qu'une partie de toi voulait revenir, mais l'autre y a pris plaisir.

Nadine est pensive.

— C'est un peu comme ce que tu as toujours désiré, non ?

— Que veux-tu dire?

Je bois une gorgée du jus de canneberge glacé que l'infirmière Gail m'a apporté. Je l'avale par litres; j'ai tellement soif après avoir autant parlé. Et, bien, à cause de l'opération chirurgicale.

— Kates, tu t'es toujours demandé à quoi ressemblerait ta vie si tu étais comme nous, et il semble que ton rêve t'a justement donné cette chance.

Nadine tapote sa Bible avec un stylo — ma véritable Bible. Autocollants de Tahiti et tout.

— Maintenant, tu sais que tu es sur la bonne voie.

— C'est plus que le reste d'entre nous peut dire à dix-huit ans, fait remarquer Liz.

— Alors, que vas-tu faire à présent, Burke? demande Austin.

— Beaucoup, réponds-je simplement avant de poser ma tête sur l'oreiller du lit d'hôpital pour y réfléchir.

Je ressens soudainement une grande fatigue encore une fois.

Ils doivent le réaliser, car ils me disent au revoir et Austin éteint la veilleuse, mais je suis incapable de dormir. Mon esprit bouillonne. C'était peut-être un rêve, mais c'est ma deuxième chance. Je vais décider de la façon dont je veux que ma vie se déroule, une fois pour toutes. Cette fois, je vais tout clarifier, ce que j'aurais dû faire il y a longtemps. Si ce rêve m'a enseigné quelque chose, c'est ceci : on ne peut pas attendre après les événements. On doit faire ce qu'on aime, prendre le temps de dire ce qu'on a sur le cœur et veiller sur son propre destin.

Je vais enfin prendre ma vie en main.

LA PATROUILLE DE LA PRIMEUR

19 décembre

Kaitlin Burke victime d'un accident de voiture impliquant des paparazzis

Par Ellie Reeseman

Son dix-huitième anniversaire aurait dû être si radieux qu'elle aurait dû porter ces lunettes de soleil Gucci de style aviateur qu'elle admirait chez Barneys ce matin-là. Au lieu d'effectuer cet achat pour elle-même, Kaitlin est montée au restaurant Barney Greengrass chez Barneys New York pour prendre le petit déjeuner avec son assistante personnelle, Nadine Holbrook ; son amoureux, Austin Meyers ; sa meilleure amie, Liz Mendes ; et sa partenaire dans *Petites prises*, Sky Mackenzie. Des témoins disent que le brunch d'anniversaire a rapidement dégénéré, avec Kaitlin le quittant en larmes. « L'assistante de Kaitlin lui donnait sa démission, déclare un témoin. Elle était anéantie. J'ai détourné le regard pour verser du sucre dans ma tisane à la camomille et quand je me suis retournée, ils se disputaient à propos de l'université et de la mère de Kaitlin. »

Ceux qui sont familiers avec la mère de Kaitlin, Meg Burke, savent qu'elle est une épine dans le pied de la carrière fulgurante de Kaitlin, poussant sa fille tellement à bout de ses forces qu'elle est devenue le sujet peu flatteur de l'article en couverture de *Sure* l'an dernier. « Elle est tellement dure avec Kaitlin dernièrement, l'incitant à signer pour deux grandes productions cinématographiques, dit une source près des Burke. Les projets sont d'excellentes prises pour Kaitlin, mais accepter les deux pendant la pause estivale ? Savez-vous épeler le mot épuisement ? Kaitlin semble accablée. »

Ce n'est pas étonnant alors que le matin de son anniversaire, Kaitlin ne se souciait pas d'étaler sa querelle avec ses amies devant les paparazzis, qui prenaient des clichés à qui mieux mieux. Quand Kaitlin a réalisé ce qui se passait, des sources affirment qu'elle les a traités d'objectifs ambulants. « Elle a déclaré qu'elle en avait marre de sa vie hollywoodienne et qu'elle aimerait qu'elle disparaisse et qu'elle entraîne les appareils-photos avec elle, dit un photographe, qui a demandé à rester anonyme. Cela ne lui ressemble pas du tout.»

«Kaitlin n'a rien dit de semblable, et j'ai trois photographes pour confirmer notre version de l'histoire, insiste son agente de publicité, Laney Peters. Kaitlin a été victime d'un accident avec les paparazzis sur lequel elle n'avait aucune influence. Au lieu de nous inquiéter de ce que Kaitlin a dit en fuyant pour sa vie, nous devrions discuter du fait que le gouvernement de la Californie devrait entériner des lois plus sévères contre les paparazzis et créer un règlement à propos de l'envahissement de la vie privée des célébrités.»

Après une vive discussion, Kaitlin s'est précipitée dans un VUS en attente – pas sa voiture habituelle – et est partie à toute vitesse avec les paparazzis qui salivaient à sa poursuite. Ce qui s'est passé ensuite est incertain, mais quelque part sur Wilshire Boulevard, le VUS a embarqué sur le trottoir et s'est écrasé dans une clôture. Personne dans la rue n'a été blessé, mais Kaitlin, Austin et le chauffeur, Frank Turnblatt, ont été transportés à l'hôpital pour recevoir un traitement médical, Kaitlin souffrant d'une commotion cérébrale et d'une cheville cassée. Elle a obtenu son congé deux jours plus tard après avoir été gardée en observation à cause de ses blessures à la tête. «Je suis tellement reconnaissante qu'Austin et notre chauffeur aillent bien et que personne d'autre n'a été blessé, a déclaré Kaitlin dans son unique déclaration. Conduire est une affaire sérieuse, et je crois, pour ma part, que personne ne devrait se mettre au volant quand il est en colère. Je sais que je ne le ferai pas lorsque j'obtiendrai mon permis. Mais après cet événement, je pense que ce ne sera pas avant très longtemps. Pour l'instant, je veux seulement accorder toute mon attention à ma famille, mes amis et mon avenir. Je remercie tous mes admirateurs qui m'ont envoyé leurs vœux de prompt rétablissement. Je vous souhaite à tous de Joyeuses Fêtes. Il y a tant de choses pour lesquelles nous devons tous éprouver de la gratitude.»

DIX-NEUF : *Mettre fin au casse-tête*

— Vos yeux sont-ils fermés, les taquiné-je.

— Kate-Kate, tu nous as bandé les yeux avec les nouvelles écharpes Gucci que je n'ai pas encore étrennées, dit maman en faisant la moue. Oui, ils sont fermés et nous ne tentons pas de regards furtifs. Maintenant, de quoi s'agit-il ? Je suis gelée.

Maman serre son manteau en faux vison (j'ai paniqué quand elle a songé à en acheter un vrai) autour de son cou bronzé.

— Meg, il fait quinze degrés, rétorque papa avec ironie. On ne gèle certainement pas.

— J'ai parlé à Nancy Walsh, et elle a dit qu'il faisait ce même temps à New York aujourd'hui.

Les dents de maman claquent.

— Comment peut-il faire aussi froid ici ? Mes doigts sont tellement gourds, je peux à peine taper sur mon BlackBerry.

— Voilà un cadeau de Noël que je n'aurais jamais cru recevoir, blague papa, et je glousse.

— Assez de bavardages, intervient sévèrement Matty avant de me décocher un clin d'œil. Si vous n'êtes pas sages, vous ne recevrez pas votre présent. Bien, papa ne l'aura pas. C'est vraiment pour lui, maman. C'est pourquoi nous avons dit que tu n'étais pas obligée de nous accompagner.

— Je voulais montrer mon soutien.

Maman souffle dans ses mains.

— Tu recevras l'un de mes cadeaux plus tard, maman, lui rappelé-je. Enfin, deux cadeaux.

— Bien, où sommes-nous alors ? se plaint-elle. J'ai l'impression que nous avons roulé sur l'autoroute, il y avait tant de bruit. Je n'aime pas l'idée que vous nous conduisiez quelque part sans que nous sachions où.

— Rodney a conduit, dit Matty. Et c'est d'ailleurs la raison pour laquelle on appelle cela une surprise.

Matty me regarde nerveusement. J'ai dû user de beaucoup de conviction pour qu'il accepte de participer à ce présent — j'en ai payé la majeure partie, mais Matty a contribué aussi —, mais je pense qu'après que je lui ai expliqué la situation en détail, il a accepté. Ce cadeau va rendre papa plus heureux qu'il l'a été depuis un très long moment. Matty ne sait pas trop si maman aimera autant le cadeau que je lui offre à elle, mais il a promis de me soutenir. Je lui ai dit que je possédais beaucoup plus d'expérience en matière de mère que lui, puisque je suis là depuis plus longtemps.

— Ce qui signifie qu'elle peut être plus en colère contre toi, me rappelle Matty. Voilà ce qui me fait peur.

— Es-tu prête, Kates ? s'enquiert Matty. Tu devrais faire les honneurs de la maison.

— En es-tu sûr ? demandé-je à mon frère.

Il a l'air tellement adulte dans son caban noir Kenneth Cole et son jean. Je clopine vers lui sur mes béquilles. J'ai très hâte que ces trucs aient disparu pour de bon. Au moins, c'est un bon rappel de ce que j'ai appris. C'est difficile de manœuvrer quand on porte un épais manteau de laine vert Gap, mais maman a raison, il fait froid. C'est pourquoi j'ai aussi enfilé dessous un chandail en cachemire à rayures blanches et noires avec un jean cigarette, et ces bottes Marc Jacobs dont on a tant parlé. (J'en possède vraiment une paire !)

— C'était ton idée.

Matty me sourit, dévoilant des dents parfaites.

— Ce qui signifie également que tu réponds à la première ronde de questions houleuses.

— Pourquoi y aurait-il des cris ? questionne maman en se tournant aveuglément vers nos voix. Kaitlin ? Matthew ?

Je défais d'abord le bandeau de papa et ensuite, celui de maman.

— Joyeux Noël ! crié-je.

Matty beugle et j'applaudis, mais maman et papa restent là, ahuris.

Ils fixent d'immenses fenêtres de verre où reluisent des voitures et des VUS garés à l'intérieur du magasin. Nous les avons amenés chez l'ancien concessionnaire de papa, celui où il a travaillé pendant des années avant de joindre la chaîne alimentaire d'Hollywood. L'endroit n'est pas ouvert à 9 h un dimanche matin, mais c'est correct, le personnel est ici pour nous accueillir. Je leur ai demandé de venir plus tôt pour rencontrer leur nouveau patron.

— Mais, je... ne comprends pas, dit papa en faisant passer son regard perplexe de Matty à moi. Pourquoi sommes-nous devant mon ancien concessionnaire ? Je n'ai pas besoin d'une voiture neuve. Ma Maserati a seulement un an.

— Vrai, répond Matty. Pour quelle autre raison serions-nous ici, alors ?

Maman soupire.

— Vous n'allez pas vous procurer de voitures avant d'obtenir votre permis, vous deux !

— Nous n'achetons pas de bagnoles maintenant, mais lorsque le temps sera venu, nous chercherons ici.

Je jette un regard de côté à Matty.

— Nous connaissons le propriétaire.

— Eric Peterman ? demande papa.

— Non, toi, rétorque Matt. Tu es le nouveau propriétaire, papa. Joyeux Noël !

— Quoi ?

La mâchoire de papa tombe presque sur le trottoir, juste sur un morceau de gomme à mâcher.

— Nous l'avons acheté pour toi, papa, dis-je alors même que maman crie : « QUOI ? »

Je le serre dans mes bras en éloignant mes béquilles de mon corps.

— Tu n'as jamais été aussi heureux que lorsque tu travaillais avec des voitures. Tout le monde devrait aimer son boulot.

— Mais mes ententes de production, bégaye papa.

— Regardons les choses en face, papa, commence Matt sans une trace d'ironie. Tu ne deviendras jamais un véritable producteur. Tu as obtenu quelques contrats de nous, ou plutôt de Kates, mais tu ne réussiras jamais dans le milieu.

— Mais c'est correct, papa, parce que tu es une vedette du rock quand il s'agit de vendre des voitures, et nous savons que tu as toujours désiré devenir propriétaire d'une concession automobile, ajouté-je rapidement, puisque Matty a raison, mais qu'il se montre un peu dur. À présent, c'est le cas.

— Je ne sais pas quoi dire.

Papa semble ému en fixant la concession.

— Comment saviez-vous que cet endroit me manquait ?

Je souris en grand.

— Quelqu'un me l'a dit. Félicitations, papa ! Nous espérons qu'il te procurera autant de bonheur que tu nous en procures.

Papa nous serre très fort dans ses bras, Matty et moi, frappant légèrement du même coup Matty au visage avec une de mes béquilles.

— Êtes-vous certains ? Vraiment certains ? Je ne sais pas quoi dire !

— Demande-leur comment ils ont eu accès à l'argent pour acheter ça, ronchonne maman, tapant avec emportement sur son BlackBerry avec ses ongles courts et roses, malgré son aversion pour la peau gercée.

— Notre planificateur financier a affirmé qu'il serait plus profitable que papa possède une concession automobile que d'intégrer ses crédits de production dans toutes nos ententes futures, explique Matty. Il a signé pour donner son accord. Il a dit qu'il vous montrerait les chiffres pour le prouver.

— Les enfants, je ne sais pas quoi dire.

Papa ravale ses larmes.

— J'ai toujours voulu posséder cette concession. Cet endroit m'a manqué. Je suis atroce dans les films.

— Ne dis pas cela.

Maman tire sur la manche de son trench-coat Ralph Lauren.

— Tu es brillant !

— Meg, c'est faux, et je ne suis pas heureux là-dedans non plus.

Papa a l'air sérieux et non triste.

— Hollywood n'est pas pour moi. Tout ce que je désire, c'est voir mes enfants réussir et s'amuser dans leurs carrières. Je suis satisfait de m'asseoir du côté passager et de vendre de merveilleuses voitures.

— Mais, mais…

Maman est sans voix.

Si cela lui fait cet effet, attendez qu'elle voie ce qui s'en vient.

— Maman, tu sembles avoir besoin d'un verre, dit Matty en la guidant vers la porte d'entrée. Le personnel a préparé des bagels, des mimosas et du café à l'intérieur pour célébrer.

— Après, maman, je t'offre un massage.

Je la suis en faisant clic-clac avec mes béquilles.

— J'ai pris des rendez-vous pour nous au spa de l'hôtel Four Seasons, à la suite de quoi nous déjeunerons chez Gardens.

— Cela me semble fantastique, ma chérie, s'extasie maman. Comme c'est attentionné. Tu dois vraiment profiter de ton congé.

— Oui, j'ai beaucoup apprécié de m'occuper de certaines choses, dis-je avec sincérité, et je décoche un clin d'œil à Rodney, qui porte mon nouveau sac à main — il s'agit d'un sac rouge scintillant Chloé qui ressemble de manière étonnante au sac sans marque dans mon rêve. L'une de mes courses cette semaine consistait à trouver mon sac rêvé et à l'acheter. C'est un parfait rappel de ce que j'ai presque perdu et de l'objectif que je dois maintenant garder en tête — façonner ma vie pour qu'elle atteigne son niveau optimal.

— J'ai terminé mes achats de Noël et j'ai organisé beaucoup de rendez-vous avec des assistantes.

— Tu trouveras quelqu'un dix fois meilleur que Nadine, déclare maman. De toute façon, il était temps pour toi de procéder à un changement.

— Le changement est une bonne chose, acquiescé-je ; j'essaie de ne pas afficher de petit sourire satisfait

Ce serait méchant.

— C'est agréable de prendre un nouveau départ, même si parfois, c'est douloureux.

— Absolument.

Je ne suis pas sûre que maman m'ait entendue, parce qu'elle applique un brillant à lèvres rouge foncé en se regardant dans une glace minuscule.

Je fais des progrès du côté de l'assistante, même si cela n'a pas été amusant. Nadine a mené pour moi des entrevues secrètes avec des assistantes pendant qu'elle organise ses pénates en tant que gérante. J'ignore comment elle réussit à tout gérer, mais elle a dit qu'elle ne se sentirait pas bien de me laisser en plan pendant les vacances des Fêtes. Je lui ai dit que de toute manière, c'était calme à cette période de l'année, et il s'est avéré que les deux semaines que j'ai obtenues pour me refaire une santé sont en fait quatre, en comptant Noël et le Nouvel An. J'ai tout le temps qu'il faut pour trouver une nouvelle personne pour m'aider à diriger ma vie. J'imagine. Nadine va quand même me manquer.

Ce qui explique pourquoi je ne la laisse pas partir.

* * *

CELL DE LIZ : Tic tac. Tic tac. Le temps è écoulé, Kates! Objectif, objectif, objectif! C maintenant ou jamais; G foi en toi, tu peux réussir! JTM!

CELL D'AUSTIN : Tu as attendu une éternité pr faire ceci. Go, Burke! Tu tè entraînée é tu è prête pour ton baptême du feu. Je pense à toi.

CELL DE SKY : K? Où è-tu? L'as-tu fait? Ne te dégonfle pas! G besoin de l'attention de Nadine é non qu'elle te plaigne. Fonce!

— Kaitie-kins, ce massage suédois-thaï était excellent! roucoule maman.

Nous nous mettons à table au restaurant Gardens du Four Seasons pour le déjeuner. L'endroit est censé être décontracté, mais je le trouve quand même élégant. Ils offrent des places intérieures et extérieures (il fait trop froid aujourd'hui pour cela), des murs jaune beurre, de lourdes tentures, de gros fauteuils et un chic menu californien, bon et sans tracas. Le visage de maman resplendit.

— C'était quatre-vingt-dix minutes de pure extase. Comment était le tien?

— La thérapie par les pierres était géniale, réponds-je alors que nous nous assoyons à la table agréablement installée dans un coin au fond du restaurant (à ma demande).

J'espère que maman ne remettra pas en question notre emplacement à savoir pourquoi nous sommes à une table ronde pour six personnes au lieu d'une petite table pour deux. Je tire mes cheveux blond miel en arrière pour former une queue de cheval basse. Je porte la même chose que ce matin — chandail, jean cigarette et bottes. La tenue est confortable. Et avec le massage, les paroles d'encouragement que je me suis prodiguées et les textos de mes amies et d'Austin, je me sens également sûr de moi.

— Tu as fait attention à ta cheville pendant le traitement, n'est-ce pas? demande maman avec inquiétude en s'assurant que tous les boutons de sa chic blouse en soie bleu pâle Aryn K avec un col formé de fleurs en soie sont bien fermés.

Maman a assorti ce beau haut avec un pantalon blanc à jambes larges et des bottes blanches.

— Nous ne pouvons pas risquer de te voir handicapée encore plus que tu ne l'es. Les responsables de l'émission t'ont déjà accordé un très bon congé.

— Je sais, maman.

— Je t'ai donné un bon congé aussi, tu sais, reprend maman d'un ton léger en jouant du piano sur la table avec ses ongles. Je vous ai écoutés, toi et ton père, et je t'ai laissé le temps de faire ton deuil du départ de Nadine et d'accepter ton printemps très occupé.

Elle marque une pause et me regarde dans les yeux.

— Je veux seulement ce qu'il y a de mieux pour toi, Kaitlin. Je sais que je suis dure avec toi parfois, mais c'est uniquement parce que je t'aime et que je veux te voir réussir.

Voici le moment…

— Je souhaitais discuter de cela avec toi, maman.

Je bois une gorgée d'eau glacée.

— Je sais que mes intérêts te tiennent à cœur, mais je pense toujours que jongler avec ma carrière et celle de Matty laisse ses traces sur toi. Tu ne peux pas tout faire, déclaré-je avec gentillesse.

— Bien sûr que si, répond maman en vitesse.

Puis, elle laisse presque tomber la cuillère qui est sur le point de descendre dans son thé glacé pour mélanger son sucre brun.

— Je ne me relâche pas.

— Je n'ai pas dit que tu te relâchais, reprends-je en hâte ; je pose une serviette sur mes cuisses. J'ai dit que tu ne savais plus où donner de la tête. Tu…

J'hésite.

— Tu ne sembles pas heureuse et tu as l'air fatiguée.

— Je ne suis pas fatiguée, insiste maman, puis elle touche instinctivement ses yeux, qui ne sont pas ridés, grâce aux injections de Botox.

Cependant, elle paraît mal à l'aise avec le sujet et elle amène immédiatement la conversation ailleurs pour prouver son propos.

— Je vais bien. Maintenant, à propos de ces deux contrats, Kaitlin. Tu dois les signer aujourd'hui. Nous devons nous rendre au bureau de Seth dès que nous partirons d'ici. Tu ne peux pas courir le risque de perdre l'un de ces films !

Les yeux verts de maman ont un air sauvage, comme ceux d'un tigre, mais ils semblent aussi désespérés. Elle n'aime pas que quelqu'un commente son travail et elle tient vraiment à ce que je suive ses conseils. Je n'ai pas le cœur de l'informer que j'ai déjà pris ma décision. En fait, j'ai signé un contrat pour jouer dans le film de James Cameron. J'ai personnellement téléphoné à monsieur Eastwood pour lui annoncer que je refusais le rôle, et il était déçu, mais il a salué mon éthique professionnelle et dit qu'il comprenait que je ne veuille pas me surmener. Il m'a appris qu'ils ne tourneraient peut-être pas avant l'automne maintenant, alors si cela s'avère, il va assurément me rappeler.

Je prends une profonde respiration avant de répondre à maman.

— Je n'y vais pas aujourd'hui. J'ai un rendez-vous demain.

Maman attrape son BlackBerry.

— Je ne vois aucun rendez-vous pour demain. Demain, c'est la séance de photos de Matty pour *Teen Vogue* et j'y resterai toute la journée. J'imagine que je pourrais m'échapper autour de 11 h pour une demi-heure. Non, non, je me trompe. À cette heure-là, j'ai une téléconférence avec les gens de *Scooby*. Hum…

— Ça va, maman, tu n'as pas besoin de venir.

Je prends un petit pain dans le panier qu'on nous a apporté à l'instant. Maman arque son sourcil droit dans ma direction, et je ne sais pas si c'est à cause de mon commentaire ou du pain.

— Évidemment que je dois y aller ! Tu ne peux pas signer sans ta gérante.

— Désolée de mon retard, Kates.

Nadine laisse tomber son sac et son manteau sans lever les yeux.

— Ce soin pour le visage Ananda avec les pierres et…

Elle aperçoit maman.

— Je m'en vais.

Je la retiens par le dos de son chandail vert.

— Tu ne vas nulle part, lui dis-je, mais elle refuse de s'asseoir.

— Alors, c'est moi qui pars, rétorque maman en se levant rapidement.

— Non, lui dis-je sévèrement. J'ai besoin de vous parler à vous deux.

— Je pensais qu'aujourd'hui, c'était mon cadeau de Noël, renifle maman.

— Je pensais que le massage et le déjeuner étaient mon cadeau de Noël.

Nadine pleurniche aussi.

— Tu n'es pas non plus ce que je souhaite pour Noël, Meg.

— C'est cela que je veux dire, Nadine.

Maman pointe un ongle rose sur elle, et je me prépare à la querelle.

— Ton attitude désinvolte est inappropriée. Je pense que tu...

— Arrêtez, leur ordonné-je.

Ensuite, je souris gentiment quand le serveur apporte des salades que nous n'avons pas demandées. J'ai tout commandé à l'avance afin qu'il n'y ait pas d'interruptions.

— Pour être franche, la journée au spa n'est un cadeau de Noël ni pour l'une ni pour l'autre. J'avais besoin de vous réunir au même endroit, à la même heure.

— Bien, c'était déloyal, Kaitlin, rétorque maman en faisant couler quelques gouttes de vinaigrette dans sa salade, sans même demander si elle est à faible teneur en gras. Pourquoi voudrais-tu nous torturer pendant les Fêtes ?

Nadine s'assoit sur une chaise à côté de moi et s'empare d'un petit pain, au grand déplaisir de maman.

— Étonnamment, Kates, je suis d'accord avec elle.

— Aujourd'hui, je ne vous offre pas un cadeau de Noël que vous pouvez déballer, mais c'est quand même un genre de présent, expliqué-je.

Je baisse les yeux sur les feuilles de laitue craquantes, espérant qu'un texte y apparaîtra pour me dicter exactement ce que je dois leur dire pour qu'elles m'écoutent.

— N'êtes-vous pas lasses d'être poussées et pressées, essayant sans cesse de reprendre votre souffle, vous occupant de ce que tous les autres attendent de vous ? leur demandé-je à toutes les deux. Ne voulez-vous pas être heureuses ?

Maman arque les sourcils.

— Es-tu en train de dire que nous t'avons rendue malheureuse, Kaitlin ?

Elle semble très blessée.

— Je t'ai donné tout ce que tu pouvais désirer et plus encore. Même lorsque je ne comprends pas — par exemple, lorsque toi et Drew avez rompu, ou quand tu as voulu fréquenter Clark Hall pendant un semestre —, je t'ai laissée agir à ta guise. Je n'avais pas réalisé que tu étais si malheureuse.

— Tu ne me rends pas malheureuse.

Je modifie légèrement ma tactique.

— Je pense que je te rends malheureuse, maman. Regarde-toi ! lui dis-je. Je ne t'ai jamais vue aussi stressée. Tu n'as pas de plaisir. Je sais que tu as accompli un travail extraordinaire pour m'amener où je suis aujourd'hui dans ma carrière, mais à quel prix pour toi ? Pour notre relation ? Je sais que tu veux que je sois plus populaire que Reese Witherspoon, maman, mais je n'ai que dix-huit ans. J'ai le temps d'y arriver.

— Je ne comprends pas ce que tu souhaites entendre, rétorque maman avec exaspération ; puis, son BlackBerry sonne avec insistance.

Elle l'ignore.

— Mon bonheur n'est pas ton souci. Je suis inquiète pour toi, et si parfois j'ai l'air un peu stressée en cours de route, alors…

— Je suis inquiète pour nous, lâché-je, puis ma voix craque. Je sais que tu pourrais continuer ainsi à tout jamais, te menant toi-même à la tombe, mais j'ai besoin de te voir aussi heureuse que papa est heureux avec sa concession. Ta vie ne devrait pas tourner uniquement autour de moi et Matty. Tu mérites aussi de t'amuser.

Maman bégaie.

— Je m'amuse, enfin, je…

Je saisis la main de maman.

— Je veux plus pour nous, maman. Je désire une véritable relation et je ne crois pas que nous en ayons eu une depuis très longtemps. Je ne veux plus être ton employeur. Je veux être ta fille, et je veux que tu agisses comme ma mère et pas comme ma gérante.

Ma voix devient plus ferme.

— Je veux discuter des trucs normaux de la vie, comme d'une bagarre que j'aurais eue avec Austin, de ce que tu penses d'une tenue que je porte pour un rendez-vous amoureux ou de ce que je devrais décider à propos de l'université. Et je souhaite que tu me répondes en tant que mère, et pas comme une personne qui a un intérêt dans l'industrie.

Des larmes commencent à couler le long de mes joues.

Maman est émue aussi et elle a l'air totalement abasourdie par ce que je viens de dire.

— Oh, ma douce, bien sûr que je veux être ta mère.

Elle se penche et me serre très fort dans ses bras, sans me lâcher.

— Je pensais que j'agissais en tant que mère en m'assurant que ta carrière allait bien.

Elle observe Nadine.

— J'ai toujours craint que quelqu'un abuse de mes enfants. Tu vois comme cette ville peut faire cela.

Nadine hoche la tête.

— Toutefois, ce n'était pas vraiment ce dont tu avais besoin, n'est-ce pas ?

Maman me regarde, et je secoue la tête pour dire non. Nous pleurons toutes les deux à présent, en plein restaurant, et je crois que nous nous en fichons.

— Je veux aussi que nous ayons une véritable relation. Je sais que tu discutes de trucs avec papa dont tu ne me parles pas. Je déteste me dire que tu me caches quoi que ce soit d'important.

Elle me caresse les cheveux et soupire lourdement.

— Alors, comment changeons-nous cela ?

— Pour commencer, reprends-je en essuyant mes larmes, je pense que je dois séparer nos relations personnelle et professionnelle. Je sais que tu ne veux pas maman ; mais je crois que je dois me trouver une nouvelle gérante.

Elle s'apprête à protester, mais je l'interromps.

— Tu t'es consacrée à ma carrière depuis toujours et tu m'as transformée en une grande vedette, dis-je rapidement. Je te suis extrêmement reconnaissante pour tout ce que tu as accompli pour m'amener là. À présent, il est temps pour toi de faire la même chose avec Matty. Il a besoin de toi, maman, et vous travaillez bien ensemble.

Maman renifle.

— C'est vrai qu'il a besoin de moi, non?

— Oui. Et quand tu ne travailles pas, toi et moi pouvons nous concentrer sur notre relation, et tu peux passer du temps à t'occuper des autres choses que tu aimes, comme collaborer avec les Darling Daisies.

Je souris.

— C'est là ton autre cadeau de Noël — j'ai parlé à Nancy Walsh et je lui ai dit quelle erreur c'était de ne pas faire de toi la présidente du comité de la côte ouest. Je lui ai confirmé que tu aurais plus de temps à consacrer à ton travail de bénévole maintenant que nous ne travaillons plus ensemble, et elle a accepté de te donner le poste. Tu t'occupes du lancement, maman!

Maman paraît stupéfaite.

— Tu as téléphoné à Nancy Walsh pour moi? Je... c'est incroyable! Attends que j'apprenne la nouvelle à Victoria!

Elle s'apprête à prendre son BlackBerry, puis elle me jette un regard.

— Je ne peux pas. Je ne peux pas te laisser comme cela.

Je la regarde droit dans les yeux.

— J'ai plus besoin d'une mère.

Maman s'essuie sous les yeux et soupire.

— D'accord, alors. Si c'est vraiment ce que tu désires...

— Oui, réponds-je sincèrement. Je pense que c'est la meilleure chose pour nous deux.

— Donc, où allons-nous pour te trouver une nouvelle gérante? dit maman avant de prendre pour de bon son BlackBerry, en reprenant immédiatement le mode travail.

Elle commence à faire dérouler des numéros de téléphone.

— Nous avons besoin de quelqu'un qui peut te consacrer beaucoup de temps, particulièrement avec les projets qui t'attendent, et une personne qui peut…

Je lui retire doucement le BlackBerry des mains.

— J'ai déjà trouvé quelqu'un.

Je regarde mon ancienne assistante.

— Nadine.

— Kates, tu es sérieuse ?

Nadine pousse un cri perçant.

— Tu ne dis pas ça en l'air ?

— Tu m'as épaulée à travers tellement de choses, réponds-je sérieusement à Nadine. Je ne peux pas penser à une personne qui me connaît autant que toi et qui sait ce dont j'ai besoin.

La douce expression de maman se durcit.

— Non. Non, non, non. C'est une assistante ! Elle n'a pas ce qu'il faut. Tu donnes toujours de mauvais conseils, réprimande-t-elle Nadine. Qui redonne la cagnotte les vendredis à cinq dollars ?

— La vedette ! rétorque Nadine. Elle est destinée à l'équipe technique.

— Alors, pourquoi y mettre cinq dollars ? demande maman.

Je soupire. Elles s'écartent du sujet, mais j'imagine que je devrais quand même vous expliquer.

SECRET D'HOLLYWOOD NUMÉRO DIX-NEUF : Les vendredis à cinq dollars sont un autre de ces moyens de remonter le moral des employés sur les plateaux de cinéma. On pourrait aussi appeler cela un loto, un peu comme celui que nous avons organisé avec le pot lors de mon dernier tournage cinématographique. Le vendredi à cinq dollars, tous les acteurs et les membres de l'équipe technique donnent cinq dollars (vous saisissez ?) et le nom du gagnant est tiré à la fin de la journée et cette personne conserve l'argent amassé. Même les vedettes participent parce que serait mal vu de ne pas contribuer ; mais la règle tacite veut que les vedettes ne gardent pas le prix. Maman a piqué une crise quand j'ai gagné une fois et que Nadine m'a conseillé de remettre l'argent à la prochaine personne dont je pigerais le nom dans le chapeau.

— Kaitlin, tu as vu ce qui s'est passé dans *Entourage*, ajoute maman avant de me presser la main. E est incapable de faire quoi que ce soit de bon pour Vince.

Je glousse.

— Maman, c'est une émission de télévision. Nadine sait ce qu'elle fait, et il y a beaucoup de gens qui croient en elle.

Je fais signe à la serveuse et, à mon signal, Seth et Laney arrivent.

— J'étais convaincue que tu aurais des doutes, alors j'ai demandé à quelques personnes de me soutenir. Seth et Laney sont deux des plus importants agents d'artiste et agents publicitaires dans l'industrie, et ils pensent aussi que Nadine est la bonne gérante pour moi.

Seth et Laney s'assoient, et la serveuse leur apporte les thés glacés que je leur ai commandés. Ils sont tous les deux en mode travail. Seth porte un costume marine John Varvatos coupé sur mesure, parfait pour présenter un argument de vente, et Laney a un tailleur-pantalon brun pâle qui ressemble à du Chloé. Ses longs cheveux blonds sont lâchement retenus dans son dos.

— Meg, je sais que nous ne voyons pas toujours les choses de la même manière, mais je pense que Kaitlin a raison, commence Seth en retirant ses habituelles lunettes de soleil et allant droit au but. Nadine a ce qu'il faut. Nous travaillerons en étroite collaboration et nous prendrons des décisions communes. J'ai pleinement confiance en elle.

Seth sourit à Nadine, qui donne l'impression d'être sur le point d'éclater en sanglots.

— Tu sais que je ne remettrais pas Kaitlin entre les mains de n'importe qui.

— C'est vrai, admet maman, puis elle joue avec sa fourchette.

— Je pense aussi qu'elle a les couilles, Meg, ajoute Laney avant de lancer un véritable sourire à Nadine.

Je remarque qu'elle ne porte pas ses oreillettes Bluetooth.

— Elle n'a pas bousillé la carrière de Kaitlin comme tant d'autres assistantes idiotes. Nadine est intelligente et futée, et elle travaille avec elle depuis des années. Je sais qu'elle a le cran et le bagou pour continuer à diriger Kaitlin vers la voie rapide des vedettes de premier plan. Que diable ! Kaitlin roule déjà dessus.

— Je me suis déjà arrangée pour que son nom soit très connu, dit maman, plus pour elle-même que pour nous. À quel point Nadine pourrait-elle gâcher cela ?

Nadine a l'air sur le point d'exploser, mais je lui lance un regard. Heureusement, elle se retient. Maman laisse errer ses yeux autour de la table, enregistrant tout. Puis, elle les tourne vers moi.

— Si c'est ce que tu veux vraiment…

Je la serre fort, sans me soucier de froisser sa blouse.

— Ce que je désire vraiment, c'est que tu sois ma mère. Tu seras au courant de tout, et je voudrai toujours ton opinion, mais le travail repose sur moi et mon équipe. Tu es en congé.

— Matty aurait bien besoin d'un peu de bonne torture, Meg.

Seth lui décoche un clin d'œil et fait courir une main dans ses cheveux bien coiffés.

— Tu en auras plein les mains.

— J'ai déjà dû écarter une douzaine de rumeurs à propos de sa vie amoureuse.

Laney gémit et fixe l'un de ses téléphones avec colère.

— Ce garçon va surmultiplier mes déclarations aux journaux à potins.

Maman rit.

— Ça, c'est certain ! On dirait que je serai débordée, et lorsque ce ne sera pas le cas — elle me regarde de nouveau —, je passerai du temps avec ma fille. C'est le plus beau cadeau qu'une mère pourrait demander dans le temps des Fêtes.

Je pourrai bien me remettre à pleurer. Maman n'est jamais aussi sentimentale.

— Joyeux Noël, maman.

— Joyeux Noël à toi aussi, Kate-Kate.

Maman embrasse mon front.

— Et une bonne année à l'avance. J'ai le sentiment que celle qui vient sera ta meilleure jusqu'à présent.

Pour une fois, maman et moi sommes d'accord.

L'an prochain, ça va chauffer.

PP109 « Les regrets sont pour les mauviettes »

SCÈNE :

La chambre de résidence de HOPE et TAYLOR. La meilleure amie de HOPE à la maison, KARA, est venue la voir, et son seul sujet de conversation consiste à dire à quel point HOPE a fait un mauvais choix en venant ici au lieu d'aller à Georgetown avec elle. HOPE est prête à l'étrangler, mais TAYLOR et la bande la calment.

HOPE :

(Elle pousse un cri perçant et lance son oreiller à travers la chambre, frappant presque Gunther.) Si elle prononce le mot en G une autre fois, je vais… je vais… lui faire manger jusqu'au dernier sandwich au steak philly dans la cafétéria. Et elle est allergique aux produits laitiers !

GUNTHER :

Beaucoup trop dure, Hope mon lapin.

HOPE :

Dure ? Dure ? Je vais te dire ce qui est dur ! Les cheveux de Kara ! Je me fiche de savoir que tout le monde au mot en G se lave les cheveux une fois par semaine pour économiser l'eau. Ils ont l'air affreux ! Et je ne vais pas le lui dire ! Laissons-la se promener en ayant l'air d'une station satellite !

ZOÉ :

Nous pourrions aussi l'aider, tu sais. Tout ce dont elle a besoin, c'est d'un traitement après-shampoing en profondeur, et ces frisettes disparaîtraient.

HOPE :

(imitant la voix de Kara) Le mot en G possède d'immenses dortoirs. Le mot en G a un café directement sur le campus. Le mot en G a un plus important corps étudiant, plus de programmes internationaux, bla-bla-bla ! Je vais lui en faire un, un programme international ! Je vais la cogner tellement fort qu'elle atterrira à Londres. Elle économisera le billet d'avion.

TAYLOR :

Hope, tu dois te calmer. Ne l'écoute pas !

HOPE :

(se laissant choir sur son lit) Je ne peux pas m'en empêcher. Plus elle parle du mot en G et de l'erreur que j'ai commise, plus je suis inquiète… (Elle s'interrompt.)

EDISON :

De quoi ?

HOPE :

D'avoir vraiment commis une erreur. Et si j'étais allée à Georgetown au lieu de venir ici ? Et si Kara avait raison ? Et si j'avais été plus heureuse là-bas ou si j'avais bien eu de meilleurs professeurs ou encore suivi un cours intitulé : L'influence des idées machistes en Afrique du Nord ? Et si, comme elle dit, je gaspillais ma matière grise ?

ZOÉ :

Tu ne la gaspilles certainement pas. Moi, peut-être, mais toi ? Jamais.

EDISON :

Écoute-la, Hope. Elle a raison sur ce coup.

TAYLOR :

Hope, qu'est-ce qui te fait croire que George…

HOPE :

(paniquant) Ne prononce pas ce mot !

TAYLOR :

Bien. Qu'est-ce qui te fait croire que le mot en G
est mieux qu'ici ? Je suis certaine que nous avons ce
cours que tu as mentionné. En plus, nous en avons
neuf millions d'autres extraordinaires sur lesquels
tu n'arrêtes pas de jacasser au point où je mets mes
écouteurs boutons, allume mon iPod et te bloque
de mon esprit.

HOPE :

u fais ça ? Je me suis toujours demandé pourquoi tu ne
me répondais pas. Je pensais que tu essayais de te
montrer philosophique.

TAYLOR :

Je m'ennuyais ! Mais pas toi ! Tu adores ça, ici, et
veux-tu savoir pourquoi ? Parce que tu as choisi cet
ndroit à partir d'un tas de lettres d'acceptation. Je
uis certaine que si tu réfléchis suffisamment, tu peux
trouver une douzaine de raisons qui t'ont poussée à
choisir ce lieu plutôt que le mot en G.

GUNTHER :

J'espère être sur cette liste.

ZOÉ :

Ooh ! Moi aussi, s'il te plaît ? Les seules listes dont je fais partie sont celles où il est question des filles qui sont superbes en bikinis.

TAYLOR :

(ironiquement) Pauvre fille. Edison ! Arrête de sourire !

EDISON :

Désolé.

TAYLOR :

Hope ? Es-tu en train de réfléchir ?

HOPE :

Ce n'est pas nécessaire. Je le sais déjà. Le climat est beaucoup plus agréable. Mince, je pourrais aller faire du surf et du yoga, tout cela avant mon premier cours à 10 h si je le désire. Kara ne peut pas faire cela au mot en G.

GUNTHER :

La seule planche qu'elle peut monter, c'est une planche à neige.

HOPE :

Je peux étudier dehors, j'ai des professeurs qui ont travaillé avec des gagnants de prix Nobel et d'anciens présidents et qui ont assisté à des conférences mondiales.

EDISON :

Continue. Les regrets sont pour les mauviettes, tu sais.

GUNTHER :

J'ai beaucoup de regrets.

TAYLOR :

Bien, je n'en ai aucun. On ne peut pas regarder en arrière. On ne peut rien y changer. On peut seulement aller de l'avant. J'ai le sentiment que Kara te mène en bateau à propos du mot en G parce qu'elle voit à quel point c'est formidable ici.

EDISON :

C'est peut-être elle qui a des regrets à propos de Gville !

GUNTHER :

Gville. J'aime ça. Cela pourrait être le nom d'un groupe de rappeurs.

ZOÉ :

Je pense que c'est le nom d'un groupe de rappeurs.

HOPE :

Que ferais-je sans vous, les amis ?

TAYLOR :

Tu serais coincée dans le salon toute seule, voilà quoi.

HOPE :

D'accord, quand Kara sera de retour des douches…

EDISON :

Elle est dans les douches ? Je pense qu'il faut que j'aille chercher quelque chose au fond du couloir.

TOUT LE MONDE :

Edison !

HOPE :

Quand Kara reviendra ici, je ne vais pas la laisser m'atteindre. J'adore ça ici ! J'adore ma nouvelle vie e[t] je n'ai pas peur de le dire. Si Kara n'est pas heureus[e] avec la sienne, c'est dommage.

TAYLOR :

C'est bon, ma fille. Oh; pendant que tu regardes en avant, pourrais-tu aussi regarder en bas ? Si tu ne ranges pas tes chaussures dans le placard en entrant, je vais commencer à les lancer dehors. Je n'arrête pas de trébucher dessus.

HOPE :

Il n'y a pas de place dans le placard ! Tes manuels supplémentaires occupent tout le plancher.

TAYLOR :

Hé, c'était un bon achat ! Ce sont les livres de l'an prochain au prix de cette année.

HOPE :

Comment sais-tu… (Les voix deviennent étouffées. Taylo[r] et Hope continuent de se chamailler, mais nous n'entendons pas ce qu'elles disent.)

GUNTHER :

Les filles.

EDISON :

Mauviettes.

PAUSE PUBLICITAIRE

VINGT : *De retour dans le droit chemin*

Je marche vers ma marque sur le plateau, directement devant le lit de Taylor (alias Sky), qui est couvert d'un doux édredon rayé mauve et de beaucoup de coussins. Le mur derrière son lit est peint en mauve, cela faisait partie de l'intrigue de l'épisode de la semaine dernière. Taylor a eu d'énormes ennuis avec Edison pour l'avoir repeint. Elle a tenté d'utiliser le jargon des juristes pour éviter de payer une amende à la fin de l'année pour avoir défiguré la propriété de la résidence.

— Quand Kara reviendra ici, dis-je d'un ton neutre, fixant Sky avec sérieux, je ne vais pas la laisser m'atteindre. J'adore ça ici ! J'adore ma nouvelle vie et je n'ai pas peur de le dire. Si Kara n'est pas heureuse avec la sienne, c'est dommage.

Sky hoche la tête en guise d'approbation. Elle a l'air tellement mignonne dans cette veste ajustée, chandail à col et jupe kaki. Ses très longs cheveux foncés sont tirés en arrière en une queue de cheval basse. Très fille d'école privée.

— C'est bon, ma fille. Oh ; pendant que tu regardes en avant, pourrais-tu aussi regarder en bas ? Si tu ne ranges pas tes chaussures dans le placard en entrant, je vais commencer à les lancer dehors. Je n'arrête pas de trébucher dessus.

— Il n'y a pas de place dans le placard ! dis-je en pointant le placard derrière moi.

Je commence à tirer sur mon chandail cache-cœur BCBC sauge, qui est coincé sous une pile de livres. J'espère que ma mini-jupe plissée brun pâle ne montera pas sur mes cuisses pendant que je me penche ainsi et que je n'offrirai un spectacle à l'équipe technique.

— Tes manuels supplémentaires occupent tout le plancher.

— Hé, c'était un bon achat! proteste Taylor/Sky avant de sortir d'un geste brusque un gros manuel d'histoire, frappant presque Gunther à la tête.

Je fais de mon mieux pour ne pas rire. Je ne suis pas certaine qu'elle ait voulu que cela se produise, mais je ne veux pas tout gâcher et les obliger à reprendre la scène.

— Ce sont les livres de l'an prochain au prix de cette année.

— Comment sais-tu s'ils vont se servir de ce livre l'an prochain? Hein? improvisé-je, puisque nous sommes censées continuer à discuter pendant que nos voix s'estompent.

Gunther avance d'un pas.

— Les filles.

Edison secoue la tête.

— Mauviettes.

— ON COUPE POUR LA PAUSE PUBLICITAIRE! crie notre réalisateur d'épisode.

Ma famille et mes amis, qui traînent près de la caméra éteinte du réalisateur, commencent à applaudir. Il s'agit de notre premier épisode depuis notre pause de quatre semaines, et pour montrer leur soutien, tous ceux que j'aime sont présents pour me regarder tourner. Maman et papa sont ici avec Laney, Seth, Nadine, Rodney, Austin et Liz.

— Bon travail, les amis, déclare notre réalisateur invité, Taye Markenson en venant nous retrouver. Nous allons prendre une courte pause pour préparer la prochaine scène. Kaitlin? Sky? Il s'agit de la scène où vous reconduisez Kara à l'aéroport.

Sky et moi hochons la tête.

— Nous tournons en studio, essayez donc ne de pas trop en faire, d'accord ?

SECRET D'HOLLYWOOD NUMÉRO VINGT : Par tournage en studio, on veut dire que nous filmons une scène à l'intérieur d'une voiture ou d'un avion ou d'un autre objet en mouvement, mais sans être pour vrai dans l'objet en mouvement. Parfois, on brouille les vitres de la voiture — on les rend d'un blanc laiteux comme pour un effet avec un « écran vert » — pour empêcher le public de voir à l'extérieur. C'est une manière peu coûteuse de tourner une prise, mais si c'est fait correctement, le public à la maison ne verra pas la différence. C'est habituellement les acteurs qui gâchent les choses en faisant semblant de conduire. Je n'ai pas encore mon permis, je pourrais donc être terrible à ce jeu. Hum… c'est peut-être Sky qui devrait faire semblant de conduire.

— Je vais voir ma famille, informé-je Sky, puis j'attrape ma bouteille de Smartwater pour l'emporter avec moi.

— Je viens aussi, dit-elle. J'ai besoin de savoir si Nadine a reçu des nouvelles des gens de Judd Apatow.

On penserait que Sky et moi, nous nous disputerions encore plus que les Kardashian maintenant que nous partageons la même gérante, mais étonnamment, cela ne se produit pas — encore. Nadine essaie de garder nos affaires séparées, et elle a habituellement en réserve une réponse lorsque nous commençons à la questionner sur les rôles pour lesquels l'autre passe des auditions.

— Inquiète-toi de ta propre carrière et laisse-moi me préoccuper de la sienne, d'accord ?

Je l'ai entendue nous répondre ces mots à nous deux à plusieurs occasions. Autre que cela, la transition se déroule bien. Même maman a cédé son poste sans trop faire de drame. Elle téléphone encore quotidiennement à Nadine pour donner de ses nouvelles, mais Nadine s'est montrée patiente.

— Elle a vraiment quelques idées utiles, déclare Nadine avec diplomatie.

Ma famille est partie devant vers ma loge, alors Sky et moi les rejoignons là. C'est tellement bruyant dans ma petite pièce, on croirait que j'y tiens une fête, ce qui est un peu le cas, j'imagine. Je suis incapable de me rappeler quand ces gens se sont retrouvés pour la dernière fois dans la même pièce sans se chamailler ou se lancer des numéros d'*Hollywood Nation* à la tête. Matty passe la porte en flèche, se cognant contre moi et Nadine. Maman pousse un cri perçant en le voyant. Son visage est couvert de faux sang et il arbore un œil tuméfié. Son t-shirt noir et son jean sont déchiquetés, mais il sourit, alors je sais qu'il va bien.

— Ai-je raté quelque chose ? demande-t-il, haletant. Je dois être de retour dans dix minutes pour une entrevue téléphonique avec *EW*. Ils songent à mettre les membres de la distribution sur leur couverture !

— Génial, Matty, dis-je avant de l'étreindre. Mais tu sais que vous devrez attendre en file.

Je regarde Sky.

— K. et moi sommes sur la prochaine couverture, annonce-t-elle, puis elle lui donne une chiquenaude sur le nez. Le titre est : « La nouvelle émission la plus populaire de la saison. »

La mâchoire de Matty se décroche.

— Hé ! C'est censé être notre titre !

— Le tien est l'émission hantée la plus populaire, lui confirmé-je. J'ai vérifié.

— D'accord, dit-il en réfléchissant un peu. Toutefois, nous allons quand même vous battre dans les cotes d'écoute.

— Amène-toi, amoureux des loups-garous ! le taquine Sky ; Matty rit.

— Kaitlin ? demande maman timidement. Ta dernière prise était excellente. Ton émotion était parfaite !

Maman essaie vraiment d'améliorer son côté maternel. La semaine dernière, nous sommes allées ensemble profiter d'un soin pour les ongles de pieds et de mains, et pas une seule fois elle n'a mentionné les Beckham ni le mot en H (Hollywood).

— Merci, maman, réponds-je. Cela me touche beaucoup.

— Je ne pense pas avoir auparavant entendu Meg offrir un compliment sans détour, dit Seth, et il lui décoche un clin d'œil.

Tout le monde rigole.

— Ma fille est une vedette, et je suis fière d'elle, déclare maman au groupe.

J'entends Matty se racler la gorge.

— Mes deux enfants sont des vedettes.

Elle regarde mon père.

— C'est pourquoi je veux partager la surprise que nous leur réservons avec vous tous.

Maman me fixe directement.

— Nous désirions attendre d'être certains avant de vous l'annoncer. Nous déménageons.

Au début, mon cœur s'arrête.

— Où ?

— Tu vas être enchantée, Kate-Kate, dit papa avec enthousiasme. Nous avons acheté une maison à Toluca Lake !

— QUOI ? lançons-nous à l'unisson, moi, Matty et Liz.

Toluca Lake ? C'est là que vivaient les clones des Burke ! Si nous finissons par habiter dans la même maison, je devrai absolument consulter un psychologue. Mais à part cela, je suis excitée. J'adore Toluca Lake ! J'ai toujours voulu vivre près des nombreux autres enfants des studios. C'est tellement joli et résidentiel, et cela ne donne pas l'impression d'être isolé comme notre maison en ce moment. C'est aussi bien plus à proximité de chez Austin et Liz.

— Mais pourquoi ? Comment ? Quoi ?

Papa regarde maman et joue avec le col de son chandail. Il est de nouveau en mode golf, ayant l'air d'un caddie avec ses Dockers et son chandail à boutons.

— Nous songions à déménager depuis un moment. Au début, ta mère voulait Malibu, mais depuis les dernières semaines, nous avons commencé à visiter d'autres régions, et maman a mentionné à quel point tu aimais Toluca Lake. Nous y sommes allés avec un agent immobilier et nous avons trouvé cette mignonne maison de style Tudor.

— Je ne la qualifierais pas de mignonne, mon chéri, désapprouve maman. Mignonne donne l'impression de petit. Elle a quatre cent vingt mètres carrés, mais elle est accueillante. Nous avons tout de suite déposé une offre, et elle a été acceptée. Nous déménagerons dès que notre résidence sera vendue.

— Quand pouvons-nous la voir ? veut savoir Matty. Stefan et Jo vivent aussi à Toluca Lake. Attendez que j'annonce cela à tout le monde sur le plateau. C'est génial, les amis !

J'étreins mes parents, m'attardant sur maman, qui sent le freesia, qui est aussi la couleur du chandail en cachemire qu'elle porte avec un jean cigarette et de grandes bottes brun clair.

— Es-tu à l'aise avec cela ? C'est beaucoup de compromis, lui dis-je. Tu seras loin de vivre aussi près des Beckham que maintenant.

— Toluca Lake est l'endroit où il faut vivre, rétorque maman avec ironie. J'ai dit à Victoria qu'elle-même devrait y jeter un œil.

Maman me caresse le menton.

— Et si elle ne le fait pas, ce sera dommage pour elle. Je pense que nous raffolerons de cet endroit, et c'est la seule chose dont je me soucie.

— Le kilométrage jusqu'au concessionnaire est plutôt élevé aussi, m'informe papa avec joie. J'aime vraiment conduire. Tu vas adorer cela lorsque tu obtiendras ton permis, Kate-Kate.

— En parlant de cela, quand iras-tu passer ton examen ? demande Laney. J'en ai assez de répondre à des appels à propos de ça. Vas-tu un jour aller chercher ton permis de conduire ?

— Hé ! Je me suis déplacée en béquilles pendant quelques semaines, si vous vous rappelez, leur dis-je quand ils rient. J'ai eu beaucoup de choses en train. Le travail, les réunions, les entrevues pour une assistante, les admissions pour l'université. Maintenant que je les ai toutes postées et que j'attends des nouvelles, je vais reprendre rendez-vous pour cet examen.

Par habitude, je regarde Nadine, mais elle n'est plus mon assistante. Je suis très près d'en trouver une, grâce à elle, mais je ne me suis pas encore décidée. Nadine est difficile à remplacer. Maman sait que j'ai envoyé des demandes d'admission à des universités. Elle ne pense toujours pas que je devrais y aller, mais elle a affirmé qu'elle comprenait mon besoin de tenter de nouvelles expériences. Comme je l'ai dit — elle évolue.

— Nous allons organiser une fête lorsque tu auras subi et réussi l'examen.

Rodney fait briller sa dent en or.

— Et tu vas réussir, car c'est moi qui te donne des leçons de conduite.

— Apprenez des meilleurs, c'est ce que je dis toujours, plaisanté-je.

Il y a un coup frappé à la porte, et la nourriture mexicaine que nous avons commandée pour dîner arrive. L'odeur des enchiladas et du fromage fondu me met l'eau à la bouche, mais je ne veux pas tacher ma garde-robe. Au lieu de plonger avec les autres, je me dirige vers Liz, Sky et Austin. Austin passe un bras autour de mes épaules. Son chandail vert avec une demi-fermeture éclair est doux contre ma peau.

— Je pense qu'une fête pour l'obtention de ton permis est une idée formidable, dit Austin. Liz et moi discutons déjà décoration.

Liz sourit largement.

— Nous ferons fabriquer une grande bannière qui dira : « Il m'a fallu deux mésaventures avec des paparazzis, un professeur de conduite douteux et deux ans pour obtenir mon permis. »

— J'aime ça. Achèterez-vous des assiettes en plastique ressemblant à des volants ? m'enquiers-je.

— Nous pouvons nous procurer un gâteau avec de petites voitures poursuivies par des paparazzis, suggère Sky, et nous poussons tous un gémissement. Quoi ? C'est trop ?

— C'est trop, acquiescé-je. Je ne veux pas revivre cela.

Pas la partie de l'accident, ni même la partie du rêve, parce que ma vie est exactement comme je la veux maintenant. Je commence la préproduction pour le projet de James Cameron à la fin avril et j'en aurai fini à la fin juin, quelques semaines avant de revenir pour *Petites prises*. Même avec le travail pour *PP*, j'aurai beaucoup de temps pour voir Liz et Austin avant leur départ pour l'université. La seule chose que je sais à propos de la poursuite de mes études est que peu importe où j'irai, ce sera près de la maison. Je ne renonce pas à *PP* et je ne laisse pas non plus tomber l'occasion d'aller à l'université. Liz a fait des demandes partout dans le pays, y compris à NYU (« Je ne vais pas dans l'est, par contre, dit-elle rapidement. Je suis une fille de Los Angeles. N'est-ce pas ? »). Je crois qu'elle adore encore NYU plus qu'elle ne veut l'admettre. Austin a plusieurs écoles en vue, et ses premiers choix sont tous situés en Nouvelle-Angleterre, ce qui est pas mal loin d'ici. Mais après tous les événements des dernières années, je ne vais pas déjà commencer à me faire du souci pour cette histoire de distance.

— À quoi penses-tu, Burke ? demande Austin en déposant un baiser sur ma joue.

— À toi, moi, l'automne, les amis, l'université, la vie, énuméré-je avant de sourire. Rien de sérieux.

— Ouais, tu n'es pas du genre à t'inquiéter de trucs importants, me taquine Austin. Tu prends les choses comme elles se présentent.

— C'est le cas maintenant, déclaré-je avec assurance. C'est une nouvelle année, et je suis simplement reconnaissante d'être ici, sur ce plateau, avec vous tous.

— Tu ne vas pas te remettre à chialer comme au Nouvel An, hein? demande Sky. J'ai pensé que nous allions devoir vous sortir, toi et Liz, et vous jeter dans la piscine pour vous calmer.

D'accord, au Nouvel An, j'étais encore un peu mélodramatique à propos de ce que la nouvelle année m'apporterait, mais j'ai le droit d'être triste que tout le monde puisse finir par quitter Los Angeles, même si je sais que nous devons tous devenir adultes et mener nos propres vies.

— Pas de larmes, promets-je à Sky. Je suis heureuse.

— Il est temps, dit-elle avec un petit sourire.

— Tu as mis longtemps à y arriver, alors tu devrais y prendre plaisir, ajoute Liz, et elle lève son verre de Sprite à ma santé.

— C'est le cas, confirmé-je avec sincérité.

Je m'appuie sur Austin, son bras fermement enroulé autour de moi, et il m'embrasse sur la joue.

Tout ce que j'ai toujours désiré et plus. Je suis certaine que ce sera à jamais dans ma nature de m'inquiéter, mais, hé, je suis une actrice, et nous avons tendance à être théâtrales! Cependant, être heureuse, avoir la liberté d'agir comme je l'entends et regarder mon avenir avec un esprit ouvert est le mot d'ordre dorénavant. J'y ai peut-être mis du temps, mais je pense que j'ai enfin compris comment mener ma vie à Hollywood et m'amuser.

USC

UNIVERSITÉ SOUTHERN CALIFORNIA

QUESTION DE DISSERTATION : Avez-vous changé votre vie ou votre vie vous a-t-elle changé ?
(La dissertation doit contenir au moins deux mille mots, mais pas plus de quatre mille. Veuillez taper votre dissertation avec un double interligne.)

J'étais censée rédiger cette dissertation il y a un mois, et si je l'avais fait, j'aurais écrit quelque chose de totalement différent. Ma réponse aurait expliqué comment ma vie m'a changée.

Ce n'est plus vrai.

Aujourd'hui, je peux dire avec honnêteté que c'est moi qui tiens les rênes, et je ne pourrais pas me sentir plus heureuse. J'ai toujours été le genre de personne à laisser les autres diriger. On pourrait croire que c'était parce que j'étais faible, mais je crois que la véritable raison qui me poussait à les laisser décider à ma place était que j'étais trop dépassée par les événements pour m'en occuper moi-même. Ma profession (actrice) engendre beaucoup de pression, et je me suis fortement fiée à l'expertise et aux conseils d'autrui pour m'aider à fixer mes choix. Je pensais qu'ils en savaient davantage que moi. À présent, je n'en suis pas certaine. Je joue la comédie depuis que je suis enfant, ce qui signifie que je suis dans le métier depuis aussi longtemps, sinon plus, que mes soi-disant experts de vie. J'ai appris ce que c'est de grandir sur scène et de me faire prendre en photo alors que je sors les poubelles, et comment gérer les coups dans le dos de mes collègues acteurs, tout cela en souriant et en pratiquant mon métier comme si je n'avais aucun souci au monde.

Je n'avais pas compris que plus je permettais aux autres de me manipuler comme une marionnette, plus je devenais malheureuse. J'ai toujours aimé ce que je fais, mais plus je sentais la pression, plus je souhaitais pouvoir y échapper. J'ai oublié d'adorer mon métier et j'ai plutôt commencé à le détester. J'étais ingrate, bien que ce n'était pas sans raison. J'ai laissé les gens, le travail, les ennemis et même des voleuses à l'étalage (une histoire en soi) détruire les choses que j'aimais, et lentement, je suis restée avec celles que j'haïssais.

Il a fallu le destin pour que je comprenne ce que j'aurais perdu si j'avais permis aux gens de me retirer les choses que j'aimais le plus. Je pensais qu'il pouvait y avoir Kaitlin l'actrice et Kaitlin la fille ordinaire, mais je sais maintenant qu'elles ne forment qu'une seule personne. Il me faut les prendre en main toutes les deux si je veux vivre une existence dont je peux être fière.

Puisque j'ai pris en main, bien, moi, ma vie s'est améliorée. Je ne mentirai pas — prendre les décisions peut s'avérer effrayant. Je m'inquiète encore de faire un mauvais choix ou d'exprimer la mauvaise chose et de m'embarrasser au *Late Show*, mais je sais qu'avec chaque erreur commise, j'apprends aussi quelque chose. Quand je m'empêtre, c'est que j'avais d'abord créé mes propres ennuis. Ma vie est-elle encore folle et compliquée parfois ? Oui. Toutefois, il s'agit de ma vie, et je ne la voudrais pas autrement.

— Kaitlin Burke

ÉPILOGUE : *Huit mois plus tard*

— Oui à *Ellen*, non à *The View*. J'ai un examen dans mon cours d'Introduction à l'histoire de l'art cet après-midi, dis-je en marchant d'un pas vif sur le monticule gazonné, évitant deux gars se lançant un Frisbee et un groupe de gens lisant des livres sur une grande couverture de pique-nique.

— Présente mes excuses et envoie des fleurs, par contre, et dit à ces dames que j'adorerais animer avec elles la prochaine fois qu'elles viendront en ville, ajouté-je, soulevant mon lourd sac de coursier Kate Spade sur mon épaule. Han, han. Ouais. À 20h. Informe Rodney que je serai au coin sud-ouest cette fois en train de bavarder avec Larry le menteur.

Je ris.

— Je blague ! Mais j'y serai.

BIP. Je regarde l'écran de mon iPhone et je pousse presque un cri tellement je suis excitée. Cependant, je ne veux pas attirer l'attention. J'ai si bien réussi sur ce point jusqu'à maintenant. Je repose le téléphone sur mon oreille et dit à mon assistante :

— Shannon ? C'est Liz sur l'autre ligne ! Je dois le prendre. Merci encore, Shannon. On se voit demain.

Je passe au second appel.

— Lizzie ? Comment te traite la Grosse pomme ?

— Kates !

Sa voix est forte et claire, comme si elle se tenait à côté de moi et non à cinq mille kilomètres à l'Université de New York. Liz se croyait peut-être une fille de la Californie jusqu'au bout des ongles, mais elle a réalisé qu'elle peut aussi aimer New York. J'en suis contente. C'est sa place, même si elle me manque.

— Désolée d'avoir raté ton appel hier soir, dit-elle. J'ai tenté de te rappeler, mais Shannon a dit que vous étiez au milieu du tournage. Comment cela s'est-il passé ?

— Super. L'épisode quatre de la deuxième saison est dans la boîte et nous diffusons le premier épisode de la saison cette semaine.

D'une main, je protège mes yeux du chaud soleil californien. Tout le monde sur le campus porte shorts, t-shirts et tongs, et ma robe débardeur verte Alice + Olivia se démarque comme le nez en plein visage. Je suis venue ici directement après notre lecture de 8 h du prochain épisode. Je reste ici jusqu'à la fin de la journée, à USC, pour suivre des cours universitaires. Le studio a été si accommodant que parfois, je n'y crois toujours pas. Nous avons arrangé l'horaire afin que je puisse assister à des cours en après-midi les mardis et les jeudis, après avoir travaillé cinq heures matinales sur le plateau.

— Ils aiment mieux prendre des arrangements avec toi que perdre la vedette la plus populaire de la planète, a expliqué Seth quand lui et Nadine ont négocié l'entente en mai dernier. Ils savent à quel point ils sont chanceux d'employer l'actuel George Clooney de la télévision dans leur réseau.

Seth a fait un clin d'œil.

— Je n'exagère pas ! Tous ceux qui comptent parlent de ton travail avec James Cameron et ta présence au réseau leur donne bonne figure. Ton film est le projet le plus révolutionnaire de Cam depuis des années. Oserions-nous parler d'Oscar ?

— Nous n'osons pas, ai-je répondu en riant, même si cela me donne des frissons. Il est trop tôt pour émettre des hypothèses.

— Pour toi, peut-être, mais *EW* l'affirme déjà, et le film n'arrivera pas sur les écrans avant des mois, a fait remarquer Nadine. Sky m'a envoyé l'article et — ne lui dis pas que je te l'ai confié — elle a vraiment dit qu'elle souhaite maintenant suivre ton cheminement de carrière.

— Wow, me suis-je émerveillée.

Après qu'elle a passé des mois à me dire que je commets une erreur, elle retourne complètement sa veste.

Sky m'a amenée à l'aider à remplir ses demandes d'admission pour USC. Elle espère à présent suivre quelques cours au printemps, puisque l'horaire de *Petites prises* est aligné sur les cours.

— Elle m'a appris que vous rencontriez ensemble Peter Jackson pour son prochain projet.

— Tu l'as réellement inspirée, Kates, m'a révélé Nadine. Même si elle ne l'admet pas d'elle-même.

— Elle le fait à sa manière, ai-je dit en souriant.

Nadine continue de m'inspirer, elle aussi. En tant que gérante, elle déchire. Non seulement elle me transmet les meilleurs scénarios à lire, mais elle filtre également toutes les offres reçues par Shannon afin que je fasse ce qu'il faut pour réussir à Hollywood tout en ayant le temps d'étudier à l'université. L'entreprise de Nadine va très bien. Elle a quatre clients, y compris moi et Sky, et elle a embauché sa propre assistante.

Un message texte interrompt ma conversation avec Liz et me ramène au présent.

CELL DE SKY : Je m'ennuie ! Merci à toi é ton nouvel horaire ! On se voit + tard pr un café ? SOS dissertation. Prête à aider, l'universitaire ?

— Devine ce que ma camarade de chambre m'a invitée à voir demain soir puisqu'elle a obtenu des billets à prix étudiant ? me demande Liz. *Les grands esprits se rencontrent* ! Je me dis que je devrais y jeter un coup d'œil et constater comment ils s'en sortent sans toi.

— Aux dernières nouvelles, ils avaient embauché une actrice formée à la scène pour mon rôle, alors ils devraient bien s'en tirer, dis-je. J'aimerais pouvoir y aller avec toi, par contre. Promets-moi que nous nous procurerons des billets pour voir un spectacle lorsque je serai en ville dans quelques semaines pour la tournée des émissions du matin pour *Petites prises* ?

— Je suis déjà là-dessus, m'informe Liz. Sky veut aussi des billets — ne ris pas — pour *Rock of Ages*.

— N'est-ce pas un peu commercial pour elle ? demandé-je. Pas que je suis contre le fait d'y assister.

— Je pense que Josh viendra en voiture depuis Rhode Island pour nous rejoindre, reprend Liz. J'aimerais qu'Austin puisse se joindre à nous. Nous aurions alors une véritable fête.

— Je sais, répliqué-je tristement. Je lui en ai glissé un mot, et il ne peut pas rater la séance d'entraînement de crosse. Ils ont quelques parties importantes prochainement.

— Ce gars me manque, dit Liz avec mélancolie. Et toi. Je parie que tu es trop occupée pour qu'on te manque.

Je ris.

— Je ne suis pas si occupée ! Plus maintenant.

— Vrai, acquiesce Liz. C'est Matty qui est surchargé.

— Et il adore ça, ajouté-je. Maman lui a obtenu deux films pour sa pause estivale, et il participe à la parade de l'Action de grâce et il a une place de juge invité dans *American Idol* cet hiver. Maman est aux anges. Elle lui a dit qu'il doit mentionner le concessionnaire automobile de papa et les Darling Daisies au moins une fois pendant la diffusion.

Je glousse.

— Tu veux dire qu'elle ne sera pas là dans les coulisses avec des fiches mémento signalant à Matty quoi dire ? demande Liz sèchement.

— En fait, elle et moi, nous allons au Canyon Ranch Spa cette semaine-là, dis-je à Liz, vérifiant dans mon sac les travaux que je dois remettre aujourd'hui.

Je croyais les avoir imprimés, mais sinon, je peux simplement brancher mon MacBook Air dans le laboratoire informatique pour en obtenir d'autres copies.

— Nous nous offrons un week-end entre filles. C'était son idée.

— Elle a vraiment changé, s'émerveille Liz. Si je n'étais pas plus avisée, je penserais qu'il s'agit d'un clone.

— Lizzie ! la réprimandé-je.

Quoique je ne peux pas dire que l'idée ne m'a pas traversé l'esprit. Je pensais que c'était seulement parce que je regardais trop d'épisodes de *Clone Wars* en rediffusion.

— D'accord, désolée, désolée.

Je l'entends s'excuser auprès de quelqu'un en arrière-plan.

— Kates ? Ma camarade de chambre est ici et nous irons boire un café avant le cours de philo. Je te reparle ce soir, par contre, j'en suis certaine.

— Je bavarde davantage avec toi maintenant que lorsque tu étais ici ! lui dis-je. Bien sûr que nous nous parlerons ce soir. Je t'aime !

— Je t'aime aussi, crie Liz en retour.

Je raccroche et envoie rapidement un texto à Sky.

CELL DE KAITLIN : Tu gagnes. Café à 20 h 30. Coffee Bean sur Melrose. A+.

CELL DE SKY : T'en as mis du temps. :)

CELL DE KAITLIN : Viens-tu juste de m'envoyer un :) ?

CELL DE SKY : Ta faute ! Si tu le dis, je vais nier ! A+

Je ris et range mon téléphone dans mon sac, l'ayant réglé sur vibration. S'il y a quelque chose d'urgent, Shannon peut toujours m'envoyer un message texte. Elle sait qu'il ne faut pas me déranger en classe à moins d'une véritable urgence et elle n'a jamais eu à le faire jusqu'à présent. Seulement maman l'a fait une fois — pour me demander ce que Matty devrait porter pour *The Tonight Show*. Maman gagne quand même le prix de celle qui s'est le plus améliorée.

Je jette un œil à ma montre et vois qu'il est presque 14 h. J'ai encore une assez longue marche devant moi, alors j'augmente la cadence et lève mon sac sur mon épaule. Je me sens coupable de ne pas utiliser mon sac rouge rubis adoré, mais il n'est pas vraiment assorti à ma robe verte. D'ailleurs, je déteste le laisser sur le plancher quand j'écoute un cours dans l'amphithéâtre, et il mérite de servir pour des occasions spéciales, comme les Golden Globe Awards.

Le temps de le dire, je me dirige vers ma table habituelle au café extérieur. Mon rendez-vous m'y attend déjà.

— Nous devons te procurer des patins à roues alignées, Burke, déclare Austin avec un large sourire.

Je lance mon sac de coursier sur une chaise libre et me penche pour l'embrasser.

— Tu prends beaucoup trop de temps pour traverser le campus.

Austin était à ça d'accepter une bourse partielle de l'Université de Boston quand on lui a offert une bourse complète à USC. Il ne pouvait pas la refuser.

— Je songeais à me mettre au surf, m'a-t-il dit, expliquant sa décision de rester sur la côte ouest. Je ne peux pas faire cela à Boston en janvier. D'ailleurs, j'aime la température chaude. Je pense que cela me manquerait trop si je partais dans l'est.

Il n'a pas ajouté : « Et tu me manquerais », mais c'était inutile. Je le savais. Je le sais toujours quand il s'agit d'Austin.

Puis-je seulement dire à quel point je suis soulagée qu'il soit toujours ici ? Oubliez le fait que c'est mon amoureux, Austin a été le meilleur guide de campus qu'une fille puisse rêver d'avoir. Quelques mois à Clark Hall n'ont pas fourni un entraînement suffisant pour que je puisse m'intégrer comme élève à l'université. Austin m'a tout fait visiter, il m'a aidée à acheter les manuels et il est resté avec moi pendant l'accueil des étudiants de première année. Je craignais que les gens me traitent différemment parce que je suis une vedette, mais jusqu'à présent, cela ne semble pas une grosse affaire. Bien, à part le fait que tout le monde sur le campus a vu ma dissertation d'admission. Quelqu'un l'a glissée en douce à *Hollywood Nation*. (Laney a obligé USC à donner une énorme contribution au comité des Darling Daisies pour cette erreur, ce qui a fait le bonheur de maman.) Ce genre de mésaventure fait partie du prix à payer pour être moi, et je n'ai pas de problème avec ça. Enfin.

— Depuis quand se déplacer sur le campus doit être une course ?

Je pose mes mains sur mes hanches en prétendant l'indignation.

— Certains d'entre nous ne peuvent pas rester tout l'après-midi dehors, alors nous marchons lentement et prenons le temps de tout absorber, depuis les oiseaux jusqu'au bruit des étudiants en passant par l'architecture des bâtiments.

Austin me lance un regard, son habituelle frange tombant sur ses grands yeux bleus à cause d'une petite brise.

— L'anglais était assurément la bonne matière principale pour toi, Mademoiselle la comédienne. Je sens un scénario dans le futur.

— Peut-être, dis-je avec un sourire, et je laisse Austin m'attirer à lui et sur ses genoux au lieu de m'asseoir sur ma propre chaise. J'ai le temps de décider. Je n'ai que dix-huit ans.

— Ouais, mais tu as déjà vécu toute une vie, lance Austin en plaisantant à moitié. Tu pourrais probablement écrire une biographie aujourd'hui. Elle pourrait être croustillante en plus.

Je ris.

— Nan. Certains de mes secrets devraient le demeurer.

Je l'embrasse légèrement sur les lèvres.

— Je pense que j'en ai suffisamment partagé, pas toi ?

— C'est sûr, répond Austin avec un grand sourire avant de me rendre mon baiser.

J'ai toute une vie devant moi pour raconter davantage de secrets. Pour l'instant, je vais prendre plaisir à garder certains d'entre eux pour moi.

REMERCIEMENTS

Cindy Eagan, je te serai à jamais reconnaissante d'avoir accepté de prendre un risque avec quelqu'un qui avait une grande idée, mais ignorait totalement comment la mettre sur papier. Merci de m'avoir aidée à créer le monde de Kaitlin et de m'avoir permis de le développer pendant six merveilleuses aventures. Qui aurait pu savoir que boire un café au Rock Center Café changerait complètement ma vie ? Je n'aurais pas pu réaliser les importantes améliorations sans mes incroyables éditrices, Cindy, Kate Sullivan et Phoebe Spanier. Pheobe a donné sa voix à Kaitlin au début de toutes ces années, et Kate a continué de la faire vivre et de la rendre plus forte. Qu'il s'agisse de débats sur les petits gâteaux ou de questions sur les réalités alternatives, tu te souciais autant que moi, Kate, de faire les choses comme il faut. Et nous voici à la ligne d'arrivée (celle-ci, du moins). Je pense qu'il est temps que nous piquions une bonne crise de larmes…

Ma merveilleuse agente, Laura Dail, reçoit aussi des félicitations pour avoir épaulé une complète inconnue. Merci de m'avoir expliqué chaque détail et offert des commentaires là où j'en avais le plus besoin. Tamar Rydzinski, tu déchires, toi aussi !

À toute l'équipe de Poppy and Little, Brown Books for Young Readers, vous êtes la plus incroyable bande de partisans que pourrait souhaiter une auteure. Merci à : Andrew Smith, Elizabeth Eulberg, Ames O'Neill, Melanie Chang, Lisa Ickowicz, Andy Ball, notre formidable responsable des couvertures de Secrets, Tracy Shaw et son acolyte, Neil Swaab.

Ma famille et mes amis ont formé l'équipe d'encouragement de Secrets depuis le tout début. Vous avez toujours assisté à mes événements (au début, vous étiez les seuls!) et vous avez presque vendu des centaines de livres grâce à l'influence de vos éloges et de vos félicitations. Un mot particulier doit aller à ma mère pour m'avoir assistée avec les garçons; à mon grand-père, Nick Calonita, qui adore dire aux gens qu'il y a une auteure dans la famille; et à Mara Reinstein, ma référence officielle, toujours accessible à l'autre bout du fil quand j'ai besoin de son expertise sur le magasinage et les endroits chauds où aller dîner.

Enfin, à mes garçons, Mike, Tyler et Dylan (et Jack, bien sûr) : tout cela est possible grâce à vous. Merci de former un système de soutien si formidable et d'être mon inspiration, particulièrement Tyler, qui est la raison derrière toute cette aventure en premier lieu.

Les secrets de ma vie à Hollywood

Livre 1

Livre 2

Livre 3

Livre 4

Livre 5

www.ada-inc.com
info@ada-inc.com